D1246636

GUIDE PRATIQUE ET HISTORIQUE
DES VINS DE FRANCE

PHILIPPE COUDERC

Guide pratique
ET HISTORIQUE
des vins
de France

Le Pré aux Clercs

216 BOULEVARD SAINT-GERMAIN
75007 PARIS

UN LIVRE PRÉSENTÉ PAR
JEAN-CLAUDE SIMOËN

ISBN 2.7144.1733.7
© Le Pré aux Clercs, 1984

J'en appelle à Noé

Un hectolitre de plus ou de moins par hectare de vigne plantée a certainement beaucoup d'importance pour le vigneron et même pour la qualité de son vin, mais ce n'est pas tout à fait mon problème. La combinaison astucieuse de plusieurs cépages sur un même terroir ne manque pas non plus d'intérêt quant au résultat dans la bouteille, mais la viticulture n'est pas mon fort. Je laisse l'analyse du sol aux géologues attitrés de nos régions viticoles. Tout cela est certes passionnant, mais ces curiosités en matière de vins ne sont pas les miennes.

Bien plus qu'œnologue, ou même œnophile, je me veux plutôt jouisseur du vin et, si bien des livres m'ont largement expliqué, comme je le soulignais plus haut, ce qu'il avait dans le ventre, pour ce qu'il avait dans la tête, ils m'ont toujours laissé sur ma soif, me laissant seulement entrevoir qu'il pouvait y avoir beaucoup de choses à dire.

Je n'en attendais pas moins d'un aristocrate comme le vin. Un aristocrate dont l'arbre généalogique remonte tout de même assez loin : ce n'est pas le Père Noé qui me dira le contraire. Avec un tel passé, on a des souvenirs, c'est-à-dire une Histoire et des histoires à raconter. Pour d'aucuns, cela remonte même bien au-delà du déluge, et là-dessus les dieux de tous les Olympes en savent long. Pas étonnant alors que le vin soit devenu partie prenante dans l'Aventure des Hommes et des Pays.

De ce côté-là, la France est assez bien placée, et ce n'est pas un hasard si, pendant longtemps, le vin a été privilège de nos Princes, qu'ils soient d'Eglise ou d'Etat.

S'il fallait donner un exemple, comment ne pas rappeler que, si pour Henri IV Paris valait bien une messe, les quelques avantages supplémentaires accordés aux seigneurs et bourgeois propriétaires de vignobles en Ile-de-France (il y en avait alors beaucoup) furent d'autant d'importance.

Politique donc, le Vin, et, pour se convaincre que ce n'est pas là de l'histoire ancienne, il n'est que de vivre quelques barrages de viticulteurs bien de notre temps pour y trouver cette confirmation. La politique passe par l'alcôve (enfin parfois), n'a-t-on pas vu un Prince du sang surenchérir sur une maîtresse du Roi pour posséder un lopin de vigne de la taille de la place de la Concorde ? Et dans le Bordelais il existe au moins un château qui fut offert (vignoble compris) à une demoiselle qui n'avait pas encore de bouteille, de la part de son Roi, après une nuit qui l'avait, affirma-t-il, fort bien désaltéré.

Oui, le vin a fait tourner bien des têtes, même dans les couvents et les monastères sur les domaines desquels on a longtemps produit les meilleurs crus. On savait d'ailleurs aussi les y consommer puisqu'on retrouve dans certaines archives monastiques que chaque moine avait droit, dans quelque maison, à une ration de trois litres par jour. De quoi faire voir le Paradis en rose.

L'ivresse, cette fille naturelle du vin, lui a donné en l'occurrence de sérieux coups de main, faisant naître chez les propriétaires de très subtiles et étonnantes fantaisies. On a ainsi mémoire d'un châtelain bordelais qui embarquait ses vins, il y a presque deux siècles, à destination de ce qu'on appelait alors l'Arabie, pour les y échanger contre des chevaux. Lorsqu'il ne trouvait pas de monture à son goût, il remportait ses barriques, oubliant sans doute que le vin n'est pas fait pour être secoué pendant des mois en mer.

Le vin s'est voulu aussi médecin et pendant longtemps chaque province de vignobles avait ses docteurs bien placés auprès de la Cour et des puissants. A tel point que les Rois, habiles, favorisaient l'un ou l'autre, selon les nécessités politiques, l'influence de leur Diafoirus, ou peut-être plus simplement les effets d'un cru ou d'un autre sur leur état d'âme.

Il existe ainsi toute une mémoire du vin et parce qu'elle s'était éparpillée en Mémoires, j'ai voulu qu'ils se rassemblent dans un livre qui les raconterait comme une histoire de famille et, comme dans toutes les histoires de famille, j'en ai découvert des vertes et des pas mûres. Qu'importe, le vin, on le sait, travaille parfois jusqu'à la lie même.

Persuadé, somme toute, que ces histoires pouvaient se lire avec un bon verre de vin à la main, j'ai tenu, au-delà de ces anecdotes, à vous aider à choisir ce verre. Pour tous ces crus que je vous ai donc racontés, je n'ai pas négligé de vous dire aussi ce qu'ils étaient : la tête et les jambes en quelque sorte. Mais n'attendez pas de moi de ces conseils doctoraux — et combien sérieux — du genre « exercice de style avant de boire » qui finissent par vous enfermer dans un rite quasiment solennel, qui me gâche une partie du plaisir.

Choisir le vin selon son goût personnel, en sachant quel peut être le meilleur âge pour une bouteille, le millésime le plus brillant et la température à laquelle elle doit être bue me semble déjà suffisant. Parce que je comprends fort bien qu'on ait ensuite envie d'en parler, je vous propose aussi un vocabulaire remis au goût du jour, ce qui m'amène à préférer dire d'un vin maigre que c'est un « Charlot » plutôt que « fluet » selon la tradition. Cela pour vous prouver que le vin est vivant et bien vivant.

P.C.

Hiérarchie des vins de France

Très grands vins

Bordelais

38 Château-Ausone
39 — Cheval-Blanc
40 — Haut-Brion
41 — Lafite-Rothschild
42 — Latour
43 — Margaux
44 — Mouton-Rothschild
45 — d'Yquem

Bourgogne

48 Bonnes Mares

49 Chambertin-Clos de Bèze
50 Clos de Vougeot
51 Corton-Charlemagne
52 Montrachet
53 Romanée-Conti
54 Clos de Tart

Côtes du Rhône

56 Château-Grillet

Jura

58 Château-Chalon

Très bons vins

Bordelais

62 Château-Belair
63 — Beychevelle
64 — Calon-Ségur
65 — Cantemerle
66 — Cantenac-Brown
67 — Carbonnieux
68 — Cos d'Estournel
69 — Ducru-Beaucaillou
70 — Giscours
71 — Grand-Barrail-
       Lamarzelle-Figeac
72 — Guiraud
73 — Haut-Brion blanc
74 — d'Issan
75 — la Lagune
76 — Langoa

77 Château-Lascombes
78 — de Malle
79 — la Mission-Haut-
       Brion
80 — Montrose
81 — Palmer
82 — Pape Clément
83 — Pichon-Longueville-
       Baron
83 — Pichon-Longueville-
       Lalande
84 — Rausan-Gassies
84 — Rausan-Ségla
85 — Rayne-Vigneau
86 — Suduiraut
87 — la Tour Blanche
88 — la Tour-Martillac

9

Bons vins

159 Lirac
160 Domaine de Mont-Redon
161 Château-Raspail
162 Saint-Péray
163 Tavel

Dordogne

166 Château de Monbazillac

Jura

168 Etoile

Mâconnais

170 Pouilly-Fuissé
171 Pouilly-Loché

Provence

174 Château-Crémat
175   —   Minuty
176   —   Vignelaure

Pyrénées

178 Jurançon Gan

Vallée de la Loire

180 Coulée de Serrant
181 Jasnières
182 Menetou-Salon
183 Muscadet sur lie
184 Quarts-de-Chaume
185 Roche aux Moines

Vins agréables et intéressants

Alsace

190 Clos de la Hune
191 Pinot rouge
192 Traminer

Bordelais

194 Château-Bellevue
195   —   du Breuil
196   —   Vray-Canon-Bouché
197   —   du Castéra
198   —   de Cérons et
              Calvimont
199   —   Ferran
200   —   du Grand-Puch
201   —   Lanessan
202   —   Malagar
203   —   Malleret
204   —   Matras
205   —   Musseau
206   —   Peyrabon
207   —   Picque-Caillou
208   —   Raymond
209   —   Recougne
210   —   la Tour-Ségur

211 Château de Viaud-Grand
         Chambellan

Bourgogne

214 Clos de la Chaînette
215 Clos du Roi
216 Côte de Nuits Villages
217 Givry
218 Palotte d'Irancy
219 Passetoutgrain
220 Saint-Aubin Frionnes

Chalonnais

222 Montagny

Champagne

224 Château de Bligny
225 Charbault
226 Lucien Vazard

Corse

228 Coteaux du Sartenais

Petits vins originaux et insolites

Des chiffres et des vins

Je le sais bien qu'un vin de race s'approche avec une certaine déférence, mais point ne faut trop en faire. Alors, en matière de conseils, je m'abstiendrai de vous initier à une cérémonie quelconque selon le rite bien établi. Savoir à combien d'années une bouteille peut se boire, quels sont les bons millésimes, et à quelle température il faut la servir me paraît déjà suffisant. Age, millésime, température... les voici. (Attention : vous le constaterez, rares sont les crus à vieillir très, très longtemps. Alors pourquoi dater des millésimés anciens... parce qu'il y a des miracles.)

LES BORDEAUX

— *AGE :* Le Bordelais représentant quelques milliers de vins différents, il est difficile de définir pour chacun d'eux à quel âge il doit se boire, à tel point que l'on trouve dans cette région des petits crus qui se boivent en « primeur », c'est-à-dire âgés de quelques mois et des « seigneurs » qui n'ont pas peur du demi-siècle d'existence ou même d'être centenaires.

Cependant, pour ce qui est des vins moyens, situons leur meilleure forme entre deux et douze ans ; dans cet ordre de grandeur, les Pomerol, Saint-Emilion et aussi les Graves sont très satisfaisants entre cinq et dix ans, encore que l'on puisse les boire plus jeunes. Les grands crus, que l'on met en vente beaucoup trop jeunes aujourd'hui, doivent, pour moi, attendre d'avoir atteint quatre ans pour commencer à être bus. Vingt-cinq à trente ans ne sont pas des âges impossibles, mais il est vrai que les vinifications modernes ne leur permettent pas toujours d'aller au-delà de dix ou quinze ans, hors bien sûr les plus célèbres. Si vous aimez les ancêtres, les Barsac, les Sauternes, les grands Pauillac et les grands Médoc sont encore solides à quarante/cinquante ans.

BORDEAUX ROUGE

1924	1926	1928	1929	1934	1937	1942	1943
16	15	19	18	16	14	12	13
1945	1947	1948	1949	1950	1952	1953	1955
19	18	16	18	14	15	18	17
1957	1959	1961	1962	1964	1966	1967	1968
14	15	19	15	15	18	14	12
1969	1970	1971	1972	1973	1974	1975	1976
14	18	16	18	13	13	18	16
1977	1978	1979	1980	1981	1982	1983	
13	17	16	13	17	18		

— *TEMPÉRATURE :* Petits et moyens doivent se boire entre 13 et 16° tandis que les grands et très grands apprécient 18° environ.

BORDEAUX BLANC

1924	1926	1928	1929	1934	1937	1942	1943
15	13	17	18	15	18	13	16
1945	1947	1948	1949	1950	1952	1953	1955
19	17	16	17	13	15	16	17
1957	1959	1961	1962	1964	1966	1967	1968
14	15	18	16	14	15	19	11
1969	1970	1971	1972	1973	1974	1975	1976
13	17	17	12	13	12	18	16
1977	1978	1979	1980	1981	1982	1983	
13	15	15	14	16	13		

— *TEMPÉRATURE :* 10 à 12° pour les Graves et Entre-Deux-Mers, mais 6 à 8° pour les Barsac et les Sauternes.

LES BOURGOGNE

— *AGE :* Les « primeurs » et les petits se boivent jeunes, comme s'ils couraient après les lauriers du Beaujolais. Les Mâcon, par exemple, participent de cet esprit mais ils tiennent bien jusqu'à deux ou trois ans. C'est à partir de deux ans que les blancs (hors ceux de « primeur ») commencent en général à être au meilleur d'eux-mêmes et il en est qui tiennent facilement jusqu'à huit ans.

De quatre à huit ou dix ans les rouges du milieu de gamme sont à leur meilleur surtout lorsqu'il s'agit de bouteilles millésimées.

Au-delà, on passe aux grands crus ; on doit, pour moi, commencer à les boire à cinq ans (avant cela relève de la provocation) et jusqu'à vingt/vingt-deux ans pour les Côte de Beaune, et vingt-cinq/trente ans pour les Côte de Nuits, mais, attention, les vinifications modernes, là aussi toujours impatientes, ne leur laissent pas toujours le temps d'aller aussi loin, hélas !

— *MILLÉSIME* :

BOURGOGNE ROUGE

1924	1926	1928	1929	1934	1937	1942	1943
11	12	17	19	18	16	13	14
1945	1947	1948	1949	1950	1952	1953	1955
18	17	12	18	10	16	14	15
1957	1959	1961	1962	1964	1966	1967	1968
13	16	18	14	15	16	11	10
1969	1970	1971	1972	1973	1974	1975	1976
18	11	18	16	14	13	8	17
1977	1978	1979	1980	1981	1982	1983	
12	19	16	13	13	13		

— *TEMPÉRATURE* : Longtemps on a bu les Bourgogne aux mêmes températures que les Bordeaux. Mais aujourd'hui on a enfin compris que 2 ou 3° de moins les font mieux dans leur peau. Soit donc 12 à 14° pour les petits et les moyens, 16° pour les grands et les très grands.

BOURGOGNE BLANC

1924	1926	1928	1929	1934	1937	1942	1943
11	12	16	18	15	15	14	15
1945	1947	1948	1949	1950	1952	1953	1955
14	16	9	15	14	15	15	16
1957	1959	1961	1962	1964	1966	1967	1968
14	16	16	16	17	16	14	11
1969	1970	1971	1972	1973	1974	1975	1976
17	16	15	8	17	14	12	15
1977	1978	1979	1980	1981	1982	1983	
13	17	16	14	16	16		

— *TEMPÉRATURE* : Pouilly-Fuissé, petits Chablis et petits Mâcon autour de 10° ; grands Chablis, crus moyens et grands de 10 à 12°.

CHAMPAGNE

— *AGE :* De trois à six ans pour l'ensemble des Champagne. Lorsqu'il s'agit de bouteilles millésimées on peut considérer qu'elles se maintiennent jusqu'à huit ou neuf ans. Au-delà la madérisation menace, mais il est très intéressant de noter les phénomènes de certaines marques qui, en effectuant le dégorgement après un certain nombre d'années de cave, finissent par obtenir d'étonnants Champagne « vieux-jeunes » (ceci sans aucune intention péjorative).

A propos des vins « plats » de Champagne leur existence est intéressante de un à cinq ans.

— *MILLÉSIME :*

1924	1926	1928	1929	1934	1937	1942	1943
14	12	18	19	15	14	12	13
1945	1947	1948	1949	1950	1952	1953	1955
18	18	14	16	13	15	17	17
1957	1959	1961	1962	1964	1966	1967	1968
12	17	18	15	15	17	14	10
1969	1970	1971	1972	1973	1974	1975	1976
17	14	16	8	16	12	16	16
1977	1978	1979	1980	1981	1982	1983	
12	14	15	11	15	13		

Soyons logiques, ceci pour certains très vieux millésimes et à titre de curiosité puisque après huit/dix ans un Champagne est menacé. Toutefois on peut avoir des surprises magnifiques avec des vieillards... Alors... !

— *TEMPÉRATURE :* Assez curieusement la qualité du Champagne dirige d'une certaine façon la température à laquelle on doit le boire. Les Champagne de petits propriétaires et ceux des cuvées les plus commercialisées des grandes marques sont à servir entre 7 et 9° et je soutiens que les bouteilles des cuvées spéciales ou celles des maisons de très haut prestige demandent 8 à 10°.

ALSACE

— *AGE :* La vie utile d'une bouteille d'Alsace se situe entre un et six ans. Entre ces deux extrêmes on peut préciser qu'il vaut mieux attendre que les Pinot et les Riesling aient atteint leur deuxième année et qu'ils n'aillent, peut-être, pas beaucoup plus loin, tandis que les Tokay seront brillants jusqu'à cinq ans, toujours à partir de cette deuxième année.

1924	1926	1928	1929	1934	1937	1942	1943
12	12	15	17	16	17	15	16
1945	1947	1948	1949	1950	1952	1953	1955
18	17	13	17	12	15	17	16
1957	1959	1961	1962	1964	1966	1967	1968
13	18	17	14	17	16	16	16
1969	1970	1971	1972	1973	1974	1975	1976
15	15	18	8	16	13	13	17
1977	1978	1979	1980	1981	1982	1983	
10	14	15	11	16	14		

— *TEMPÉRATURE* : Je sais combien les vignerons alsaciens sont attachés aux différences réelles de leurs vins mais je pense que 11-12° doivent convenir aux uns et aux autres ; Muscat, Tokay et Sylvaner un peu moins, Traminer, Riesling et Pinot un peu plus.

CÔTES DU RHÔNE

— *AGE* : Là aussi il existe des « primeurs » à boire entre trois et six mois et des « villages » selon leurs caractères entre six mois et cinq ans. Pour la grande majorité, ce sont des vins sans histoire, et on peut tabler entre un et quatre ans, mais, plus qu'ailleurs, la personnalité du vigneron et de son vin rentrent en ligne de compte et je sais des Côte-Rôtie qui à six et sept ans font merveille.

Parmi ces Côtes du Rhône qui savent encore être étoffés, c'est-à-dire Châteauneuf-du-Pape et Saint-Joseph, de quatre à dix ans ils donnent bien des satisfactions ; mais comme il faut savoir choisir son propriétaire là aussi !

— *MILLÉSIME* :

1924	1926	1928	1929	1934	1937	1942	1943
15	12	15	18	15	14	14	15
1945	1947	1948	1949	1950	1952	1953	1955
17	16	8	17	13	16	13	15
1957	1959	1961	1962	1964	1966	1967	1968
15	14	17	15	15	16	17	12
1969	1970	1971	1972	1973	1974	1975	1976
16	17	15	15	13	13	14	17
1977	1978	1979	1980	1981	1982	1983	
13	17	15	14	14	13		

Toutefois, si vous trouvez certains vieux millésimes bien cotés sur ce tableau, n'hésitez pas car, en ce temps-là, on osait encore faire des vins puissants et riches.

— *TEMPÉRATURE* : En blanc 8 à 10°, en rouge 12 à 14°.
Une exception, car c'est un vin exceptionnel bénéficiant pour lui tout seul d'une appellation contrôlée, le Château-Grillet (blanc) à boire à 12°.

VINS DE LOIRE

— *AGE* : Les vignobles de Loire sont multiples pour les principaux retenus et d'abord ceux de Touraine. Les âges idéaux pour les déguster se situent approximativement de deux à huit ans pour les Bourgueil, de deux à six ans pour les Chinon, de cinq à dix ans et vingt ans pour les Vouvray selon qu'ils sont secs, doux ou pétillants. Cependant pour les premiers, certains millésimes d'avant-guerre peuvent exceptionnellement être étonnants de qualité.
Le Pouilly fumé comme le Sancerre se situeront entre trois mois et trois ans ; quelquefois cependant, les uns et les autres, pour les millésimes cotés, sont très consommables jusqu'à dix ans, et même plus pour certains Sancerre.
Le Muscadet s'est fait depuis longtemps une réputation de vin à boire jeune (six mois) mais jusqu'à deux ans il conserve souvent assez bien cette jeunesse. Au-delà je ne m'engagerai pas, encore que...
Saumur et Anjou, en rouges, me conviennent entre un et quatre ans, pour les plus estimés j'attendrai plutôt qu'ils aient cinq ans comme d'ailleurs pour les blancs.

— *MILLÉSIME :*

1924	1926	1928	1929	1934	1937	1942	1943
13	12	14	15	15	15	12	16
1945	1947	1948	1949	1950	1952	1953	1955
17	19	12	16	12	14	16	15
1957	1959	1961	1962	1964	1966	1967	1968
12	17	16	14	15	14	13	16
1969	1970	1971	1972	1973	1974	1975	1976
15	14	15	8	15	13	14	17
1977	1978	1979	1980	1981	1982	1983	
12	17	14	13	15	13		

— *TEMPÉRATURE :* 7-8° me paraît être la température adéquate pour les vins moelleux ; les secs comme les demi-secs et les pétillants peuvent supporter 2-3° de plus. Ceci pour les blancs qui sont majorité, tandis que les rares rouges seront bus à 13°.

IMPORTANT : Les cotations des « tableaux millésimes » ont été établies par M. Vrinat, propriétaire du plus élégant, du plus raffiné et meilleur restaurant de Paris, le Taillevent. M. Vrinat possède de surcroît une fabuleuse réserve de vins et il est un des rares à déguster périodiquement ses crus dans différents millésimes. Qu'il soit remercié ici de cette constance et surtout de son admirable connaissance.

Bordeaux, Bourgogne, Champagne, Alsace, Côtes du Rhône, vins de Loire sont les plus connus... et il est bien vrai que pour eux les millésimes comptent beaucoup. Mais il est d'autres crus venus de régions moins brillantes qui ne manquent pas d'intérêt même si ce fameux millésime a moins d'importance. C'est pourquoi nous n'avons pas établi de tableaux pour eux, mais l'âge compte cependant, tout comme il faut les boire à une température adéquate.

BEAUJOLAIS

Célèbre lorsqu'il est « nouveau » (trois mois) mais ses « crus » font preuve de valeur jusqu'à trois ou quatre ans avec d'admirables surprises (et je ne suis pas un fanatique du Beaujolais) pour le Moulin à Vent qui, âgé, tient tête à de bons Bourgogne.
Les rarissimes blancs ont des qualités jusqu'à cinq ans.
Pour la température : 10 à 12° pour les primeurs et les villages, 12 à 14° pour les « crus ».

CAHORS

On le sait peu, mais ce vin-là, il ne faut pas le boire avant trois ans en dépit d'une certaine mode contraire, et il « existe » jusqu'à dix ans et plus.
A boire nettement chambré à 14-15° au risque de vous surprendre.

CÔTES DE PROVENCE

A souligner d'abord qu'ils ont fait bien des progrès depuis des années et je crois que, pour les meilleurs, on les boit trop jeunes, sauf pour les blancs à consommer plutôt dans leur première année. Les fameux rosés, une fois de plus pour les meilleurs d'entre eux, sont préférables de un à trois ans et les rouges de deux à six ans et ne croyez pas qu'ils vieillissent au-delà.
Comme on les consomme trop jeunes on les boit trop frais. 12° est, pour moi, le minimum de ce qu'ils peuvent supporter et sachez que certains rouges à 15° sont à point.

JURA

Un cas dans le vignoble français que ce terroir qui fournit peu de vin et de vins, mais sait créer des surprises. Le fameux et unique « Vin Jaune » si caractéristique, dont l'âge de consommation se situe entre dix et deux cents ans. Le Vin de Paille, autre exception, se boit à partir de trois ans ; les blancs « normaux », si j'ose dire, de deux à six ans ; les rouges, plus distingués, s'inscrivent dans le même éventail encore qu'ils puissent aller jusqu'à huit-dix ans.

Question température, le Vin Jaune à 16-17°, le Vin de Paille à 15° et les autres blancs à 8-10°. Les rouges sont rares et on parle beaucoup de leur température idéale, pour ma part je les bois à 12-13°.

Ces vins du Jura qui vieillissent si bien savent donc parfaitement profiter des bons millésimes. N'hésitez pas devant un 1929, un 1945, un 1959, un 1969, un 1971, et, surtout, précipitez-vous sur un 1947, il vaut quasiment le 29.

JURANÇON

Ce blanc pour lequel Henri IV a tant fait devient intéressant pour moi à partir de deux ans jusqu'à huit ans et à 7°.

MADIRAN

Etrange cru rouge des Pyrénées, rude, dont les meilleurs tiennent de cinq à dix ans ; pour les autres... Les meilleurs se dégustent à 15°, ce qui, vu leur puissance...

MONBAZILLAC, MONTRAVEL, BERGERAC

On devrait mieux les connaître, d'autant que les plus intéressants vieillissent bien jusqu'à dix ou vingt ans. Pour ceux qui ont moins de prétentions, indiquons-les à boire entre deux et quatre ans. Leur température : à 7-8°.

SAVOIE

Des vins méconnus que l'on commence à découvrir. Autant le faire lorsqu'ils ont de un à quatre ans et à 8-10° de température.

Le nouveau vocabulaire du vin

Angoisse (l') = **Usé** : vin dépourvu de ses qualités vineuses.

Assure (s') = **Suave** : vin irrésistible.

Baba cool = **Gouleyant** : vin facile à boire.

Baba riche = **Moelle** : vin qui a de la moelle, vin onctueux qui a de la consistance et du corps.

Balaise = **Charpenté** : bien constitué.

Baskets (bien dans ses) = **Equilibré**.

B.C.B.G. = **Distingué** : élégant et délicat.

Bidon = **Plat** : sans saveur ni vivacité.

Bourge = **Bourgeois** : (crus).

Branché = **Mode (à la)** = vins correspondants aux goûts et aux désirs des gens (ex : rosé de Provence).

Branque = **Tourné** : vin altéré ou décomposé.

Charlot = **Fluet** : vin maigre de peu de corps.

Cheap = **Aqueux** : vinosité faible.

Classe (c'est) = **Grand**.

Clean = **Cachet (avoir du)** : caractéristique d'un vin de qualité.

Craignos = **Fumeux** (casse-tête) : les vapeurs et les fumées montent à la tête.

Décadent = **Délicat** : ni âme, ni piquant.

Déchiqueté = **Ficelle** : il ne reste plus que la ficelle signifie que le vin a perdu toutes ses qualités.

Dégage = **Puissant** : très corsé, très étoffé.

Déménage (il) = **Fort**.

Dur-dur = **Apre** : astringent, rude, difficile à avaler.

Epave = **Vieillarder** : en dégénérescence.

Flash = **Généreux** : produit une sensation de bien-être et un effet tonique.

Flippe (il) = **Chapeau sur l'oreille** : vin qui entre en décadence.

Folkeux = **Terroir (goût de)**.

Frime (il) = **Venuste** : charpenté, un peu lourd, mais puissant.

Gay = **Velouté** : vin qui descend dans la gorge en culottes de velours.

Géant = **Distingué**.

Glauque = **Mou** : manque de caractère.

Guignol = **Commun**.

Interpelle (il) = **Mouchoir** : un vin de mouchoir est un vin au bouquet si délicat que l'on pourrait en mettre quelques gouttes sur un mouchoir comme pour un parfum.

Look = **Robe** : couleur.

Louf = **Queue de renard** : quand il y a comme une coulée de lie à l'endroit où la mouche se forme.

Master = **Queue de paon** : Grands Vins de grand arôme prolongé.

Mickey = **Faible**.

Must = **Race** : de grande classe.

Pas triste = **Rond** : plein, gras, charnu.

Santiags (tomber dans ses) = **Bottes (tomber dans ses)** : perdre toute sa saveur.

Speed = Nerveux : vin avec une sève, un corps et une force suffisant à le maintenir longtemps au même niveau.

Square = Mâche : semble avoir assez de consistance pour être mâché.

Tricard = Dentelles : vin décoloré, passé.

Trip (bon pour un) = Capiteux : qui échauffe le cerveau.

Pour chambrer une bouteille de vin

Littéralement, chambrer le vin c'est porter la bouteille sortant de la cave à la température ambiante de la « chambre » puisque c'est ainsi que l'on appelait jadis la salle à manger. Aux temps passés, cette salle à manger n'était jamais chauffée au-delà de 16-17° ; aujourd'hui 23° sont courants, pas question donc de chambrer à cette température.

Mais, puisqu'il faut parfois augmenter la température de cette bouteille venant de la cave, restent plusieurs formules.

Réchauffer une carafe avec de l'eau chaude, la rincer avec un peu de vin et transvaser le reste de la bouteille.

Mettre la bouteille dans une eau très chaude pendant 10 secondes et l'emmailloter dans un linge quelques minutes (efficacité discutable).

Réchauffer le verre entre les paumes de ses mains demeure une manière agréable de chambrer son vin.

Et puis, bien sûr, si la température de la salle à manger convient à la température idéale du vin, il suffit d'y apporter la bouteille quelques heures avant sa dégustation.

A noter pour les maniaques une série de thermomètres à plonger dans la bouteille ou dans le verre pour constater si le vin est à point. Précis sans doute, mais pas très élégant.

Les boire, mais avec quoi ?

La bonne vieille habitude d'établir l'ordre d'un repas avant de choisir son vin ne me paraît pas être toujours digne d'un véritable amateur de vins. Car, enfin, ne serait-il pas tout aussi logique d'organiser ce même repas autour de bouteilles choisies préalablement ? Une très grande bouteille d'un millésime réputé, c'est tout de même plus rare qu'une poule au pot réussie.

J'avais donc été tenté d'établir, en parallèle du traditionnel chapitre « tels plats = tels vins », un second chapitre « tels vins = tels plats ». Cela finissait par faire désordre. Les mathématiques, auxquelles je n'ai jamais rien compris, et qui n'ont cependant rien à voir avec les empirismes du vin, m'ont cependant tiré d'affaire : partant de vagues réminiscences d'abscisses et d'ordonnées, réservant les vins aux premières et les plats aux secondes, j'ai donc préféré un tableau rassemblant les deux formules. Chacun devrait donc y trouver à boire et à manger.

Je tiens cependant à souligner que ces associations « vin-cuisine » ne sont jamais que des indications et non des absolus : comme en matière de cœur, les liaisons dangereuses sont parfois aussi heureuses que les mariages de raison.

Pour rafraîchir une bouteille de vin

On peut utiliser un seau avec de la glace (surtout sans y mettre de sel comme certains le font) mais en étant très attentif à en sortir la bouteille une fois qu'elle est à température, pour autant que l'ambiance extérieure ne soit pas trop chaude.

Si l'on dispose d'un peu plus de temps avant d'ouvrir la bouteille, la formule de l'eau fraîche d'un robinet coulant doucement sur la bouteille mène l'opération de manière plus progressive.

Troisième possibilité : le réfrigérateur, très discuté. La différence entre la température ambiante de la pièce et celle du réfrigérateur si elle est grande peut parfois « secouer » un vin. Toutefois, et parce que l'on ne laisse pas longtemps la bouteille à l'intérieur du réfrigérateur, les risques sont moins grands qu'on ne le dit. Cependant, il faut éviter à tout prix le compartiment à glaçons et surtout ne pas oublier qu'un vin est définitivement cassé à −3°.

ALSACE

	GEWURTZTRAMINER	PINOT BLANC	PINOT NOIR
Potages et consommés			Tout au long d'un bon petit repas et convient particulièrement aux viandes rouges.
Œufs *Une des grandes querelles : avec ou sans vin ?*		Toutes les préparations avec des œufs.	—
Charcuterie			—
Poissons		Les poissons grillés et en sauce. Les beurres blancs.	—
Crustacés et fruits de mer		Sans exception.	
Viandes			—
Triperie	Foie gras, surtout les foies gras de l'Est.		—
Volailles		De préférence, le poulet en sauce.	—
Gibiers			—
Légumes et champignons		Les tartes aux légumes sont une très bonne indication.	—
Desserts	Desserts alsaciens, soufflés sucrés.	—	

	TOKAY	RIESLING	SYLVANER
Potages et consommés			
Œufs *Une des grandes querelles : avec ou sans vin ?*			
Charcuterie			Charcuterie locale et quiches.
Poissons		Les poissons plutôt grillés.	Truites.
Crustacés et fruits de mer		Les fruits de mer, les crustacés et les écrevisses avant tout.	Comme le Riesling.
Viandes	Viandes rouges exclusivement et rôties de préférence.	Le veau surtout.	Comme le Riesling.
Triperie	Le foie gras sous toutes ses formes.	Excellent avec les tripes.	Comme le Riesling.
Volailles			
Gibiers	Va bien avec les gibiers.		
Légumes et champignons			La choucroute par excellence.
Desserts			

BORDEAUX

	ENTRE-DEUX-MERS	GRAVES	SAUTERNES ET BARSAC
Potages et consommés	Les plus secs pour les soupes de poisson et les bisques. Les autres pour les potages de légumes.	Les blancs iront avec les soupes de poisson et les bisques.	
Œufs *Une des grandes querelles : avec ou sans vin ?*		Un rouge pour les omelettes aux champignons et les œufs brouillés aux truffes.	
Charcuterie		Les Graves rouges de force moyenne.	
Poissons	En choisissant les blancs secs.	Les blancs secs ou un rouge avec la lamproie et les poissons d'eau douce.	Un turbot et un brochet beurre blanc.
Crustacés et fruits de mer	Les blancs les plus secs.	Les blancs encore plus secs mais aussi les petits Graves rouges.	Homard à l'armoricaine.
Viandes		Un rouge pour les viandes rôties et grillées.	Les curry seulement.
Triperie		Blancs très secs.	Le foie gras par excellence.
Volailles		Un rouge.	Canard à l'orange et les curry.
Gibiers		Un rouge plus charpenté.	
Légumes et champignons		Pour les champignons et les truffes, un rouge un peu moins corsé.	
Desserts			Les desserts.

	SAINT-ÉMILION	POMEROL	MÉDOC
Potages et consommés			
Œufs *Une des grandes querelles : avec ou sans vin ?*	Un vin corsé pour les omelettes.	Un vigoureux Pomerol pour les préparations aux truffes.	Les omelettes apprécient un Médoc assez fort.
Charcuterie		Un vin pas trop puissant ou au contraire très puissant avec les charcuteries fortes.	Une expérience à faire avec les pâtés de poisson.
Poissons	Si préparés en sauce au Saint-Emilion, continuer avec le même.		
Crustacés et fruits de mer			
Viandes	Un vin plus solide pour les viandes grillées et rôties, et encore plus pour les viandes en sauce.	Comme pour le Saint-Emilion, on choisira un vin plus charpenté, si les viandes sont en sauce.	Augmenter la force du vin choisi si les viandes sont en sauce.
Triperie	Foie gras plutôt servi en milieu de repas mérite un grand Saint-Emilion.	Pour un foie gras — les plus grands — s'il n'est pas servi en début de repas.	Les meilleurs pour un foie gras servi au début du repas.
Volailles	Comme pour les viandes.	Un très bon Pomerol va avec toutes les volailles.	Choisir un vin du haut Médoc si elles sont rôties ou grillées.
Gibiers	Les meilleurs crus.	Plus le gibier est recherché, plus le Pomerol doit être à la hauteur.	Le haut de gamme.
Légumes et champignons	Avec les cèpes, on choisit un cru moyen ou même un des meilleurs.	Les plus grands vont très bien avec les cèpes et les truffes.	Les truffes et les cèpes ont droit aux meilleurs.
Desserts			

BOURGOGNE

	CÔTE DE NUITS	CÔTE DE BEAUNE
Potages et consommés	Les plus calmes pour les potages de légumes et les plus forts pour les potages campagnards.	Les blancs de Meursault, de Corton et de Montrachet avec les soupes de poisson, les bisques et les potages de légumes. Pour les potages campagnards, choisir les meilleurs rouges.
Œufs *Une des grandes querelles : avec ou sans vin ?*	Les choisir plutôt puissants.	Un rouge puissant pour les omelettes et les œufs brouillés.
Charcuterie		
Poissons		Tous les blancs sont parfaits.
Crustacés et fruits de mer		Les blancs sans exception, mais un rouge puissant convient très bien à un homard à l'armoricaine.
Viandes	Aller des moyens aux plus corsés selon que la viande est grillée, rôtie ou en sauce.	Du rouge pour le bœuf rôti et un rouge plus corsé pour le bœuf en sauce. Pour les grillades, tous les rouges, du plus corsé au plus modeste.
Triperie		Les blancs conviennent très bien.
Volailles	Tous, en choisissant les plus légers pour le canard. L'oie et la dinde supportent des vins plus corsés.	Comme pour les Côte de Nuits.
Gibiers	Les meilleurs seront réservés aux gibiers les plus rares.	
Légumes et champignons	Les champignons méritent de grands crus et même de très grands pour les truffes et les cèpes.	Les meilleurs, surtout pour les truffes et les cèpes.
Desserts		

MÂCONNAIS

	MÂCON	POUILLY-FUISSÉ
Potages et consommés		Les soupes de poisson et les bisques.
Œufs *Une des grandes querelles : avec ou sans vin ?*		
Charcuterie	Les charcuteries et les cochonnailles.	
Poissons		Le turbot est son poisson favori.
Crustacés et fruits de mer		Les fruits de mer en général, surtout les petits crustacés.
Viandes	Plutôt, voire exclusivement, pour les viandes rouges.	
Triperie	Sauf le foie gras.	
Volailles		
Gibiers		
Légumes et champignons		
Desserts		

BERGERAC

	MONBAZILLAC	PECHARMANT	BERGERAC	ROSETTE
Potages et consommés			Pour les petits repas campagnards du début à la fin.	
Œufs *Une des grandes querelles : avec ou sans vin ?*			—	
Charcuterie			—	
Poissons			—	Essentiellement d'eau douce.
Crustacés et fruits de mer			—	
Viandes			—	
Triperie	Le foie gras au début du repas.		—	
Volailles			—	
Gibiers		Surtout avec la palombe et la bécasse.	—	
Légumes et champignons			—	
Desserts	Vin agréable pour tous les desserts.		—	

CAHORS

Potages et consommés	Très indiqué avec les potages campagnards.
Œufs *Une des grandes querelles : avec ou sans vin ?*	
Charcuterie	
Poissons	
Crustacés et fruits de mer	
Viandes	Surtout les viandes en sauce, et plus encore le cassoulet.
Triperie	Le foie gras sous toutes ses formes, sauf servi au début du repas.
Volailles	Plutôt les volailles fortes en goût.
Gibiers	Va particulièrement bien au lièvre et le vieux Cahors aux pâtés de gibier.
Légumes et champignons	Le vieux Cahors est excellent avec des cèpes et des truffes.
Desserts	

PYRÉNÉES

	JURANÇON (il a exactement les mêmes indications que Sauternes et Barsac)	MADIRAN	PACHERENC
Potages et consommés			
Œufs *Une des grandes querelles : avec ou sans vin ?*			
Charcuterie		Les charcuteries et les cochonnailles régionales.	Pour les produits de la région.
Poissons	Avec tous les poissons, en particulier les poissons au beurre blanc.		
Crustacés et fruits de mer	Surtout le homard à l'armoricaine.		
Viandes	Très agréable avec du veau.	Et avant tout les viandes rôties.	Va mieux avec le veau.
Triperie	Le foie gras servi au début du repas.		Le foie gras mais pas au début du repas.
Volailles	Le canard à l'orange et les curry.	Convient à toutes les volailles sauf le poulet.	
Gibiers		Choisir un vieux Madiran.	
Légumes et champignons	Va très bien aux pâtés.	Un très vieux Madiran peut très bien accompagner des truffes.	
Desserts			

CÔTES DU RHÔNE

	CHÂTEAUNEUF-DU-PAPE CÔTE-RÔTIE HERMITAGE SAINT-JOSEPH CORNAS GIGONDAS	CONDRIEU HERMITAGE SAINT-PERAY CHÂTEAUNEUF-DU-PAPE (blanc)	CÔTES DU RHÔNE CÔTES DU RHÔNE VILLAGE COTEAUX DU TRICASTIN CÔTE DU VENTOUX
Potages et consommés	Les Cornas pour les potages campagnards.	Blanc pour les potages à la crème.	Surtout les potées.
Œufs *Une des grandes querelles : avec ou sans vin ?*			
Charcuterie	Tous les vins, en réservant les plus forts aux charcuteries les plus fortes.		Les petites charcuteries en hors-d'œuvre. Les fortes avec un Côte du Ventoux.
Poissons		Châteauneuf blanc et tous les blancs, particulièrement avec la barbue et le bar.	
Crustacés et fruits de mer	En particulier le homard et les écrevisses.	Pour un homard à l'armoricaine, tous les blancs, mais aussi les rouges.	
Viandes	En allant du plus modeste au plus corsé, depuis la viande grillée jusqu'aux viandes en sauce.		Les grillades essentiellement.
Triperie	Foie gras au milieu du repas (Châteauneuf, Cornas, Côte-Rôtie).	Les blancs accompagneront bien les ris de veau.	Gras-double.
Volailles	Grillées et rôties, elles apprécient ces rouges, d'autant plus si la bête est rustique.		
Gibiers	Plus le gibier est corsé et fort, plus le vin doit l'être (Châteauneuf et Côte-Rôtie).		
Légumes et champignons	Surtout avec les girolles.		
Desserts			

CÔTES DE PROVENCE

	CÔTES DE PROVENCE, BANDOL, CASSIS
Potages et consommés	Soupes de poisson avec un Bandol et surtout la bouillabaisse. Toutes les soupes.
Œufs *Une des grandes querelles : avec ou sans vin ?*	
Charcuterie	Très bons avec les charcuteries.
Poissons	Grillés, surtout avec la bourride.
Crustacés et fruits de mer	Avec un Cassis ou un Bandol, plutôt les crustacés et les coquillages.
Viandes	
Triperie	
Volailles	Les canards, avec les meilleurs Bandol rouges.
Gibiers	Les meilleurs rouges.
Légumes et champignons	L'aïoli, la ratatouille, les tomates farcies avant tout.
Desserts	

VINS DE LOIRE

	COTEAUX DU LAYON	ROSÉS ET CABERNET D'ANJOU	MUSCADET
Potages et consommés		Choisir un Anjou sec pour les soupes de poisson.	Les soupes de poisson avec un Muscadet sur lie.
Œufs *Une des grandes querelles : avec ou sans vin ?*			Les œufs sous toutes leurs formes.
Charcuterie		Toutes les charcuteries et terrines.	Surtout les pieds de porc.
Poissons	Tous les poissons et le turbot en premier lieu.		Autant d'eau douce que d'eau de mer.
Crustacés et fruits de mer			
Viandes			
Triperie	Foie gras.		Les tripes.
Volailles			Le poulet en sauce.
Gibiers			
Légumes et champignons			
Desserts	Tous les desserts.	Entremets et desserts.	
	SAVENNIÈRES	POUILLY	SAUMUR
Potages et consommés			
Œufs *Une des grandes querelles : avec ou sans vin ?*			
Charcuterie		Les jambons et les pâtés.	
Poissons	De mer comme d'eau douce.	Le brochet autant que les autres poissons d'eau douce.	Les poissons d'eau douce et l'alose.
Crustacés et fruits de mer	Tous sans exception.		Avec les moules dans toutes leurs préparations.
Viandes	Le veau presque exclusivement.	Le veau supporte très bien.	
Triperie	Les ris de veau.		
Volailles			Le poulet en sauce.
Gibiers			
Légumes et champignons			
Desserts			Pour les desserts, on peut choisir un Saumur mousseux.
	CHINON ET BOURGUEIL	MONTLOUIS ET VOUVRAY	SANCERRE
Potages et consommés			Les soupes de poisson.
Œufs *Une des grandes querelles : avec ou sans vin ?*			
Charcuterie	Pour toutes les charcuteries, et des rosés pour les entrées.	Avec les charcuteries.	Va très bien avec les charcuteries.
Poissons		De préférence frits ou en sauce.	Qu'ils soient d'eau douce ou d'eau de mer.
Crustacés et fruits de mer			Préfère les coquillages.
Viandes	Grillées, rôties et en sauce.	Le veau avant tout.	Choisir le veau.
Triperie	Les tripes.	Les grands Vouvray, quand ils commencent à madériser, avec du foie gras.	Ris de veau.
Volailles	Rôties de préférence et très bien pour le canard.		Choisir un rouge pour toutes les volailles, et le canard en particulier.
Gibiers	Le gros gibier.		
Légumes et champignons			
Desserts			

CHAMPAGNE

	BRUT	BRUT MILLÉSIMÉ	SECS ET DEMI-SECS	BOUZY ROUGE
Potages et consommés		Il peut accompagner tout un repas.		Très bon vin pour tout un petit repas.
Œufs *Une des grandes querelles : avec ou sans vin ?*		—		—
Charcuterie	Toutes les charcuteries et même les entrées.	—		—
Poissons		—		—
Crustacés et fruits de mer	Tous les crustacés et fruits de mer.	—		—
Viandes		—		—
Triperie		—		—
Volailles		—		—
Gibiers		—		—
Légumes et champignons		—		—
Desserts	Je suis hostile au champagne en fin de repas alors que c'est un très bon apéritif.			

JURA

	JURA	VIN JAUNE	VIN DE PAILLE
Potages et consommés	Blancs avec un potage à la crème, ou une pochouse.		
Œufs *Une des grandes querelles : avec ou sans vin ?*			
Charcuterie	Le blanc ira avec la charcuterie et les hors-d'œuvre, tout comme un rouge.		
Poissons	Un Jura blanc est agréable.		
Crustacés et fruits de mer	Avec les fruits de mer, un Jura blanc.	Bon accompagnement pour une langouste.	
Viandes	Avec les viandes blanches on peut boire un rosé. Avec les viandes rouges, un rouge.	Se boit très bien avec du veau.	
Triperie			
Volailles	Avec les moins fortes, un Jura rosé.		
Gibiers	Choisir un Jura rouge ou oser un blanc avec discernement.	Les gibiers mais plus volontiers en sauce.	
Légumes et champignons		Surtout avec des morilles.	
Desserts		Tous les desserts.	Vin de desserts presque par définition.

SAVOIE

	CRÉPY	SAVOIE	MONDEUSE
Potages et consommés			Peut être le vin de tout un petit repas.
Œufs *Une des grandes querelles : avec ou sans vin ?*			—
Charcuterie			—
Poissons	Les poissons d'eau douce de préférence.	Convient à tous les poissons.	—
Crustacés et fruits de mer	Plutôt pour les coquillages.	Plaisant avec les fruits de mer.	—
Viandes			—
Triperie			—
Volailles			—
Gibiers			—
Légumes et champignons			—
Desserts			—

Très
grands vins

BORDELAIS

CHÂTEAU-AUSONE
Bordeaux rouge. Saint-Emilion. 1er grand cru.

Sur la table de César

Un saint ermite, ascète grand buveur d'eau, Emilion, fut à l'origine, au XIe siècle, de la reconstitution du vignoble qui domine la Dordogne, devenu aujourd'hui le Saint-Emilionnais. Sans lui, nous n'aurions jamais connu ce Château-Ausone, premier des grands Saint-Emilion, qui figurait déjà à la table de César.

En effet, le château Ausone actuel serait situé à l'emplacement exact où se trouvait la villa du poète latin, Ausone, écrivain et administrateur, mais aussi viticulteur et gourmet avant tout. On peut donc dire que la culture de la vigne bénéficie ici d'une expérience proche des deux mille ans. Ce n'est pas tout : une situation privilégiée, un sol très favorable, une protection parfaite des vents du Nord et l'existence de caves creusées à même le roc sont autant d'éléments d'une réussite qui va jusqu'à la perfection.

Les vignes sont souvent plus que centenaires et les accidents, comme la catastrophe du phylloxéra ou celle plus récente des gelées de 1956, n'ont rien changé à la qualité du vin. Tout du moins en principe. Car certains experts veulent à tout prix que le Château-Ausone ne soit plus, depuis 1960, ce qu'il fut. Ce vin atteignant sa première richesse au bout d'une dizaine d'années, il faut donc encore attendre pour juger si leur opinion, combattue par la majorité, se révèle une réalité.

D'ailleurs, les soins constants des propriétaires et ceux des maîtres de chais qui se succèdent souvent de père en fils à cette tâche ne permettent pas de croire à des négligences de leur part : pour eux, c'est autant une affaire de famille que de tradition. Jusqu'à notre époque, ils ont maintenu les qualités de ce cru exceptionnel : franchement corsé, puissant, généreux, avec un bouquet très particulier, riche, harmonieux, possédant une élégance qui est celle des grands vins indiscutables.

Lors d'une visite aux caves du Château-Ausone il est toujours possible d'en déguster et d'en acheter quelques bouteilles ainsi que du Château-Belair, autre Saint-Emilion en compagnie de qui il vieillit. Mais ne comptez pas trouver de vieilles années : il y a longtemps qu'elles ont été vendues. Actuellement, on peut encore acheter des 1981 à des prix abordables.

CHÂTEAU-CHEVAL-BLANC
Bordeaux rouge. Saint-Emilion. 1er grand cru.

Ce cheval a valu un royaume

On sait combien les vins de Pomerol et de Saint-Emilion sont difficiles à définir, tant leur complexité est grande. En choisissant aujourd'hui de vous parler du Château-Cheval-Blanc, est-ce plus simple ?

Ce domaine donne certes un cru classé (et bien classé !), Saint-Emilion, mais sa situation à l'extrême de cette commune, confinant à celle de Pomerol, ainsi que des sols et des vignes d'une variété extrême font qu'il s'apparente à l'une et l'autre appellation. Paradoxalement il n'en arrive pas moins à avoir une personnalité et un cachet très particuliers.

A priori, on inclinerait à ne pas le prendre au sérieux : il y a de l'opérette dans son nom. Il est bien vrai qu'il rappelle une auberge, jadis réputée et fort courue. Les gentilshommes descendant du haut pays pour rendre leurs devoirs au suzerain, dont le château était installé au confluent de l'Isle et de la Dordogne, s'arrêtaient au « Cheval Blanc » pour remettre un peu d'ordre dans leur toilette. Et aussi pour déguster quelques verres de ce cru déjà renommé.

L'auberge s'agrandit un jour en métairie, puis l'une et l'autre disparurent pour laisser place à la vigne. L'enseigne demeura longtemps avant qu'elle ne laisse définitivement son nom au vignoble actuel.

Pour en revenir au vin, il semble avoir été prisé par la cour de Londres dès le XIVe siècle. On le retrouve sur les manifestes de quelques-uns des 1 360 navires que l'Angleterre chargeait alors en Bordelais. Et voyez comment étaient déjà les choses : ces importations énormes, le Parlement britannique les dénonçait comme un péril pour les finances du royaume à cause des massives sorties d'or qu'elles impliquaient.

Qu'il ait mis ou non le royaume au bord de la ruine, peu importe. Ce beau rouge, premier grand cru classé, mérite votre intérêt.

A la manière du Château-Ausone, son voisin, il a du corps et de la délicatesse, avec du moelleux. Riche en tanin, bouqueté et délicat comme les grands Saint-Emilion, il a des nuances et des accents parfois proches des Pomerol de classe. Tout cela lui donne un type unique, qui le fait de haute volée. Il est à aimer tout au long d'un repas distingué.

CHÂTEAU-HAUT-BRION
Bordeaux rouge. Pessac. Graves. Cru classé.

Brillant « ho bryen »

Dans la seconde partie du XVIIᵉ siècle existait à Londres une taverne réputée pour ses vins français, située dans Lombard Street et portant un nom bien connu des turfistes d'aujourd'hui, le « Royal Oak ».

Des écrivains célèbres la fréquentaient tels Locke, Dryden, Swift, Defoe. Tous s'y installaient pour déguster le « vin du patron ».

Et quel vin ! Il s'agissait, en effet, du Haut-Brion rouge. Si on s'entendait déjà sur ses qualités extrêmes, on n'était pas alors tout à fait d'accord sur son nom. Samuel Pepys, qui tenait — sorte de guide avant l'heure — un journal sur la vie à Londres, parlait de « Ho Bryen ». Défaut de prononciation sans doute. En tout cas, il valait déjà très cher, puisque Swift nota un jour qu'à dix-sept shillings il devenait inabordable.

Le Haut-Brion rouge fut le seul vin des Graves classé « premier cru » avec les trois grands du Médoc, en 1855.

Consacré très grand vin, il est charnu, chaud et fin, avec un goût très particulier, une note personnelle dans la saveur, tout en nuance et rappelant légèrement un goût de fumé : il le doit au caractère pierreux des terrains des Graves. Cependant, en le comparant aux trois grands rouges du Médoc, on lui trouve moins de corps qu'à eux. Très long dans la bouche, il laisse au palais une impression presque soyeuse. Les belles années, il vieillit admirablement.

CHÂTEAU-LAFITE-ROTHSCHILD
Bordeaux rouge. Pauillac. Médoc. 1er grand cru.

Une grandeur qui va de soi !

Je n'excelle pas dans le dithyrambe car cela sent toujours le déjà-lu. Et pourtant, à propos de ce Château-Lafite, c'est comme pour Latour, Mouton, Margaux et Haut-Brion. Pour les uns et pour les autres, on a écrit « Prix d'excellence des vins », d'accord. Alors qu'ajouter ?

Y aller d'un petit commentaire subtil, avec les mots adéquats : admirable bouquet, immense générosité, suavité, délicatesse de la saveur et la sève... la sève ! Sans oublier bien sûr l'arrière-goût de violette et même, aussi léger, celui de l'amande. Quant à son aptitude à vieillir, quel miracle... Trente, quarante, cent ans. Il tient, affirmant ses nuances, ses sensibilités. Voilà, c'est fait j'y ai été de mon compliment.

Mais je me demande si le plaisir d'une bouteille de Lafite se raconte vraiment : cela se vit en toute jouissance.

Il ne faut pas pour autant en rajouter dans l'extase : j'ai toujours été persuadé que le délire verbal et exhibitionniste de certains amateurs doit leur gâcher une partie de leur joie.

Pour moi, Lafite, c'est la discrétion même, celle aujourd'hui des Rothschild qui en sont les propriétaires. Avec la modestie qui est la leur ils affirment « c'est le meilleur ». Et cela fait un bon bout de temps qu'ils ont raison si l'on en juge par l'étonnante collection de vieux millésimes qu'ils possèdent encore : cent cinquante ans de bouteilles quasiment sans interruption.

On n'en fait pas une histoire puisque la grandeur va de soi, à Lafite. Et si le château lui-même, bien discret au demeurant, ne paie pas de mine, on le sent lui aussi au-dessus de tout. Lafite, c'est un état d'esprit sans état d'âme, avec de la distance comme ses propriétaires.

CHÂTEAU-LATOUR
Bordeaux rouge. Pauillac. Médoc. 1er grand cru.

L'autre trésor du Château-Latour

L'Histoire pardonne bien des choses : mieux elle les oublie. Saviez-vous que Du Guesclin s'était offert le plaisir martial de raser jusqu'en ses fondations le célèbre château Latour, en Bordelais, après en avoir piétiné le vignoble ? A tant faire, espérons qu'il en avait au préalable vidé les caves. On est rarement ferrailleur sans être soiffard. En tout cas, il était passé à côté de la fortune.

Deux siècles plus tard, Montaigne, évoquant l'excellence des vins de Latour — il faut croire qu'ils s'en étaient relevés — parlait aussi d'un fabuleux trésor caché sur les mêmes lieux. Il citait des textes de documents conservés à la Tour de Londres. Selon ces manuscrits, le chef des armées anglaises — Chandos —, forcé par les troupes du Connétable, avait tout juste eu le temps de dissimuler son trésor de guerre dans le domaine avant d'abandonner la forteresse. A une époque on crut qu'il était retrouvé. Lorsque Louis XV accueillit le propriétaire du château Latour, il s'adressa à la Cour en ces mots : « Messieurs, voici le gentilhomme le plus riche de mon royaume. Ses terres produisent du nectar et des diamants. » Et de montrer la série de boutons étincelants sur l'habit de cour du marquis de Ségur. On pensa au fameux trésor ; on imagina des pierres précieuses. En fait il ne s'agissait que de simples cailloux taillés en pointes de diamants.

Depuis, l'énigme passionne toujours les chercheurs, mais le véritable trésor du château Latour n'est-il pas son vin ? Pourquoi est-il parmi les grands ? Au-delà des soins admirables d'une vinification remarquable, de plants irréprochables, il y a le secret des grands terroirs, celui qui suffit à faire, à quelques mètres d'intervalle, des crus différents. Latour est certes une terre heureuse.

Son vin est un des seigneurs du Bordelais. Des Pauillac il possède cette prééminence du corps qui le détache des Margaux, Cantenac, Saint-Julien et Saint-Estèphe. Plus corsé que le Lafite il fait preuve d'une sève très fine dont la distinction s'affirme avec les ans. Vin de longue garde, le Latour prend en vieillissant des tonalités dorées qui ajoutent à sa robe. On parle souvent d'un certain arrière-goût de résine : il est infime et ne retire rien à sa très haute élégance.

Vin admirable il ne se complaît qu'en compagnie de très grands plats. On s'en doutait.

42

CHÂTEAU-MARGAUX
Bordeaux rouge. Margaux. Médoc. 1er grand cru.

Quel arbre généalogique !

Un grand monsieur. Le plus élégant, le plus délicat par la sève, le plus distingué jusqu'à paraître féminin : quel équilibre. Suave, velouté, généreux et noble, il maintient bien son rang parmi les plus grands du Bordelais.

Ouf ! ça y est, c'est dit, comme on enfonce une porte ouverte. Et, cependant, ces dernières années, la porte était plutôt fermée. C'est vrai que Margaux a failli ne plus tout à fait être Margaux. Sa renaissance sera marquée par le nom de Mentzopoulos, cet homme d'affaires grec assez génial qui, après avoir sauvé le nom de Félix Potin, s'était attelé à rendre son éclat à celui de Margaux. Son aventure a débuté en 1975 et sa femme lui a succédé avec autant de réussite.

La demeure, aussi royale que théâtrale, bâtie par un élève de Victor Louis, l'architecte du grand théâtre de Bordeaux, a retrouvé sa majesté, et ses colonnades supportent de nouveau une partie de la gloire des grands vins de Bordeaux.

Du passé de Margaux, on a déjà écrit des volumes, les meilleurs étant (c'est une tradition) signés par des Anglais qui, en Bordelais, se sentent toujours chez eux, tant ils l'ont occupé.

Cependant, en vrac, il y a des anecdotes que l'on n'oublie pas. Engels, à qui Karl Marx posait la question : « Quel est ton plus grand bonheur ? », lui répondait : « Une bouteille de Château-Margaux 1848. »

Un frère de M. du Barry en fut propriétaire alors qu'on trouve des parents de Montaigne à l'origine du vignoble : comment être surpris alors de noter le nom d'un duc, gendre d'un banquier du Second Empire, mais cependant député socialiste à la tête du domaine. Et qu'un banquier encore — nommé Aguado ait été à la fois mécène de Margaux et de Rossini prouve encore que ce château-là a toujours été considéré à l'égal d'un mythe. Tout cela dans votre verre !

CHÂTEAU-MOUTON-ROTHSCHILD
Bordeaux rouge. Pauillac. Médoc. 1er grand cru.

Le Mouton cherche sa toison d'or

On suppose que les Rothschild assirent définitivement leur fortune grâce à la présence d'esprit d'un de leurs ancêtres à exploiter à temps, en Bourse, la nouvelle, non encore confirmée, de la défaite française à Waterloo. L'histoire ne s'en est pas toujours répétée pour autant dans toutes les affaires de la tribu. A preuve l'aventure survenue, au milieu du siècle dernier, à Nathaniel avec son « Mouton ».

Perpétuant la longue lignée des propriétaires fastueux du cru (le duc de Gloucester, Gaston de Foix, les ducs de Joyeuse et d'Epernon, les barons de Brane), ce baron de Rothschild se portait acquéreur, en 1853, de ce que l'on nommait alors encore le « Brane-Mouton ». Il ne se trompait pas quant à la qualité de ce vin. Un poète local, fin gourmet, gentil rimailleur et aimable dégustateur, affirmait déjà :

Mouton, le grand mouton que l'amour environne,
Devrait porter le sceptre et ceindre la couronne.
Mais s'il n'a pas d'un roi le nom bien avéré,·
Comme tel parmi nous il est idolâtré.

Deux ans plus tard, en 1855, lors de l'établissement, pour l'Exposition Universelle, du classement des crus de Bordeaux, on pouvait donc s'attendre à voir ce « Mouton », devenu « Rothschild », s'installer au premier rang. Il n'en fut rien. Pourquoi ?

Si l'on en croit l'anecdote rapportée dans la belle étude sur « Bordeaux et ses vins » de Cocks et Féret, il faut supposer que le courrier du Médoc fut moins rapide que celui de Waterloo. En cette époque où le Bordelais se trouvait encore à trois ou quatre jours de voyage de Londres, la nouvelle impromptue de la classification surprit le baron Nathaniel. « Il n'eut pas le temps, nous révèle-t-on, d'aviser, de remettre la propriété en état, de construire le cuvier écroulé, de bâtir la demeure inexistante alors », et le vin fut classé deuxième grand cru.

Sans doute collectionna-t-il, par la suite, les médailles et les prix ; sans doute l'estima-t-on à l'égal des quatre grands, mais toujours est-il que les successeurs de Nathaniel, James, Henry et aujourd'hui Philippe, quêtèrent longtemps cette place de premier stupidement perdue. Ils l'ont enfin retrouvée, ce qui représente un bel exploit car la fameuse liste de 1855 dont on promet toujours la révision n'a pas été refondue.

Du Mouton, on a tout dit : puissant, corsé, ample, moelleux. Un bouquet distingué, une sève élégante ; un tout de finesse où le caractère et la personnalité s'expriment et s'épanouissent en un arrière-goût de truffe fort original, avant de se fondre en une harmonie parfaite, suave et somptueuse. C'est lui avoir rendu justice que de l'avoir hissé parmi les plus grands, en premier grand cru.

CHÂTEAU D'YQUEM
Bordeaux blanc, Sauternes, 1er grand cru.

Ah ! le beau château !

Le Château d'Yquem n'est certes pas un vin que l'on boit tous les jours. Comme un grand seigneur, il ne s'approche pas facilement : on a peut-être un peu perdu le goût de ces crus blancs liquoreux de Sauternes et de Barsac et, quoique justifiés, ses prix ne le firent jamais quotidien.

A lui tout seul il est déjà une fête : quoi de plus logique alors de le trouver dans bien des menus de Réveillon. A ce propos, ses zélateurs voudraient nous persuader que, depuis le foie gras jusqu'au Roquefort, y compris les viandes blanches, il accompagne en perfection tout un repas. On ne prête qu'aux riches.

Si la trilogie foie gras frais, truffes chaudes, Yquem frais, elle aussi, apparaît sublime, pour ma part je le préfère en solitaire : il se suffit à lui-même.

L'habitude n'en est pas nouvelle : le livre d'or des clients — et quels amateurs ! — en fait foi. Le roi Alphonse XIII n'ouvrait pas un repas sans qu'une bonne année d'Yquem y figurât.

Le grand-duc Boris n'avait pas pu se résoudre à abandonner sa cave aux Soviets : quittant la Russie après la Révolution, il réussit à emmener avec lui sa collection d'Yquem où ne manquait pas un seul millésime depuis 1854. Une vraie passion. On multiplierait ainsi les exemples.

Il n'y a qu'un seul grand nom, pourtant souvent allié au Château qui n'y aurait pas place : celui de Michel Eyquem de Montaigne, philosophe, écrivain et vigneron. Malgré une légende tenace, il n'existe aucun lien de parenté entre lui-même et les Sauvage d'Yquem, non plus qu'avec les Lur-Saluces, ancêtres du propriétaire actuel. Au demeurant, ils ont su se faire une réputation, les uns sans les autres.

Cela dit, les définitions du Château d'Yquem vont jusqu'à l'hyperbole : n'a-t-on pas parlé « d'extravagance du parfait » ! Si on vous le dit très fin, fort distingué, bouqueté et riche avec beaucoup d'onctuosité, vous en aurez déjà une image tentante. Si l'on ajoute : un des grands vins du monde, vous serez fixés.

BOURGOGNE

BONNES MARES

Bourgogne rouge. Chambolle et Morey. Côte de Nuits.
Cru hors ligne.

On nage dans ces Bonnes Mares

Parmi les Bourgogne riches, amples et distingués, les Bonnes Mares comptent au nombre de mes favoris. Qu'un marchand de vins ou un restaurateur les programme sur sa carte, et il bénéficie de ma part d'un préjugé favorable.

Ce célèbre climat des Côte de Nuits produit un cru rouge d'une finesse exceptionnelle avec une couleur et une sève que l'on rapproche de celles de Musigny. Certes le fond apparaît le même. Mais, si d'aucuns lui trouvent un peu moins de classe, on ne peut que lui reconnaître une belle personnalité. Son bouquet subtil, riche de fraise, de violette, de truffe même, déconcerte par sa complexité, avant de séduire sans réserve.

Sa distinction l'apparente aux plus grands. On aime sa souplesse et on peut dire qu'il a de l'étoffe. Il mérite largement son appellation exceptionnelle.

Reste qu'il donne lieu à de sérieuses discussions car son terroir s'étend sur les communes de Chambolle et de Morey. Certains experts prétendent trouver plus de personnalité aux bouteilles venues de la seconde ; d'autres ne jurent que par la première. En fait, les produits de l'une et de l'autre sont aussi grands.

Après tout, ces querelles ne me paraissent que d'aimables prétextes à dégustations. Laissons donc l'affaire pendante. Tout comme celle de l'origine du nom. Vient-il de l'expression «marer», synonyme de labourage du temps jadis, ou a-t-on découvert là un bas-relief représentant les Déesses Maires, protectrices des récoltes ? Les deux thèses ont leurs partisans.

CHAMBERTIN-CLOS DE BÈZE

Bourgogne rouge. Côte de Nuits. Cru hors ligne.

Un vin très catholique

J'enrage d'entendre des chipoteurs discuter et protester du prix élevé des grands vins. Savent-ils les soins que réclame la vigne d'un cru réputé ?

Qu'ils visitent donc le fameux Clos de Bèze à Gevrey-Chambertin. Un sol absolument nu : hors les ceps, pas une herbe, pas une pousse sauvage. Rien que la terre et la vigne. Un travail de moine, dirait-on couramment.

C'est bien le cas. Le clos a été planté et mis en valeur à la fin du VIIe siècle par les religieux de l'abbaye de Bèze, bénéficiaires d'un don du duc Amalgaire. Ils l'entretinrent avec la même patience et le même attachement que le plus riche des jardins, en tirant vite un vin des plus exceptionnels. Il devint célèbre et on rimailla sur lui comme sur les autres grands. On connaît un sizain commis par un convive invité chez le propriétaire du clos, bien plus tard :

> *J'estime plus que Chambertin*
> *Bèze qui produit ce bon vin.*
> *Si le disciple de Calvin,*
> *Bèze, passe pour hérétique,*
> *Bèze, qui produit ce bon vin,*
> *Doit passer pour très bon catholique.*

Le brave homme était habile, mais il posait déjà la rivalité du Chambertin et du Clos de Bèze. Elle dure encore. Pourtant le Chambertin naquit après le Clos de Bèze. Un paysan du nom de Bertin, propriétaire des champs enserrant ceux du clos des moines, ébloui et inspiré par leur réussite, avait entrepris de devenir vigneron à son tour. Il fit tant et si bien qu'il réussit à produire un vin rivalisant avec le leur. On vit même bientôt son nom accolé à celui du Clos de Bèze : le « champ de Bertin », devenu ensuite le Chambertin, fut à l'origine de l'appellation des vins du cru avant de doubler le nom de la commune.

Cela expliqué, il faut leur reconnaître à tous deux une qualité exceptionnelle. Puissance, race, ardeur, corps, générosité, élégance, bouquet... Ils sont tout ce à quoi arrive un Côte de Nuits à son apogée quand il est grand.

Leur différence reste tout en nuances : si on trouve dans le Clos de Bèze la même richesse de sève, le même charnu, il fait preuve de moins de corps, se dirigeant vers plus de distinction, de raffinement. Si l'on osait, on dirait qu'il est un prélat alors que l'autre est un seigneur.

CLOS DE VOUGEOT
Bourgogne rouge. Côte de Nuits. Cru hors ligne.

Entendons-nous bien, mes frères

On constate parfois une inégalité assez nette dans la qualité des vins portant la même appellation. Le Clos de Vougeot est ainsi un cas type. L'étendue même de ce domaine — produisant un des crus hors ligne de la Côte de Nuits — en est une première cause ; un morcellement entre une cinquantaine de propriétaires, à la suite de la liquidation des biens de Cîteaux, en est une autre, venue plus tard.

Mais, déjà au XIIIᵉ et au XIVᵉ, les moines cisterciens faisaient trois cuvées différentes avec les raisins récoltés sur les quelque cinquante hectares des vignes du clos.

La « cuvée des papes », provenant de la frange supérieure des terres, était réservée aux personnes de très haute distinction ; la « cuvée des rois », de la partie moyenne, était proposée à des gens d'un rang moindre ; quant à la « cuvée des moines », des terrains bas, on l'accordait aux autres, qui n'en représentaient pas moins encore une élite choisie et enviée.

La difficulté étant de ne froisser personne lors des repas ou visites de cave, il avait été convenu, pour les deuxième et troisième cuvées, d'un mot de passe entre le cellérier et son supérieur. Si ce dernier voulait offrir du meilleur à son hôte, il précisait toujours son ordre par la formule : « Vous m'entendez. » S'il le voulait moins bien traiter, c'était : « M'entendez-vous. »

Or il advint que le comte de Brienne eut connaissance des formules. Et voilà qu'invité de l'abbé supérieur il eut la douleur de constater qu'en ordonnant la table celui-ci concluait, à l'adresse du cellérier, par : « M'entendez-vous. — Vous l'entendez, s'empressa de reprendre le comte. — Oui, m'entendez-vous ? de rétorquer l'abbé. — Certainement, il vous entend », insista Brienne.

L'affaire aurait pu durer cent sept ans si l'abbé n'avait fini par capituler, en souriant, par le : « Oui, oui, vous m'entendez » tant désiré.

Cela conté, on a tout dit de la personnalité du Clos de Vougeot : senteur de caramel chaud, de violette, de menthe sauvage, spiritueux, étoffé, goût de réglisse et de truffe, tonique..., tout cela en un fondu élégant, harmonieux, presque tendre. En fait, il est unique par une personnalité que l'on définit mal mais que l'on reconnaît à sa richesse et à son ampleur.

Celui que je vous propose, né à mi-côte, est digne du : « Vous m'entendez. » Il cache sous sa couleur vermeille les qualités d'un grand bonhomme de vin.

CORTON-CHARLEMAGNE
Bourgogne blanc. Côte de Beaune, 1ᵉʳ grand cru.

Le vin du grand Charles

En Bourgogne — comme en Bordelais d'ailleurs — le vin est tout autant affaire de famille que de tradition. Aussi une certaine émotion se manifeste-t-elle toujours dès que l'on y apprend qu'un vignoble va changer de mains.

C'est ainsi que lorsque le fameux domaine de Mme Fournier, à Aloxe, l'un des plus célèbres du monde, a été mis en vente on a craint un changement car cette propriété, qui comprenait deux premiers grands crus de la Côte de Beaune : le Corton-Charlemagne en blanc et le Clos du Roi en rouge, ne faisait qu'un depuis des générations.

Pour avoir été vendus à deux acheteurs différents, ces deux vins ont conservé leur haute tenue traditionnelle toujours digne de leur grand passé.

On assure qu'ils avaient été plantés par ordre de Charlemagne lui-même sur les conseils d'un moine œnologue. L'empereur à la barbe fleurie trouvait à ces vins des vertus roboratives. Ce serait donc là le secret de sa verte vieillesse.

Le Corton-Charlemagne est un blanc qui a un petit air de famille avec le Meursault. Avec l'âge, il a tendance à se colorer. Très vieux, il prend quelquefois un certain goût de Madère. Incontestablement très bouqueté avec un léger parfum de cannelle, riche en alcool, plein de sève, il possède cette distinction qui permet d'accompagner les charcuteries relevées et les gibiers à plume, plus particulièrement les perdreaux.

Le Clos du Roi est un rouge que certains amateurs n'hésitent pas à comparer aux Pommard. Vin extrêmement riche et parfumé, auquel on reconnaît un petit goût de pierre à fusil, il n'en a pourtant ni la finesse ni l'élégance. Mais son moelleux, sa franchise de goût et la manière dont il reste en bouche en font un des grands vins d'Aloxe-Corton. Il est parfait pour les venaisons et les viandes rouges.

En des temps de fêtes, l'un et les autres peuvent faire honneur aux grands repas.

MONTRACHET
Bourgogne blanc. Côte de Beaune. Cru hors ligne.

Dumas sur le mont Chauve

Si vous prenez la peine de consulter une bibliothèque consacrée à l'œnologie, vous y verrez que « les vins de Montrachet passent pour les meilleurs vins blancs du monde ». Voilà qui doit faire enrager les fanatiques du Château d'Yquem !

Il est vrai que pour soutenir ce jugement on s'appuie, en Bourgogne, sur la haute opinion qu'en avait Alexandre Dumas. Il estimait que le Montrachet devait être bu « à genoux et la tête découverte ». Bel hommage de la part du maître que l'on sait fin connaisseur mais, aussi, peu suspect de modération dans ses opinions. Depuis, le Montrachet continue à faire parler de lui, pour le plus grand plaisir de nos palais.

Pourtant le vignoble est minuscule : à peine 7 hectares et demi de surface et 110 hectolitres de production annuelle moyenne. Chose curieuse, il n'y a pas de village portant le seul nom de Montrachet : bien au contraire, ce sont les communes de Chassagne et de Puligny, sur lesquelles s'étendent les vignes, qui ont associé le patronyme de Montrachet à leur propre nom. En patois bourguignon, Mont-Rachet, orthographe que l'on trouve sur les très vieilles bouteilles, signifie : la colline sans arbre, la colline chauve ; forcément, puisque les ceps y tiennent toute la place.

Pour en venir au vin lui-même, on se demande pourquoi on veut à tout prix l'opposer aux grands Sauternes : ils ne se ressemblent absolument pas. Le Montrachet est très fin, parfumé avec une légère saveur d'amande. Sec, élégant, avec beaucoup de corps, il est particulièrement généreux. Sa couleur jaune est à peine perceptible : quand il arrive à la perfection, il est presque incolore. Grand, il l'est. L'essayer avec un foie gras suffit à s'en rendre compte. Il accompagne aussi admirablement un brochet ou un turbot et a donc sa place d'honneur dans une cave. Mais ne négligez pas pour autant ses brillants seconds, les Puligny, Chassagne et Bâtard-Montrachet, tous vins de haute classe.

ROMANÉE-CONTI
Bourgogne rouge. Côte de Nuits. Cru hors ligne.

La perle du collier bourguignon

La commune de Vosne-Romanée, par ses grands vins, mérite depuis longtemps le titre de « perle du milieu du collier bourguignon ». Mais elle doit plus particulièrement cette appellation à son « climat » le plus célèbre, celui de la Romanée dont un des crus, la Romanée-Conti, est considéré à juste titre comme le roi des Bourgogne.

La réputation de la Romanée — dont le nom laisse supposer que son vignoble fut créé par les Romains — ne date pas d'hier. Ses premiers grands amateurs furent les papes d'Avignon. Pour l'année 1395 on trouve trace de quarante pièces de Romanée expédiées à deux cardinaux de la cour papale. Et le pape Urbain V avouait : « Je me soucie peu de revoir les paysages transalpins où il n'y a pas de ce vin. »

Plus tard, Louis XIV, après son opération de la fistule, se vit conseiller ce vin par ses médecins avec quelques autres vins vieux de la Côte de Nuits et de Beaune. Le monarque se plaisait à reconnaître qu'« une maladie qui vous fait découvrir un tel soutien est un présent céleste ».

Cette Romanée donne trois crus, tous différents : la Romanée proprement dite, la Romanée-Saint-Vivant et la fameuse Romanée-Conti. Les vignobles se touchent, mais les hasards et les miracles de la nature font que la terre et l'exposition de la Romanée-Conti favorisent la vigne d'une façon exceptionnelle. Le terroir en est si petit qu'il tiendrait à l'aise sur la place de la Concorde. Il n'en fut, de tout temps, que plus âprement convoité par les amateurs.

La Pompadour voulut l'acheter quand il fut vendu par la famille Croonembourg, propriétaire depuis quelques siècles. Mais un conseiller d'Etat, J.-F. Joly, agissant pour le prince de Conti, le souffla à la favorite en offrant une véritable fortune. Ce grand seigneur se refusa à vendre son vin qu'il jugeait royal : il préférait en faire cadeau à ses amis. Vendu comme bien national pendant la Révolution, le vignoble, par le jeu des héritages et des indivisions, appartient aujourd'hui à une société civile.

Pour évoquer la Romanée-Conti, son teint mordoré, son art de vieillir, son arôme sublime et son bouquet de fine violette, je reprendrai la phrase de Mgr Juigné, archevêque de Paris, qui remerciait le prince en ces termes : « C'est par cette munificence que nous avons été heureux de faire connaissance avec ce précieux vin qui était tout à la fois du velours et du satin en bouteille. »

53

CLOS DE TART

Bourgogne rouge. Morey Saint-Denis. Côte de Nuits.
1er grand cru.

Mieux vaut « Tart »

Parce qu'ils furent longtemps vendus sous la double appellation de Gevrey-Chambertin ou de Chambolle-Musigny, les vins de la commune de Morey Saint-Denis restent trop peu connus. Les amateurs les apprécient en secret, mais les restaurateurs pensent rarement à eux. Il y a pourtant de quoi ennoblir n'importe quelle carte de vins. On y trouve, en effet, quatre grands crus bourguignons : Bonnes Mares, Clos Saint-Denis, Clos de la Roche, Clos de Tart.

A plus d'un titre, le Clos de Tart me retient aujourd'hui ; car au-delà de sa haute classe il multiplie les originalités. Il tient ainsi son nom d'un ordre religieux féminin, fait extrêmement rare. En effet, si, jusqu'à la Révolution, les grands vignobles relevaient souvent des princes, des évêques et des moines, les religieuses y participaient peu.

C'est au XIIe siècle que l'ordre des bernardines de l'abbaye de Notre-Dame-de-Tart acquit cette vigne jusqu'alors nommée Clos de la Forge. Elles l'agrandirent et la conservèrent jusqu'à la Révolution, lui créant une solide réputation.

Saisi, puis vendu, le Clos de Tart, contrairement aux autres domaines bourguignons, ne se morcela pas. De nos jours encore, il reste entre les mains d'un seul propriétaire, ce qui paraît exceptionnel pour un « grand cru » de Bourgogne.

Il ne faudrait pas voir en lui un vin de dames d'œuvres. Etoffé, riche et vigoureux, coloré et généreux, il est de la même famille que les grands Chambertin. On lui reconnaît aussi de la délicatesse, de la subtilité et un bouquet profond, somptueux, parfois très proche de la truffe. Il ne lui manque ni mâche ni étoffe, et il vieillit tout en grâce, atteignant de très longues gardes.

CÔTES DU RHÔNE

Pensez au vin de Pascal

« La diversité est si ample de tous les tons de voix, tous les mar-chers, toussers, mouchers, éternuers. On distingue des fruits, les rai-sins et, entre tous, les muscats, et puis Condrieu, et puis Desargues, et puis cette ente. Est-ce tout ? En a-t-elle jamais produit deux grap-pes pareilles ? Et une grappe a-t-elle deux grains pareils ? » Par quelle bizarrerie Pascal a-t-il retenu dans ses *Pensées* le nom de Condrieu, seul avec ceux de Paris et de Mexico ?

Pendant les troubles de la Fronde, le grand géomètre Desargues, à qui Pascal devait — selon Descartes — bien plus qu'il ne l'avouait, se retira à Condrieu. Pascal lui rendit visite et passa une nuit chez lui, au château Grillet. Sans doute son hôte lui fit-il visiter ses vignes et plus particulièrement ses plants de muscat que l'estomac malade du philosophe dut préférer.

J'ignore, en revanche, quel vin Desargues proposa à la curiosité de Pascal : Condrieu ou Château-Grillet ? Tous deux blancs, tous deux voisins, tous deux dignes d'intérêt. J'opterais pour le Château-Grillet.

Curnonsky le classait troisième des meilleurs vins blancs de France, après le Château-Yquem et le Montrachet, devant la Coulée de Serrant et le Château-Chalon. Il demeure un des plus rares aussi : à peine une vingtaine d'hectolitres pour deux hectares de vignes.

Et quelles vignes ! La terre en est si abrupte que les seuls accès en sont des escaliers taillés dans le roc. La vendange s'y fait à dos d'homme, et chaque grappe se coupe au ciseau. Le cépage lui-même — le Viognier — compte parmi les plus anciens de France, apporté, pense-t-on, six siècles avant notre ère par les Grecs. Tout cela a de quoi faire un vin unique.

Blanc généreux, corsé, gras, spiritueux, fruité, avec un bouquet accentué et beaucoup de sève, il donne l'étrange impression d'être à la fois moelleux et sec. En réalité, il débute comme un vin moel-leux mais, avec les années, il devient plus sec et plus capiteux. On peut parler d'une originalité authentique et d'une personnalité exceptionnelle.

De ce cru plein de feu — il titre jusqu'à 15° — Curnonsky écri-vait : « Le vin de Château-Grillet est vif, violent, changeant comme une jolie femme, au goût de fleurs de vignes et d'amandes, au bou-quet étonnant de fleurs des champs et de violette... »

JURA

Le Vin Jaune de Château-Chalon

La vinification apparaît en général comme une chose sérieuse et rigoureuse. Parce qu'elle représente l'ensemble des procédés connus et utilisés pour transformer le moût de raisin en vin, on l'a très complètement élaborée, et de sa conduite dépendent en partie la qualité et l'avenir du vin.

On vinifie de manière différente selon l'année, les raisins et les circonstances. A lire le détail et la complexité des opérations on pourrait croire que rien n'est laissé au hasard.

Pourtant, il est une exception de vinification parmi les vins que l'on se plaît à reconnaître bons. Le Vin Jaune, produit dans le Jura, est certainement un de ceux où la plus large part est laissée à l'empirisme lors de sa préparation.

Mais il n'en est pas à une originalité près. Si l'on considère le meilleur, le Château-Chalon, on doit d'abord constater qu'il est produit par un seul cépage — le Savagnin — et non par un mélange. On ne sait d'ailleurs pas exactement si ce cépage fut importé d'Espagne ou de Hongrie : on est sûr, en tout cas, que les premiers plants cultivés le furent par des moines, comme en bien d'autres régions.

Sa préparation se rapproche de celle du Xérès espagnol. On laisse le vin s'évaporer dans des fûts où l'on ne refait jamais le plein. Un voile de levure se forme à la surface, donnant un goût qui rappelle à la fois le Madère et la noisette. Par ailleurs, en s'oxydant, le vin prend une couleur jaune qui lui donne son nom. Mais comme on ignore tout des transformations qui s'opèrent et des levures à sélectionner, il n'est pas étonnant que ce vieillissement qui dure au moins six ans tourne parfois à la catastrophe.

Quand il est réussi, on a alors un vin terriblement original. Capiteux, concentré, avec un bouquet prenant une forme spiritueuse assez séduisante. Franchement sec, il sait bien vieillir jusqu'à trouver, au bout d'une vingtaine d'années, des allures de Madère. Mais sa personnalité n'en est pas moins réelle. Il semble être plus particulièrement fait pour les pâtés de gibier. Le leur réserver est tout à la fois preuve de raffinement et d'originalité.

Très
bons vins

BORDELAIS

CHÂTEAU-BELAIR
Bordeaux rouge. Saint-Emilion. 1er grand cru classé.

A la santé de Du Guesclin

Les poètes savent, quoi qu'on en dise, garder les pieds sur terre. Le célèbre Ausone le prouve assez, lui qui choisit jadis les meilleurs emplacements de ce qui devait devenir le Saint-Emilionnais pour y planter ses vignes.

Ce n'est pas pour rien que le plus grand des crus actuels, le Château-Ausone, porte son nom. Mais on oublie parfois que notre homme possédait aussi le domaine voisin, devenu depuis Château-Belair.

Apprécié depuis une vingtaine de siècles, il s'honore d'un livre d'or exceptionnel où figure le nom de Du Guesclin. Belair dépendait alors des possessions de Robert Knolles, gouverneur de la Guyenne. Un fameux soldat qui n'avait jamais manqué une bataille : Trente, Avray, Navarette. A cette dernière il reçut l'épée de Du Guesclin.

Selon la coutume il traita son prisonnier chez lui, à Libourne et à Belair, où sans doute notre grand connétable y fit ripaille en attendant sa libération.

Il put apprécier le vin de Belair qui apparaît comme une grande réussite. Finesse et moelleux bien sûr. Ensuite, de la générosité appuyée sur beaucoup de corps. Une robe grenat et un délicieux parfum de truffe. Enfin, du brillant, de l'élégance et de la distinction. De plus, voilà un grand monsieur qui sait être « vin de longue garde ». Réservez-le pour un mariage absolu avec viandes et gibiers.

CHÂTEAU-BEYCHEVELLE
Bordeaux rouge. Saint-Julien. Médoc. 4ᵉ grand cru.

La "tisane à Richelieu"

Le duc de Richelieu, maréchal de France et homme du Grand Siè-cle, était fort malade et avait l'estomac délabré quand il fut nommé gouverneur de la Guyenne. Le vin de Bordeaux lui rendit ses forces. Nul doute que le Château-Beychevelle n'ait déjà été parmi ces vins que les chansonniers appelaient les « tisanes à Richelieu ».

Autant que son parfum et sa délicatesse, l'histoire même du châ-teau et du vignoble avait dû le séduire.

Reconstruit au XVIIIᵉ siècle, le château Beychevelle est un des plus jolis du Médoc. Château féodal au XIVᵉ siècle, il était alors propriété des comtes de Foix de Candale. Par mariage il passa à la Maison d'Epernon. Un duc d'Epernon étant devenu grand amiral de France, les bateaux qui passaient sur la Gironde devaient, par déférence, baisser leur voile en vue du château. En patois local, amener sa voile se dit « beyche velle ». Le nom en est resté au château. De nos jours, le château et son vignoble appartiennent à M. Achille Fould, ancien ministre de l'Agriculture, à une époque où l'on pouvait être minis-tre et s'intéresser aussi aux choses de son ministère.

Le vin du Château-Beychevelle, tout comme le Talbot d'ailleurs, est pourtant un des mal-aimés des crus de Saint-Julien. S'il n'a pas la classe des grands Pauillac ou Margaux, il mérite mieux que son classement en quatrième grand cru. Il a une jolie robe, du moelleux, beaucoup de sève et de corps. Son bouquet lui donne sa personna-lité. Ce rouge est un des plus élégants du Médoc.

CHÂTEAU-CALON-SÉGUR
Bordeaux rouge. Saint-Estèphe. Médoc. 3e grand cru.

Du cœur au vin

Par leurs graphismes souvent inattendus et naïfs, par leurs vignettes d'un réalisme parfois touchant, les étiquettes ornant les bouteilles des grands crus incitent toujours aux curiosités et aux questions. Par exemple, pourquoi ce cœur sur celles du Château-Calon-Ségur ?

On imagine immédiatement une histoire d'amour. Il s'agit même d'une passion. Le président Ségur, grand seigneur du XVIIIe siècle, bordelais, pour ne pas manquer à la tradition, possédait, en plus de ses charges, de nombreux vignobles. Et pas des moindres : entre autres ceux de Lafite, de Latour, et celui qui nous intéresse, alors Château-Calon.

Ce mot de « Calon » désignait au Moyen Age des sortes de barcasses employées pour transporter des matériaux de construction d'une rive à l'autre de la Gironde. L'usage en était tellement important que ce mot finit par désigner même toute la région.

Revenons à la passion du président de Ségur. C'était celle de son vignoble de Calon. « Je fais, disait-il, du vin à Lafite et à Latour. Mais mon cœur est à Calon. » Ce Calon auquel il devait donner son nom et d'une certaine manière son cœur. Jusqu'à le faire graver sur les étiquettes à la manière d'un amoureux marquant les troncs d'arbre.

On ne s'étonne donc pas des soins attentifs qu'il eut pour son vin dont il fit un des premiers crus de Saint-Estèphe. Rouge, corsé, rond, séveux, au bouquet splendide, plein de flamme, franchement viril comme tous les Saint-Estèphe, celui-là se montre très puissant, et surtout très apte à vieillir. Il est relativement mal classé et mérite de prendre place parmi les « deuxièmes crus ».

CHÂTEAU-CANTEMERLE
Bordeaux rouge. Macau. Médoc. 5e grand cru.

Ce merle se siffle bien

Il est bien connu que la fameuse classification des grands crus du Médoc, en 1855, aurait besoin aujourd'hui d'être en partie revue. J'en donnerai un exemple caractéristique en évoquant le Château-Cantemerle.

Ses qualités lui permettent de mériter mieux qu'une place parmi les cinquièmes grands crus. Sans aller jusqu'au deuxième — ainsi que certains le proposent — je le verrais très bien en tête des troisièmes grands crus : il y ferait bonne figure.

Le nom de Cantemerle — « là où chantent les merles » —, s'il a une explication évidente, n'en a pas moins d'étranges et multiples origines. La première fait appel à un dragon fantastique qui aurait ravagé le parc du château, effrayant bêtes et gens. Inspiré de saint Georges, un chevalier lui coupa la tête et tous les merles de la région vinrent lui donner aubade : ils sont encore là.

Pour la seconde intervient la petite histoire. Pendant leur occupation de la Guyenne, des archers anglais vinrent à aborder près de Cantemerle. N'ayant pas les forces suffisantes pour les repousser, le sire de Sauves, maître des lieux, préféra les inviter à festoyer. Pendant ce temps ses quelques hommes d'armes mettaient en position ses deux ou trois couleuvrines, dont la plus bruyante était baptisée « Merle ». Quand il jugea ses hôtes indésirables suffisamment ivres, il ordonna le feu en disant : « Chante, Merle. » Le nom resta au château.

De nos jours, et fort heureusement, la dégustation d'une bouteille de Cantemerle n'entraîne pas de tels risques. Plus rond qu'un Cantenac, ce rouge rutilant est moelleux ; malgré un corps marqué il ne manque pas d'une certaine légèreté. Son bouquet est franc et convient aux palais fins : il doit un très faible goût de violette aux cépages de Verdot qui s'associent bien avec les Cabernet et les Merlot. Pas très corsé il sait vieillir en finesse. Pour sa plénitude on l'aimera avec les viandes rouges et les fromages à pâte cuite. Mais on ne saurait le recommander avec un gibier quelconque.

CHÂTEAU-CANTENAC-BROWN
Bordeaux rouge. Margaux. Médoc. 3e grand cru.

Un Bordeaux très british

Cantenac-Brown... le nom sonne incontestablement très anglais. Qui donc était ce M. Brown qui accola son patronyme à celui de cette commune, fameuse pour ses vins, à seule fin de baptiser son propre cru ? Un négociant bordelais nous dit-on. D'origine britannique sans aucun doute comme beaucoup de ses confrères. Car, on l'oublie très souvent, le Bordelais appartint pendant des siècles à l'Angleterre.

Par quel subterfuge historique ? Profitons de l'occasion pour nous en souvenir. Quitte à l'oublier ensuite selon une tradition bien française. En 1137 meurt le duc d'Aquitaine, Guillaume VIII, dont la fille, Aliénor, est mariée au dauphin de France qui devient alors duc d'Aquitaine. Louis VI le Gros, père du dauphin, meurt à son tour, laissant le trône au nouveau duc d'Aquitaine, lequel règne sous le nom de Louis VII. Le ménage royal s'entend mal, divorce et Aliénor reprend son duché d'Aquitaine. Elle a vite fait ensuite pour se marier avec Henri Plantagenêt, duc de Normandie, comte d'Anjou. Lequel devient deux ans plus tard roi d'Angleterre. L'Aquitaine, dot d'Aliénor, passe donc à la couronne d'Angleterre. Elle y restera trois siècles. Le temps de faire des Anglais de furieux amateurs de vins de Bordeaux.

Partout en Bordelais, ces braves gens laissèrent leur empreinte, des habitudes même. Témoin le Château-Cantenac-Brown.

On a beau savoir que les Anglais furent longtemps les maîtres ici, quel étonnement d'y retrouver une demeure typiquement « british ».

Cantenac-Brown se présente comme la copie exacte d'un château anglais de la Renaissance avec tout ce que cela comporte de solide, de plaisant et d'accueillant. Le vin du domaine, bien fait pour plaire à ces amateurs subtils que sont les Anglais, se montre digne des Médoc.

Il ne vole pas son classement en troisième cru, et honore les Cantenac-Margaux. Un bouquet abondant, de l'élégance autant que de la finesse, une nervosité qui n'exclut pas le moelleux...

CHÂTEAU-CARBONNIEUX
Bordeaux blanc. Léognan. Graves. Cru classé.

Le blanc au sérail

Avec janvier, on retrouve en général le saumon frais — alors à son meilleur — sur nos tables. Pour l'accompagner, j'ai à vous proposer un grand Bordeaux blanc, le Château-Carbonnieux.

Son nom est connu sans doute, mais au restaurant on ne le rencontre pas souvent sur une carte de vins. Ce cru sait pourtant être sec comme ses pairs de Graves, n'en déplaise à la légende qui dénie cette qualité au Bordelais.

Avec quelque six siècles, le château est un des plus vieux de la Gironde. Quant au vignoble, si l'on en croit les chroniques anciennes, il aurait été déjà célèbre alors que les Médoc étaient encore ignorés. Parmi les grands propriétaires à faire sa réputation on compta le duc d'Epernon — maître aussi du fameux Château-Beychevelle — et surtout, les bénédictins de l'abbaye de Sainte-Croix. Une anecdote en dit long sur l'habileté commerciale de ces bons moines.

Capturée par un pirate, une Bordelaise fut un jour offerte comme esclave au sultan de Constantinople. Séduisante, elle devint la favorite du harem et, du coup, n'en fit plus qu'à sa tête. Seul, disait-on, le vin de Carbonnieux calmait les sautes d'humeur de la belle. Le sultan se grisa des deux. Ce qui n'alla pas sans lui poser un grave problème ; le vin étant interdit par le Coran, une indiscrétion pouvait lui coûter son trône. Les bénédictins s'en tirèrent fort bien en lui expédiant son vin dans les bouteilles ainsi étiquetées : « Eau minérale de Carbonnieux ! » Des jésuites, ces bénédictins...

Pour peu que l'on aime les vins distingués, racés, élégants, on suivra l'exemple de ce Turc épicurien. Nerveux, fin, bouqueté, sans aucune verdeur, ce blanc de Carbonnieux a tout pour plaire. S'il est jeune, il accompagne admirablements fruits de mer et poissons grillés.

J'ai bien spécifié « jeune ». Car, comme le Janus des Romains, le Carbonnieux a deux visages. Au-delà de cinq à six ans d'âge, il perd sa nervosité et révèle une légère tendance à la madérisation. Mieux vaut le boire alors au dessert, avec des fruits, surtout des fraises.

CHÂTEAU-COS D'ESTOURNEL
Bordeaux rouge. Saint-Estèphe. Médoc. 2e grand cru.

Un Bordeaux bien en selle

Stendhal ne se cachait pas d'aimer l'insolite. Je n'ai donc pas été étonné de trouver dans un de ses « Voyages » une relation de son passage dans la commune bordelaise de Saint-Estèphe : il n'avait pu manquer de s'arrêter au château du Cos d'Estournel.

Un étrange château, mi-oriental, mi-arabe et dont les clochetons compliqués apparaissent inattendus dans ce pays de raison. Un château qui n'abrite aucun appartement, aucun salon, mais des chais uniquement : ici c'est le vin qui est logé comme un roi.

Pour le construire il a fallu un homme original, un de ces seigneurs fantasques, hélas aujourd'hui disparus ! M. d'Estournel — puisqu'il s'agit de lui — était tout cela. Il avait une haine : les femmes, et trois passions : le vin, les chevaux et les bateaux.

Son vin, il se plaisait à aller l'écouler en Arabie, via le cap de Bonne-Espérance. Il ne le vendait pas mais le troquait contre de merveilleux petits chevaux arabes. Des îles Britanniques il ramenait par ailleurs de beaux étalons anglais. Et, de retour en Bordelais, il s'essayait aux croisements anglo-arabes. Il eut de bons résultats.

Quand il ne trouvait pas de chevaux à son goût, eh bien ! il revenait avec son vin ! Mais comme il était malgré tout commerçant, il fallait finir par le vendre : il fut ainsi des premiers à proposer des Bordeaux « Retour des Indes » en son hôtel particulier des allées de Tourny, dans un décor exotique reconstitué, au son de deux orchestres de violons. On parle encore de ces folies dans la bonne société qui vit, à l'époque, une sorte de châtiment divin à ces débordements dans la faillite de M. d'Estournel. Car, si on ne lui proposait pas de bons prix, il préférait entasser ses récoltes.

Pourtant quel joli vin que le Cos d'Estournel ! Charpenté, robuste, bien équilibré en qualité grâce à ses Merlot qui lui donnent du bouquet et un fondu agréable, et à ses Cabernet qui lui apportent nerf et race. Un arôme ouvert, un beau caractère tanique, une belle couleur rubis, de la rondeur... s'il n'est pas un très grand monsieur, quel aimable gentilhomme campagnard !

Et comme il va bien avec les gibiers à poil !

CHÂTEAU-DUCRU-BEAUCAILLOU
Bordeaux rouge. Saint-Julien. Médoc. 2ᵉ grand cru.

Un Médoc qui met en voix

La commune de Saint-Julien-Beychevelle, malgré les voisinages écrasants de celles de Pauillac et de Margaux, ne semble souffrir d'aucun complexe d'infériorité vinicole. Témoin ce gigantesque panneau à l'entrée du village qui annonce fièrement : « Passant, tu entres ici dans le vignoble célèbre et séculaire de Saint-Julien. Salue ! »

Tout en faisant la part de l'exagération méridionale, il faut bien reconnaître que les crus de Saint-Julien tiennent une place de choix dans le haut Médoc. Ils font la transition entre les vins de Margaux et de Pauillac. Pour avoir plus de corps que les premiers et moins de puissance que les seconds, ils n'en possèdent pas moins une personnalité marquée qui s'affirme dans un bouquet prononcé et très particulier.

On en parlait certes déjà avant la Révolution. Mais ils eurent leur temps de gloire pendant le siècle dernier. La cantatrice Marietta Alboni — engagée à seize ans à la Scala de Milan, puis plus tard à l'Opéra de Paris — n'entrait jamais en scène sans avoir dégusté auparavant un verre de Saint-Julien pour affermir ses cordes vocales.

Plus tard, et bien avant que Thiers remplace sur la tribune de la Chambre le classique verre d'eau par un verre de Château-Lafite, le président de la Chambre des députés, un Bordelais du nom de Raves, possédait dans sa bibliothèque une réserve de Château-Ducru-Beaucaillou. D'ailleurs son fils devait plus tard s'allier à la famille des propriétaires de ce vignoble.

Le vin qu'il produit, séveux et corsé, est un des plus intéressants de Saint-Julien. D'une belle couleur soutenue, avec un bouquet précoce, il se classe immédiatement après le fameux Léoville. Sans prétendre à sa suprême élégance il a de la séduction pour qui aime les vins de caractère. Sa souplesse le recommande avec les entrées tandis que son corps lui permet d'accompagner à merveille les viandes d'agneau.

A noter que le château de style Directoire avec des apports Renaissance anglaise ainsi que les chais remarquablement installés valent, eux aussi, que l'on s'arrête.

CHÂTEAU-GISCOURS
Bordeaux blanc. Labarde-Margaux. 3e grand cru.

Il court le Giscours

J'espère qu'un agent de voyages amateur de belles demeures organisera un jour un « tour » des châteaux du Bordelais. Les propriétaires du XVIIIe siècle et du Second Empire ayant engagé les meilleurs architectes de leur temps, cela représenterait une passionnante leçon d'architecture.

Mais si les tours, les pigeonniers, les colonnes et les pièces d'eau se sont en général maintenus, les vignes passèrent par des hauts et des bas. J'en donnerai pour exemple le Château-Giscours. Une construction Napoléon III, assez grandiloquente mais de haute classe, avec un parc admirable, peut-être un des plus réussis du Bordelais. Le vignoble, dont on parlait déjà au XVIe siècle, propriété un temps du duc de Saint-Simon, passé au moment de la Révolution entre les mains de banquiers américains (déjà), avait fini par obtenir un classement en « troisième grand cru ». Mais, il y a une vingtaine d'années, on le considérait en pleine décadence.

Par chance, il se trouve aujourd'hui sur le point de mériter de passer en « deuxième grand cru ». Il le doit à un nouveau propriétaire venu d'Algérie.

Supprimant les plants hybrides, il a reconstitué le vignoble en vignes de première qualité. Cela aboutit dorénavant à un vin délicat, bouqueté, suave, très parfumé et riche d'une belle élégance. Ce rouge est un haut Médoc, d'appellation Margaux, qui gagne à vieillir. Comme il n'est pas surcoté, voici de bonnes bouteilles à mettre de côté.

CHÂTEAU-GRAND-BARRAIL-LAMARZELLE-FIGEAC
Bordeaux rouge. Saint-Emilion. Grand cru.

Un Rubens à Saint-Emilion

Une pléthore de jeux, devinettes et autres tirelipots destinés à nous persuader de notre connaissance universelle fait actuellement les bons et les pires moments des radios. Je m'étonne qu'il n'y en ait pas encore un consacré à nos vins : il satisferait bien des curiosités.

Par exemple, on pourrait débuter par la question suivante : « Quelle est cette ville du Bordelais dont l'église est si remarquable qu'Abel Hugo — le frère de Victor — affirmait en 1835 dans sa *France pittoresque* : "Il n'a manqué à ce temple, pour devenir célèbre, que d'être en pays étranger" ? »

A titre d'indication supplémentaire, on pourrait citer, toujours à propos de ce monument, le cher Montaigne, impressionné lui aussi au point d'écrire : « Ni âme si revêche qui ne se sente touchée de quelque révérence à considérer cette vastité sombre ; ceux même qui y entrent avecque mépris sentent quelques frissons dans le cœur, et quelque horreur qui les met en défiance de leur opinion. »

Vous brûlez ? Alors encore une dernière précision : cette véritable cathédrale, creusée dans le roc, fait suite à la grotte d'un saint ermite dont on assure que « pendant qu'il était de ce monde, il apaisa la faim en changeant des copeaux en pains, une année de disette, et aujourd'hui il étanche la soif puisqu'il parraine le plus vaste vignoble de vins fins du Bordelais ».

Vous avez deviné : il s'agit de Saint-Emilion, qui représente plus d'une centaine de crus, du meilleur au moins bon, et que Louis XIV qualifiait de « nectar des dieux ». Pour quelques-uns, c'est vrai, encore qu'il soit malaisé de faire son choix, une fois quittés la douzaine de châteaux « premiers grands crus classés ».

Une dégustation impromptue m'a permis de rencontrer et de reconnaître un « grand cru classé » : le Château-Grand-Barrail-Lamarzelle-Figeac, digne de l'Angélus, du Croque-Michotte, du Balestard la Tonnelle, du Canon la Gaffelière les meilleurs de sa catégorie.

Comme le Cheval-Blanc, c'est un vin de Graves, ce qui lui assure plus de bouquet, de légèreté et de fraîcheur qu'aux vins de Côtes dont le Château-Ausone reste le prototype parfait. Très généreux, souple, avec beaucoup de corps et de chair, on le trouvera moelleux. Son caractère ne le prive pas de finesse. C'est un cru « à la Rubens ».

En jouant aux comparaisons, on le rapprocherait de certains Pomerol. Mais ce serait compter sans sa personnalité qui s'impose par un léger, très léger arôme de menthe. Il y a du poète dans ce vin-là !

S'étonnera-t-on alors qu'un de ses anciens propriétaires se soit laissé aller, jadis, à commettre quelques œuvres poétiques ?

CHÂTEAU-GUIRAUD
Bordeaux blanc. Sauternes. 1er cru.

Un vin de nuit

Faire connaissance avec un beau vin au milieu de la nuit... étrange... non ? Et pourtant, cela s'est passé au club Princesse, chez Jean Castel, qui règne sur les nuits parisiennes et n'en demeure pas moins un de nos grands gourmets. Il n'hésite pas à affréter un avion pour aller dîner, entre copains, chez Bocuse, et il ne se montre pas peu fier de ses quatre cents livres anciens de cuisine.

Il ne faut pas, non plus, le croire voué au dieu whisky. Au contraire, tout comme certains ont enfin réappris à aimer et à servir le Sauternes en forme d'apéritif, lui, avec un rien de fantaisie, ouvre ses meilleures bouteilles vers les deux ou trois heures du matin.

Ainsi d'une bouteille splendide de Château-Guiraud débouchée à cette heure apparemment insolite, suivie de quelques autres, est né un projet des plus farfelus de l'année. Castel ayant découvert un village du nom de « Tournedos » a décidé d'y inaugurer un buste de Rossini. Evidemment, il invitera tous les coiffeurs parisiens, en mémoire du *Barbier de Séville* ; tous les récoltants de pommes en hommage à *Guillaume Tell*, et tutti quanti. Comme buffet, uniquement des « tournedos Rossini », bien sûr. Comme vin, et parce qu'il a le sens de la reconnaissance, des Sauternes et Barsac comme apéritifs, et des rouges ensuite.

Bien sûr, le Château-Guiraud sera de la fête. Une fête qui chez vous peut toujours exister, car on trouve toujours de fort beaux millésimes. Car ce cru généreux, nerveux, bien équilibré, élégant et racé, au bouquet très embaumé et ouvert, n'apparaît qu'avec des millésimes. Les mauvaises années, il prend un autre nom, « la Terre ». C'est ainsi qu'on conserve une image sans reproche.

CHÂTEAU-HAUT-BRION BLANC
Bordeaux blanc. Pessac. Graves.

Talleyrand l'oublia

La généalogie des propriétaires du Château-Haut-Brion, le premier des grands crus classés rouges de Graves, un des cinq grands du Bordelais — car on y compte le Mouton — est un bel exemple du goût des « puissants » pour la possession des grands vignobles.

On trouve ainsi parmi eux un président de Parlement, un maire de Bordeaux (ne voyez là aucun parallèle avec un contemporain connu), un important agent de change, et également M. de Talleyrand-Périgord, ministre inamovible des Affaires étrangères de la France révolutionnaire, impériale et royale, à qui rien de ce qui était rentable n'était étranger. D'ailleurs, au bout de trois ans, il revendait le domaine à un banquier, évidemment.

Actuellement, l'heureux possesseur du château est une de ces familles d'Anglo-Saxons qui ont les moyens de s'offrir une ambassade : celle de Douglas Dillon, l'ancien représentant des Etats-Unis à Paris.

Assez curieusement, ni les uns ni les autres n'ont attaché beaucoup d'importance au vin blanc de leur propriété ; sans doute est-il de petite production, mais on aurait tort de le sous-estimer. Il devrait compter parmi les bons blancs secs de Graves. Il en a la finesse non sans toutefois faire preuve d'un caractère corsé et puissant. Sa race est incontestable et, s'il n'est pas grand, au moins fait-il honneur au nom qu'il porte.

Le bel inconnu de Margaux

Combien sont-ils ces grands crus classés de Médoc : cinquante, soixante ? On ne sait plus guère. Les seigneurs, Lafite-Rothschild, Latour, Margaux, Mouton-Rothschild, nous sont certes connus. Pour les autres, deuxièmes, troisièmes, quatrièmes et cinquièmes grands crus, leur réputation dépend bien plus souvent de l'habileté des services commerciaux intéressés que de leur qualité.

Devrais-je avoir honte d'avoir eu, il y a peu, la révélation d'un troisième grand cru que tout un chacun devrait apprécier pourtant : pourquoi diable ce Château d'Issan passe-t-il inaperçu sur nos tables ?

Pourtant il représente un des meilleurs exemples de ce que le Médoc peut donner. A lui seul, il est une synthèse, celle de deux de nos grands vignobles, voisins autant que rivaux, Margaux et Cantenac. Aux premiers on accorde une suprématie incontestable quant à la finesse, et aux seconds plus de corps et de vinosité.

Avec un beau sens de l'opportunisme, ce Château d'Issan pousse sur la commune de Cantenac mais bénéficie de l'appellation Margaux. On pourrait le dire bâtard mais il a réussi à se créer une personnalité, issue de sa double origine ; quand il ne triche pas un peu sur une troisième tendance, celle des Pauillac.

Si l'on fait son portrait, on ne peut manquer d'évoquer les experts, lesquels aiment à jouer des comparaisons. « Il a le bouquet exquis des Margaux », affirment les uns ; « Sans doute, mais s'il a l'élégance des Cantenac, il se porte tout de même plus corsé et sa robe plus chargée l'habille un peu plus lourd », constatent les autres ; « Tout beau, terminent les derniers, mais accordez-lui au moins la force, la sève et la chair des Pauillac. » Toujours est-il qu'en conclusion ils le considèrent comme un très joli vin, bien digne de seconder les plus grands, sans en avoir les prétentions.

D'ailleurs n'a-t-il pas tenu le haut de la table des cours d'Autriche pendant plusieurs siècles ? N'a-t-il pas été la propriété de la famille du fameux Gaston Phœbus, puis celle du marquis de Ségur ?

Tous ceux-là qui le possédèrent ont eu à cœur que le château soit digne du vin. Passant par la commune de Cantenac on ne peut ignorer ce domaine assez extraordinaire, tout en terrasses, pavillons, tourelles, douves et cheminées, ensemble somptueux et grandiose dont les portes s'ornent d'une devise pour le moins pédante, d'autant plus qu'elle participe du latin de cuisine : « Regum mensis arisque deorum », autrement dit : « Pour la table des rois et l'autel des dieux ! »

Disons simplement : « Pour la table des gens de bonne compagnie, un beau vin. »

CHÂTEAU-LA LAGUNE
Bordeaux rouge. Ludon. Médoc. 3ᵉ grand cru.

Le charme du XVIIIᵉ siècle

Lorsque le XVIIIᵉ avait du charme, cela ressemblait à l'approche du Château-la Lagune. La grille du parc semble ciseler de la dentelle dans ce fer forgé et son fronton plus encore ; l'escalier, double, fait lui aussi des grâces tout comme s'il donnait la révérence à la façade de la demeure dont la couleur jaune tendre joue les villas à l'italienne.

Rien de grandiose en vérité, car le parc serait plutôt une grande cour en verdure et le « château » lui-même ne se hausse pas au-dessus de son étage noble. C'est une maison qui ne prend pas ses distances et aime à accueillir des visiteurs.

Le vin rouge de ce domaine plutôt sous-estimé lors de la fameuse classification de 1855 était tombé en pleine décadence, et dans les années 50, alors qu'il ne restait que quatre ou cinq hectares de vignes cultivées sur la cinquantaine qui constituait le domaine à l'origine, on le croyait sur le point de disparaître.

Apparut alors un curieux personnage, Georges Brunet — dont je reparlerai à propos d'un vin des Coteaux d'Aix, le Vignelaure —, qui s'enticha de la Lagune. Il lui rendit vie en quelques années, rénovant et replantant, revoyant toute la vinification, rendant enfin ce cru digne de son classement. Ensuite il repartit comme il était venu, à la recherche d'on ne sait quoi, hésitant entre le Tibet spirituel et le terroir vinicole.

Toujours est-il que le rouge de la Lagune jouit d'une personnalité incontestable. Rubis foncé, coloré, corsé, moelleux il est bien le premier sur sa commune.

CHÂTEAU-LANGOA
Bordeaux rouge. Saint-Julien. Médoc. 3e grand cru.

En proie au doute des lamproies

Douze lamproies chaque année, telle était la modeste redevance exigée par le chapitre de la basilique Saint-Seurin de Bordeaux, d'Arnaud de Gassies, seigneur et vigneron, auquel il avait cédé un de ses vignobles.

Quelle qu'ait pu être la valeur de ces poissons raffinés mais non point rarissimes en Gironde, on doit reconnaître que l'affaire était bonne.

Pourtant l'Histoire soutient que le sieur de Gassies, déjà propriétaire des crus du Château de Jauberthes, se faisait tirer l'oreille pour régler son dû. Il n'y a pas de petits bénéfices, n'est-ce pas, même au XIIe siècle...

L'anecdote est jolie, mais elle n'en serait que plus appréciée si l'on savait de quel domaine il s'agissait.

Pour les uns, il serait simplement question des terres de la commune de Langon. Pour les autres, on aurait plutôt affaire au Château-Langoa, situé bien loin de Langon, dans le haut Médoc.

Pour ma part, j'apprécierais assez que ce fût la légende de ce vin du Château-Langoa, un cru classé de Saint-Julien fort méritant. Distingué, élégant, souple, il représente une transition parfaite entre les Margaux et les Pauillac. Il est plus corsé que les premiers, mais pour ce qui est du bouquet il l'emporte sur les seconds, sans toutefois les égaler en puissance.

Sa couleur admirable, sa sève en font presque l'égal du Château-Ducru-Beaucaillou que l'on trouve pourtant classé dans les deuxièmes grands crus, c'est-à-dire dans la catégorie supérieure.

Je signale que ce cru est aujourd'hui réuni au vignoble de Léoville-Barton, un des trois Léoville, avec les Lascases et Poyferré, premiers parmi les Saint-Julien. Sans doute a-t-il bénéficié de cette liaison, encore que sa réputation ne soit pas surfaite.

A l'exemple de beaucoup d'autres vins, il a inspiré des poètes : comme toujours, les vers sont assez maladroits, mais pour une fois ils ne mentent pas :

> C'est le vin le plus franc et le mieux entendu.
> Ah ! si tous les grands vins avaient un pareil maître,
> La valeur du Médoc se ferait mieux connaître.

CHÂTEAU-LASCOMBES
Bordeaux rouge. Margaux. Médoc. 2ᵉ grand cru.

L'ONU à Margaux

Lorsque les Nations Unies quittèrent leur siège provisoire du Rockefeller Center de New York pour s'installer dans leurs meubles, elles bradèrent leurs vieux drapeaux. Seul un Américain pouvait avoir l'idée de les acheter pour les planter dans sa propriété. Surtout lorsque cette propriété se trouve située dans la commune de Margaux, en Bordelais.

C'est en effet au long du domaine de Château-Lascombes que flottent aujourd'hui ces fameux emblèmes. Si besoin en était, ils confirmeraient la vocation internationale du Bordeaux, et plus particulièrement de ce vignoble. Car le château lui-même participe de l'Histoire.

La demeure fut bâtie au XIXᵉ siècle par Mᵉ Chaix d'Est-Ange, célèbre pour avoir gagné le procès du canal de Suez pour la France contre l'Egypte. Napoléon III, en reconnaissance, lui offrit un service à café où figurent les portraits des maîtresses de Louis XIV : il existe encore.

Aujourd'hui Château-Lascombes appartient à un Américain, Alexis Lichine, connu pour être un des meilleurs experts mondiaux du vin et l'auteur d'une remarquable encyclopédie des vins et des alcools.

Il ne se contente pas d'être un théoricien, puisque son vin, classé deuxième cru des Margaux, s'y maintient sans peine aucune. Son bouquet léger, et que l'on considère comme rappelant la violette, une belle finesse, un équilibre certain, un rien de féminin, comme savent l'être les Médoc, une aptitude à bien vieillir, lui permettent de s'approcher du grand Château-Margaux dont il est d'ailleurs voisin par la terre.

CHÂTEAU DE MALLE
Bordeaux blanc. Preignac. Sauternes. 2e cru.

Ce Malle est bien

Je ne crois pas aux confréries, compagnies et autres ordres bachiques. Elles ne cachent souvent que des rivalités locales, souffrent de « nombrilisme » et distribuent des médailles qui ne sont rien d'autre que des hochets à l'usage du plus grand nombre d'ignorants célèbres — sauf exception rarissime — en matière de vin.

La commanderie de Bontemps de Sauternes et de Barsac ne m'intéresserait pas plus que les autres si une de ses cérémonies désuètes ne m'avait permis de découvrir le Château de Malle.

Je tiens à parler d'abord de la demeure. Parmi les centaines de châteaux qu'on peut visiter et découvrir en Bordelais, en voici un des plus jolis et des plus ravissants, enfin à la taille de gens de goût et de qualité, sans autre prétention que celle de plaire.

L'époque Louis XIII prouve là combien elle savait vivre harmonieusement. Les grosses tours rondes donnent au château un air bonhomme tandis que le petit pavillon, distingué et élégant, parle de bien-vivre.

Et le vin de la propriété abonde dans ce sens. Grand cru classé Sauternes, le Château de Malle poussant sur la commune de Preignac tient des crus de celle de Barsac quant à la vigueur et des vins de la commune de Sauternes pour l'élégance. Ce qui en fait un réel Sauternes. Onctueux donc, distingué, fin et parfumé. Certes, il n'approche pas l'incomparable Château d'Yquem, mais il doit être pris en considération par ceux qui apprécient ces blancs riches en guise d'apéritif. Quitte à me répéter et à m'essouffler à les défendre, je vois à tous les grands Sauternes un bel avenir sous cette forme.

CHÂTEAU-LA-MISSION-HAUT-BRION
Bordeaux rouge. Pessac. Graves. Cru classé.

La mission Saint-Vincent

En matière de vins, les légendes se plaisent volontiers à embrouiller les fils de l'Histoire. Et leur fiction semble toujours narguer un peu la réalité.

Ainsi Vincent, patron des vignerons, doit-il bien s'amuser d'entendre conter l'aventure du grand cru de la mission Haut-Brion.

Cellérier du paradis, le bon saint ne donnait pas, dit-on, pleine satisfaction à son auguste maître. Le Père Eternel décida de l'envoyer s'informer sur la Terre de ce qu'était vraiment le bon vin.

Il fit alors son petit tour de France et passant par le Bordelais, il goûta et regoûta dans les chais de la mission Haut-Brion. C'était trop bon, il resta. Courroux de la plus haute instance, un geste... et voilà saint Vincent changé en statue de pierre dans le cellier même de sa gourmandise. Il y est encore.

On ne s'en étonne pas outre mesure, puisque le domaine trouva sa véritable destinée quand les lazaristes — ordre fondé par « Monsieur Vincent » justement — le reçurent en legs et prirent en main la culture de la vigne et les soins du vin.

Ce qu'on ne sait pas, c'est si le saint arriva avant ou après eux. Toujours est-il que son appréciation ne fut jamais contredite. Ce grand buveur de maréchal de Richelieu n'expliquait-il pas son engouement pour ce beau rouge, en affirmant avec bon sens : « Si Dieu défendait de boire, il n'aurait pas fait le vin si bon. »

De quoi lui attirer toutes les bénédictions.

Assez curieusement pourtant, ce cru changea de nom pour un temps, quand Célestin Chiapella, venu de La Nouvelle-Orléans, consacra une partie de sa fortune à l'achat du château et des terres. On ne sait trop pourquoi il fit connaître son produit aux Amériques sous le nom de Haut-Brion-la-Mission. Cela se passait au début du XIXᵉ siècle.

Depuis il est redevenu le Château-la-Mission-Haut-Brion, un grand cru classé de Graves, voisin de Haut-Brion, et parfois son égal dans les très belles années.

Il est tout en harmonie, nerveux, de belle couleur, coulant, velouté, d'une finesse qui vaut celle des Médoc, avec un goût accentué. Il possède un certain moelleux qui le fait dire presque féminin ; cela ne lui ôte pas son caractère.

C'est un grand vin : il se marie avec les grands plats. Mais sa simplicité s'accommode fort bien d'autres simplicités, quand elles ont la noblesse des choses vraies.

CHÂTEAU-MONTROSE
Bordeaux rouge. Saint-Estèphe. Médoc. 2ᵉ grand cru.

Rouge à Montrose

Les grands propriétaires viticulteurs aiment assez agrandir leurs domaines de terres éloignées de leur province d'origine. Sans doute estiment-ils ainsi ajouter quelques quartiers à leur blason de noblesse vigneronne.

Mais les uns et les autres oublient rarement leurs premières vignes : à preuve ce domaine du haut Médoc où le visiteur peut se croire, un instant, en Alsace. En effet, les petites maisons destinées aux ouvriers de la vigne s'ordonnent au long de grandes allées portant les noms de rue de Colmar, rue de Ribeauvillé, rue de Mulhouse, etc.

Cette nostalgie d'un ancien propriétaire alsacien de ce Château-Montrose se double du pittoresque de bâtiments auxquels des balcons travaillés donnent des allures de chalet suisse. Le « château » lui-même maintient, en dépit de la modestie de ses dimensions, le style classique — avec bien sûr un portique à colonnes — cher aux vieilles traditions bordelaises.

A vrai dire on remarque surtout l'aménagement des vignes, divisées en grands carrés séparés de larges allées. Selon l'exposition et la nature du sol, chacun de ces carrés est planté de cépages appropriés.

Cela aboutit à un des meilleurs Saint-Estèphe existants. D'aucuns prétendent le comparer au Château-Latour de la commune voisine de Pauillac. Apparemment excessif et que l'on s'explique mal. Ce Montrose rouge, suave, corsé, vieillissant lentement, plus enveloppé et plus adouci que le Latour, se montre très différent et n'en possède pas la grande élégance, en dépit d'une finesse rare chez les Saint-Estèphe. Tendre et généreux avec beaucoup de bouquet, il compte parmi les grands vins des connaisseurs. Pas cher, qui plus est.

CHÂTEAU-PALMER
Bordeaux rouge. Cantenac. Médoc. 3ᵉ grand cru.

La réserve du Maréchal

Reclasseront, reclasseront pas ? Cette fois sera-t-elle la bonne ? Depuis que les technocrates éminents du ministère de l'Agriculture nous promettent de mettre enfin à jour le fameux classement de 1855 des grands crus du Bordelais, on doute.

Il serait temps en tout cas. Car les experts comme les amateurs ont depuis des lunes déjà révisé leurs tablettes.

A preuve le Château-Palmer classé troisième cru, dont la qualité autorise à le hisser parmi les deuxièmes, en compagnie des Rausan-Segla, et autres.

Ne serait-ce que pour son histoire, l'occasion est trop belle d'attirer l'attention sur lui. N'a-t-il pas été un de ces vins qui révélèrent le Bordeaux au maréchal de Richelieu, lequel le fit connaître au roi Louis XV avant de le faire aimer à la Cour et à toute la France ?

Exilé à Bordeaux comme gouverneur de la Guyenne à la suite d'un mouvement d'humeur de Mme de Pompadour, le maréchal n'en avait pas pour autant renoncé à la bonne vie. Se méfiant des « petits vins du pays », il amena dans ses bagages une large réserve de vins de Bourgogne. C'était oublier les Bordelais.

Quelques bourses distribuées à bon escient leur permirent de substituer, petit à petit, leurs grands crus aux Bourgognes sur la table du gouverneur. Non sans toujours les présenter sous les appellations de Beaune !

Sans doute l'aventure ne plaide-t-elle pas en faveur du palais de M. de Richelieu, mais il continua de s'extasier sur « ses » Bourgogne ; quand on lui dévoila la supercherie, il sut ne pas s'en fâcher et bien au contraire devint le promoteur des Bordeaux.

S'il en est un qu'il mit en avant, ce fut bien le Château-Palmer, alors connu sous le nom de Château de Gascq. On le lui avait souvent servi, non seulement à son gouvernement, mais aussi chez un de ses voisins, M. de Gascq, grand propriétaire de bonne compagnie.

Or cet homme ne manquait pas d'aplomb : à sa table, il n'hésitait pas à baptiser régulièrement les meilleurs crus du Médoc, des Graves ou d'ailleurs du nom d'un de ses vignobles. Et quand il était remarquable il le présentait comme « mon Château-Palmer » qui allait, grâce à cette supercherie, bénéficier très vite d'une flatteuse réputation.

Ses qualités propres auraient pourtant suffi à la lui assurer. On tient là, incontestablement, le meilleur des Cantenac par une finesse et une élégance peu communes. Comme il est aussi Margaux, il trouve dans cette seconde appellation une sève et un bouquet l'approchant des grands premiers rôles. Equilibré, il est velouté sans aller jusqu'à être trop corsé. Sa souplesse convient aux entrées, sa richesse aux gibiers.

Le Graves qu'aimait Rabelais

La réputation des vins de Graves n'est certes plus à faire : ils furent à l'origine de tout le vignoble bordelais. Dans la ville même de Bordeaux, on en récolta les premières grappes dès le Moyen Age.

Mais je crois que l'on a par trop tendance à les croire — hors le prestigieux Château-Haut-Brion — presque tous blancs. En fait, cette région offre à l'amateur une gamme complète de vins pour tous les plats et tous les repas.

Je m'en tiendrai aujourd'hui à un de ces grands rouges capables de rivaliser par ses mérites avec le Haut-Brion. Il s'agit du Pape Clément.

Son nom n'est nullement usurpé. Le vignoble fut propriété, à la fin du XIIIe siècle, de Bernard de Goth, alors archevêque de Bordeaux, devenu plus tard pape sous le titre de Clément V. Ce prélat était un gourmet, doublé d'un fin politique : il sut se concilier l'amitié de Philippe le Bel en échange de l'abolition du puissant ordre des Templiers. Et c'est lui aussi qui fut l'instigateur du transfert de la papauté en Avignon où il devait exercer son pontificat.

Il a laissé le souvenir d'un personnage raffiné et bon vivant. Alphonse Daudet en a donné une image plaisante dans *Les lettres de mon moulin* : c'est Clément V qui servit de modèle pour le pape Boniface se rendant sur sa mule dans ses vignes de Châteauneuf.

Mais revenons à son vin de Bordeaux. C'est un grand monsieur. Peu aimable dans ses premières années, il s'assouplit jusqu'à devenir velouté et soyeux par une sève extrême d'où toute acidité a disparu.

Chaud, d'une saveur franche, il a un bouquet ouvert convenant bien aux viandes grillées et rôties. En Bordelais il se sert souvent avec l'entrecôte cuite aux sarments, avec le gigot de Pauillac ou même avec la très rare lamproie.

CHÂTEAU-PICHON-LONGUEVILLE-BARON
CHÂTEAU-PICHON-LONGUEVILLE-LALANDE

Bordeaux rouges. Pauillac. Médoc. 2e grand cru.

Deux vins qui n'en font qu'un

Château-Pichon-Longueville-Comtesse de Lalande ou Château-Pichon-Longueville-Baron ? Lequel choisir se demandent les amateurs de grands crus de Médoc.

En vérité ces Pauillac apparaissent semblables, à quelques infimes nuances près, imperceptibles, je l'avouerais, à l'honnête goûteur que je suis.

Constatation logique d'ailleurs, puisque jusqu'au milieu du XIXe siècle les deux domaines n'en formaient qu'un seul. Il fallut un partage de succession pour créer une scission sur cette terre, voisine du fameux Château-Latour, et limitrophe en même temps de la commune de Saint-Julien.

Depuis deux siècles, elle se trouvait entre les mains de la même famille, une des premières de Bordeaux. En effet, Jacques de Pichon, baron de Longueville, en tant que premier président du Parlement de Bordeaux, détenait les clés de la ville. A ce titre, il reçut sur son domaine Louis XIV, alors sur le chemin de Saint-Jean-de-Luz où il devait rencontrer sa femme, l'infante Marie-Thérèse d'Espagne. Sa Majesté en profita pour suivre plusieurs chasses. On prenait alors son temps pour voyager !

Le vin lui plut sans doute aussi : on lui prêtait déjà les qualités d'un « petit maître », brillant, coquet, sémillant, fin, distingué et vaillant, avec un corps lui permettant de vieillir en beauté.

Aujourd'hui, ce petit maître est devenu un grand monsieur, classé deuxième, tout près des plus célèbres.

CHÂTEAU-RAUSAN-GASSIES
CHÂTEAU-RAUSAN-SEGLA

Bordeaux rouges. Margaux. Médoc. 2e grand cru.

Diable ! Quel cru pour le gibier

Lorsque nous revient le temps des gibiers à plume ou à poil, il faut donc leur trouver des vins d'accompagnement. Pour les premiers, je crois au choix d'un Margaux parce qu'il l'emporte en finesse sur les Pauillac, Saint-Estèphe, Saint-Julien et autres Médoc qui seront particulièrement sollicités.

Laissant sa royauté incontestée au Château-Margaux, je vais évoquer pour vous deux princes qui l'honorent : le Château-Rausan-Segla et le Château-Rausan-Gassies, tous deux classés deuxième grand cru en 1855, et qui, jadis, n'étaient qu'un seul et même domaine jouxtant justement le fameux vignoble de Château-Margaux. Si des partages familiaux les ont séparés, leur excellence est une et ils sont frères jumeaux, ou presque.

Leur qualité première est certes leur régularité parfaite ; une régularité qui faisait même croire au XVIIe que M. de Rausan s'était acoquiné avec le diable. Ne disait-on pas que le démon venait labourer ses vignes pendant la nuit et que d'énormes corbeaux noirs les protégeaient de leurs ailes dès la moindre grêle ! A tel point qu'il eut du mal à se laver d'une accusation de sorcellerie !

Mais les Rausan n'en étaient pas à une originalité près. Témoin celui-là, embarquant un jour pour l'Angleterre où il estimait ses vins mal payés. A Londres, il décide de les vendre lui-même : comme les offres ne lui convenaient pas et qu'il les jugeait humiliantes pour ses crus, il fit savoir qu'il jetterait publiquement, chaque jour, un tonneau dans la Tamise. Le premier jour, il y eut des curieux, le deuxième aussi ; le troisième ce fut la foule et le quatrième, des marchands, séduits autant par le caractère du personnage que par son vin, lui en offrirent son prix. Ils ne le regrettèrent pas.

Les vins du domaine étaient déjà d'une très grande finesse que l'on retrouve aujourd'hui dans l'un et l'autre des Rausan. D'une grande netteté et d'une belle franchise de goût, ils ajoutent un brillant, une sève et une élégance peu commune à un bouquet exceptionnel, peut-être un peu plus développé dans le Rausan-Segla que dans le Rausan-Gassies. Mais, par contre, certains puristes veulent voir dans le second une élégance plus affirmée que dans le premier. Pour moi, j'avoue être séduit par l'un et par l'autre.

CHÂTEAU-RAYNE-VIGNEAU
Bordeaux blanc. Bommes. Sauternais. 1er cru.

Le Sauternes de Louis XV

Les Commandeurs de Sauternes et du Bontemps sont des gens de grand mérite. Ils sont décidés à rendre un royaume à leur roi : le Sauternes. Louable ambition, mais qui n'ira pas sans contestation, beaucoup doutant que leurs blancs puissent accompagner raisonnablement tout un repas. Ce en quoi ils sont dans le vrai.

Que les Sauternes soient victimes d'une désaffection injuste due à l'évolution du goût vers des vins plus secs, c'est regrettable ; et je le déplore. Parfaits et inimitables, somptueux par leur sève et leur parfum, ils doivent avoir leur place sur une grande table. Mais pas dans n'importe quelle ordonnance. Ni trop.

Le temps des réveillons leur permet de briller. Car, malgré de nombreuses querelles à ce sujet, les Sauternes demeurent les meilleurs compagnons du foie gras. Cela dit, on les voit à tort avec des poissons fins associés à des sauces délicates ; je les aime bien frappés en apéritifs. Certains les dégustent en dessert avec des entremets. Pourquoi pas ? Leur douceur y fait merveille. Mais leur domaine s'arrête là, et ce n'est déjà pas mal.

Je ne vous parlerai pas des « grands », trop connus, tels que Yquem, Rieussec, Château-Coutet, Château-Filhot. En voici un cependant moins couru, mais combien honorable. Il a eu l'honneur d'être servi à la table de Louis XV et, plus tard, à l'Exposition Universelle de 1867, il représenta la France dans un mémorable duel avec les vins allemands du Rhin. Rencontre qu'il remporta.

Il s'agit du Château-Rayne-Vigneau, qui a le moelleux et la finesse propres aux Sauternes, bien sûr, mais aussi l'avantage d'une sève exceptionnelle sans toutefois ce « palais » liquoreux souvent reproché à ses pairs.

Rien d'étonnant d'ailleurs à constater une telle richesse quand on connaît les trésors de la terre du domaine : au siècle dernier, les propriétaires y ont même découvert un gisement de pierres précieuses : cornalines, saphirs blancs, etc., qui font aujourd'hui une des plus belles collections privées de France. Il est bien normal alors que le vin soit aussi joyau précieux.

CHÂTEAU-SUDUIRAUT
Bordeaux blanc. Preignac. Sauternais. 1er cru.

Un blanc bien en cour

On a du mal à croire que nos grands-parents se régalaient de Sauternes avec les crustacés, et l'on s'étonne encore plus de rencontrer des menus où ces vins accompagnent des soles normandes et autres préparations crémeuses : faut-il que notre goût ait évolué !

Il n'est pas dans mon intention d'engager une campagne pour faire reprendre à ces crus superbes une place qu'ils ont définitivement perdue. Ce serait contraire à mon sentiment sur le mariage de la table et des vins. Mais, au-delà du couple splendide qu'ils forment avec le foie gras, je ne manque jamais de les apprécier, je vous le répète encore, légèrement glacés en guise d'apéritif. Il y a d'ailleurs là pour eux un bel avenir, n'en déplaise aux propriétaires qui penseraient ainsi déchoir.

Leur splendeur est bien propre à ouvrir un repas en beauté. Le dernier en date que j'ai pu apprécier en était un, un peu moins connu que les autres, le Château-Suduiraut. Il ne manquait pas des qualités propres à ces crus riches et somptueux mais il m'a tout d'abord intrigué par son étiquette.

Elle portait un titre assez rare ainsi libellé : « Ancien cru du roy ». Je sais bien que la plupart de nos grands vins ont trouvé place, à un moment ou à un autre, autant par gourmandise que par sens politique, sur la table de nos souverains ; jusqu'à présent je n'en avais rencontré aucun qui s'en réclamât ainsi.

En fait cette dénomination vient d'une origine toute différente. Le château, qui eut le charme des constructions sages et classiques, posséda un balcon en fer forgé venu d'un hôtel parisien du XVIIe, ainsi qu'un fronton de la même époque, tous deux marqués d'armoiries : celles des Duroy, jadis propriétaires. De génération en génération, le cru Duroy est devenu Du Roy, puis, sans doute sur une idée d'un descendant déjà conscient des problèmes de la publicité, « Ancien cru du roy ».

Cela expliqué, ce vin n'avait nul besoin d'être ainsi plus ou moins anobli : sa distinction même l'a toujours fait grand. Au XVIIIe, un courtier en vins affirmait déjà qu'à l'étranger « Suduiraut surpasse tous les autres par la finesse dans le goût et se vend ordinairement cinq écus de plus ».

Pour être voisin limitrophe d'Yquem, il lui ressemble, mais sait garder sa personnalité. Puissant et généreux, il est moins liquoreux, ce qui devrait lui permettre de plaire de nos jours. Il a de la sève et de l'élégance et ne manque jamais d'éclater en une « queue de paon » qui ravit le palais. Après tout c'est peut-être par lui que pourrait redébuter une nouvelle mode, celle des Sauternes et des Barsac. Il est de ces premiers crus qui ne volent pas leur appellation.

CHÂTEAU-LA TOUR BLANCHE
Bordeaux blanc. Bommes. Sauternes. 1er cru.

Prenez garde à la tour

Notre palais autant que nos nouvelles habitudes paraissent avoir scellé définitivement le sort des vins doux. Il est bien certain que nous n'imaginons pas accompagner une quelconque gâterie de dessert avec un de ces blancs liquoreux chers à nos vieux souvenirs de famille. Pourtant leur cause me semble devoir mériter une défense.

Ne serait-ce que parce que leur remise en question ne date pas d'hier. Il y a longtemps déjà, un historien ne notait-il pas, à la suite d'une visite du roi Louis XIII : « Toute la Cour s'y trouva incommodée pour avoir bu trop de vin doux à souper. Beaucoup de personnes en moururent... » On se relève difficilement de telles références.

Je crois, cependant, à une nouvelle vocation de ces vins : en guise d'apéritifs. Servis frappés, ils y font merveille. Pour vous en faciliter l'approche, je vous suggérerais un Château-La Tour Blanche. Moins puissant et moins liquoreux que les Sauternes, ce blanc, issu de la commune de Bommes, voisine de celle de Sauternes, n'en possède pas moins tous les caractères, avec une élégance réelle.

Son bouquet est délicat, sa couleur subtilement dorée ; très parfumé, moelleux plus que liquoreux, il mérite bien son appellation de Sauternes. D'ailleurs, il se place immédiatement derrière le Château d'Yquem, premier parmi les crus classés.

CHÂTEAU-LA TOUR-MARTILLAC
Bordeaux blanc. Martillac. Graves. Cru classé.

Ce Graves a des lettres de noblesse

Hors quelques châteaux réputés tels les remarquables Carbonnieux, Bouscaut, Malartic, les vins blancs de Graves me paraissent injustement négligés. Pendant longtemps d'ailleurs, les négociants bordelais n'ont pas toujours fait ce qu'il fallait pour appuyer cette production. On trouvait alors rarement une bouteille avec le nom du vignoble d'origine et un millésime.

De leur côté, les amateurs reprochaient aux « Graves doux » de ne point l'être assez, d'être légers de corps, de tenir une couleur trop pâle. Ils lui préféraient le Sauternes. Aux « secs », ils opposaient les Chablis, affirmant qu'aucun Graves ne possédait un fini semblable, ni son caractère. Je crois bien qu'il est temps de revenir sur ces idées toutes faites.

Pendant la période d'été où les repas sont souvent faits d'entrées fraîches et de poissons, essayez donc un La Tour-Martillac. Il vient d'un domaine contigu au domaine de Lartigue qui appartint à Mme de Montesquieu. Et il ne fait guère de doute que les vignobles actuels furent aussi sa propriété, puisque la tour du château a été construite au XIIᵉ siècle par les ancêtres de l'auteur des *Lettres persanes*.

Sec avec franchise, fruité, frais, sans aucune acidité, il est d'une grande finesse. On y chercherait en vain quelque verdeur. Il doit sa personnalité à l'ancienneté des plants Sauvignon, Semillon, Muscadelle — qui sont, pour certains, les plus anciens du Bordelais.

Résistant bien à la madérisation, il se conserve longtemps et garde ce caractère « galant et voltigeant » qu'appréciait tant Rabelais.

BOURGOGNE

CHABLIS-MOUTONNE
Bourgogne blanc. Chablis.

Un Chablis pas comme les autres

Qui pourrait mettre en oubli
Le limpide et sec Chablis,
Qui joint à bien d'autres titres
L'art de se faire aimer avec les huîtres ?

Ainsi versifiait le chevalier de Piis, président de la Confrérie des Epicuriens, lors d'un dîner fin sous la Restauration. Une époque où on appréciait encore les vins blancs et où la désastreuse habitude d'un cru unique pour tout un repas n'avait pas cours.

Les gens de Chablis feraient bien, en tout cas, de reprendre ce quatrain à leur compte : on a trop tendance, en effet, à laisser de côté ce blanc fruité et généreux, digne pourtant des plus grands égards. Ses qualités lui permettent d'être bien autre chose qu'un vin de coquillages ; hors-d'œuvre et poissons s'accommodent avec bonheur de son caractère sec.

Rappelons d'abord que ces crus ne sont pas uniquement représentés par les « petits Chablis », très répandus et trop souvent médiocres. « Premiers crus » et « grands crus », les Vaudésirs, Preuses, Fourchaume, Mont-de-milieu sont là pour donner race et distinction à la famille.

Et puis il y a le Chablis-Moutonne, un cas, dans ce vignoble. Il est un des plus anciens. Tout en remontant fort loin il ne date tout de même pas de l'époque celte où l'endroit était surtout réputé pour ses bois.

Le Moutonne possède, lui aussi, un bel arbre généalogique. On le trouve propriété de l'abbaye de Pontigny dès le XIIe siècle. Ce sont les bons moines qui lui ont donné son nom. Les qualités diurétiques de leur vin étaient telles et leurs effets si foudroyants que les buveurs ressemblaient alors fort à des moutons dont on sait l'incontinence. Rabelais se serait diverti de l'histoire.

Aujourd'hui, les choses ont changé. Mais le titre est demeuré. C'est lui qui ajoute à l'insolite de ce vin, reconnu à la fois comme une marque et comme une appellation, ce qui est excessivement rare.

Il est bien bâti, parfumé, tout en gardant un caractère léger. Sa finesse est accentuée par sa sève après quelques années.

Frais, fruité, il est le blanc sec par excellence.

CLOS DE VOUGEOT-CHÂTEAU DE LA TOUR
Bourgogne rouge. Vougeot. Côte de Nuits. Cru hors ligne

L'autre château du clos de Vougeot

Savez-vous qu'il existe deux châteaux construits sur le fameux vignoble bourguignon du clos de Vougeot ?

Sans doute connaissez-vous déjà celui où se tiennent plusieurs fois par an les pittoresques « chapitres » des Chevaliers du Tastevin. On doit son édification à Jean Loisier, quarante-huitième abbé de Cîteaux, dont l'ordre était alors propriétaire de la totalité du clos.

Jean Loisier confiant l'étude des plans au meilleur moine architecte de l'ordre, celui-ci prit son travail à cœur et établit une étude parfaite en tout point. Elle lui paraissait même si remarquable qu'il affirmait que le bâtiment lui ferait honneur autant qu'à Cîteaux.

Péché d'orgueil bien mal venu avec notre abbé qui mit le plan entre les mains d'un autre moine, avec mission d'y introduire quelques grossières erreurs en matière d'architecture ; il rappela ensuite l'auteur, lui demanda de signer le tout et même de diriger les travaux « afin que son nom fût attaché à cette œuvre imparfaite jusqu'aux temps les plus reculés et qu'il fût puni à jamais de son péché d'orgueil » !

Cela dit, le château ne manque ni d'allure, ni d'équilibre : les Cisterciens tenaient tout de même à leur réputation ! Mais on ne manque pas de se poser parfois des questions sur l'utilité de telle fenêtre ou l'implantation de telle porte.

Mais revenons au deuxième château, mal connu, écrasé par la gloire de l'autre. Il date du début du siècle dernier et marque un des plus importants domaines (sept hectares sur les cinquante qui représentent aujourd'hui la totalité du clos) nés du morcellement post-révolutionnaire (on sait que les biens de l'abbaye avaient été alors dispersés). Il possède cette solidité et cette bonhomie propres aux grosses demeures bourguignonnes. On y est surtout accueilli sans façon — point de tourisme organisé — comme un gourmand chez d'autres gourmands.

Pourtant sa réputation mériterait d'être plus grande. Retrouver ce nom de Château de la Tour — ainsi l'appelle-t-on — sur une bouteille de Clos de Vougeot assure d'une très belle qualité. Sans peine, on le classe parmi les premiers. Vin étoffé, spiritueux, avec une sève richissime, bien charpenté, vin né pour prendre place parmi les grands d'une cave. Son bouquet suave et parfait permet toutes les imaginations : on découvre chez lui un rien de goût de truffe, un soupçon d'odeur de réglisse, l'impression d'un parfum de violette... Et quelle aptitude à vieillir en majesté ! Avec lui l'appellation de Clos de Vougeot possède un de ses biens les plus précieux.

LES COMBETTES

Bourgogne blanc. Puligny-Montrachet. Côte de Beaune. 2ᵉ grand cru.

Ne l'oubliez pas

Du Montrachet, Alexandre Dumas affirmait qu'il devait être « bu à genoux et tête découverte ». Un expert contemporain estime qu'il « doit être considéré comme une de ces merveilles dont il n'est permis qu'à un petit nombre d'élus d'apprécier la perfection ».

Un autre, plus lyrique, parle d'une « force et d'une onction extraordinaires, se développant comme le *Magnificat* sous les voûtes d'une cathédrale gothique ». Enfin, ce dernier conclut en y voyant « une des consolations mises à notre portée pour éteindre l'amertume de la vie ».

On en oublie presque ses petits frères, Chevalier-Montrachet, Bâtard-Montrachet, Bienvenues-Bâtard-Montrachet, Criots-Bâtard-Montrachet, souvent bien près de l'égaler, eux aussi, remarquables vins blancs secs, rivaux bourguignons, en réputation, des grands vins blancs du Bordelais.

Il en est un, surtout, que je vois régulièrement banni des bonnes cartes de vins, le Puligny-Montrachet. On prétend qu'il y a un abîme entre lui et la prestigieuse famille des Montrachet. Pas aussi profond qu'on le prétend. Distingué, d'un bouquet très développé, de la sève, sec et fruité, avec certaines réminiscences moelleuses, il sait faire lui aussi, la « queue de paon ». C'est avec harmonie qu'il révèle un arôme de fleur et de fruit.

Sans une parenté aussi écrasante, il se serait fait une jolie place, surtout lorsqu'il vient du clos des Combettes : ce blanc est très réussi. Quel monsieur !

CRITOS-BÂTARD-MONTRACHET

Bourgogne blanc. Puligny-Chassagne. Côte de Beaune.
1er et 2e grand cru.

Bien belle famille !

Evoquez la noblesse du Château d'Yquem, et les « Bourguignons »
vous prendront à partie, mettant en avant leur Montrachet. Ce très
beau vin, le plus grand des blancs secs, ne manque pas de petits cousins Chevalier-Montrachet, Bâtard-Montrachet, Bienvenues-Bâtard-
Montrachet, Criots-Bâtard-Montrachet, plus mal connus que mal
aimés.

Non contents de posséder un air de famille, ils se réclament tous
du même ancêtre. L'aventure de leurs noms de baptême tient un peu
de la légende.

Il faut remonter au temps des Croisades : un seigneur de Montrachet vit donc partir son fils pour la Terre sainte. S'ennuyant sur ses
terres, il fit un jour rencontre d'une pucelle : il en résulta un bâtard.
L'affaire eût été banale si le duc de Bourgogne n'avait été à cheval
sur les principes.

Il décida que les Montrachet prendraient alors les titres suivants :
« Montrachet l'aîné » pour le seigneur, « Chevalier Montrachet »
pour le croisé, « Bâtard Montrachet » pour le dernier venu.

Le Chevalier n'étant pas revenu d'outre-Méditerranée, le Bâtard
devint héritier du nom, accueilli par la population aux cris de
« Bienvenue Bâtard Montrachet ». Pendant ce temps-là, le vieux
Montrachet, irrité par les pleurs du bambin, grognait en patois
« Crio (il crie) l'Bâtard ».

Quelques générations plus tard, le château fut détruit, mais en
souvenir les vignes furent ainsi baptisées. Telle est du moins la très
insolite histoire que j'ai relevée dans l'excellent *Guide de l'amateur
de Bourgogne* de P. Forgeot.

Par leur finesse, leur bouquet et leur sève, le Chevalier — un peu
moins corsé — et le Bâtard suivent de près le Montrachet. Le Bien-
venues et le Criots très proches l'un de l'autre, moins fins et plus
fruités que les précédents, sont pourtant des crus intéressants et
d'une belle distinction.

Vous pouvez être plus particulièrement séduits par le Criots-
Bâtard-Montrachet, fort rare, avec de la saveur, de la richesse, une
pointe d'amande et de la générosité. Sans vouloir faire de peine aux
amateurs de vins doux, il va très bien avec un foie gras. Comme quoi
l'art de manger et de boire est empirique.

GRÈVES DE L'ENFANT-JÉSUS
Bourgogne rouge. Beaune. Côte de Beaune. 1er grand cru.

Un sacré vin

Avez-vous remarqué la confusion qui se produit souvent lorsque l'on entend parler de « vins de Beaune » ? Beaucoup de gens pensent qu'il s'agit là d'une expression recouvrant tous les vins de la Côte de Beaune. Bien au contraire, c'est cette Côte de Beaune qui englobe, avec d'autres vignobles — tels ceux de Pommard, Volnay, Montrachet, Meursault —, celui de Beaune proprement dit.

Cela aboutit à une certaine méconnaissance de ces « vins de Beaune » qui représentent pourtant la plus grande surface de la Côte et une réputation consacrée même par l'Histoire. Ainsi, on raconte encore à Beaune la visite du prince de Condé. Il y fut traité avec tant d'égards et de si jolies bouteilles qu'il affirma n'avoir jamais bu meilleur vin. A quoi le maire répondit en levant un menton orgueiileux : « Et nous en avons de meilleur encore, Monseigneur. »

Son Altesse le prit assez mal et rétorqua d'un air pincé : « Vous le gardez sans doute pour une meilleure occasion ? — Certes, Monseigneur, conclut le vigneron. Le vin qui vous fut servi est digne d'un grand prince, mais celui que nous gardons sera digne d'un très grand roi. »

J'aimerais assez que l'un ou l'autre de ces crus ait été un Beaune « Grèves de l'Enfant-Jésus ». Tout d'abord parce que cela conviendrait bien à un prince ou à un roi très chrétiens. Et puis aussi parce que sa noblesse ne souffre pas de discussion. Voici un rouge de haute volée, vigoureux et charnu, avec une souplesse, un velouté et un moelleux qui aboutissent, grâce à l'appoint d'un joli caractère, à une finesse authentique. La robe reste légère mais ne lui enlève rien de son feu. Un vrai vin de prince.

LES MARCONNETS
Bourgogne rouge. Savigny. Côte de Beaune. 1ᵉʳ grand cru.

Théologique et morbifuge

Longtemps on a eu, et de nos jours encore, recours à mille prétextes pour se donner une bonne conscience à bien boire. Les Bourguignons n'ont pas été les derniers à rimer sur ce sujet.

Tout le monde connaît la maxime gravée sur le fronton de la porte d'un des plus importants celliers du château de Savigny : « Les vins de Beaune sont nourrissants, théologiques et morbifuges. » Ce qui laisse place à toutes les exégèses. Plus franche encore se reconnaît une inscription du XVIIIᵉ, relevée elle aussi à Savigny-les-Beaune :

> *Si j'ai bonne souvenance*
> *Il y a cinq raisons de boire :*
> *L'arrivée d'un hôte,*
> *La soif présente,*
> *La soif future,*
> *La qualité du vin*
> *Et celle qu'il te plaira.*

Qu'ajouter à une telle profession de foi ? Sinon goûter les vins de ce village plus vigneron qu'aucun autre.

On se trouvera alors en présence d'un rouge léger, tendre, spirituel. On s'étonnera de cette image car la Bourgogne ne s'est pas fait une réputation de vins faciles à boire. Le bouquet de celui-ci participe au plaisir qu'il donne. Fin, d'une saveur remarquable, il ne manque cependant pas de force. Son feu même n'en fait pas un cru de longue garde, mais quelle prestance !

Parmi les premiers crus, j'ai une faiblesse pour les vins qui viennent de la vigne « Les Marconnets » : ils possèdent toutes ces qualités que j'évoquais. Pourtant le nom de « Marconnets » rappellerait une source... Sacrés Bourguignons !

MAZIS-CHAMBERTIN
Bourgogne rouge. Chambertin. Côte de Nuits.
1er grand cru.

Chambertin quand même

Les fonds de caves familiales et les ventes aux enchères réservent parfois d'étonnantes surprises. A intervalle de quelques semaines, on m'a ainsi apporté trois bouteilles de haut Chambertin. Il y a de quoi se poser des questions car on chercherait en vain cette dénomination dans la liste des appellations actuelles.

S'agissait-il d'une de ces étiquettes fantaisistes et ronflantes comme seuls savent en trouver parfois les marchands de vin ? N'étaient-ce là que les derniers témoignages d'un vignoble aujourd'hui disparu ?

Chambertin, en tout cas, on ne pouvait s'y tromper. A commencer par la couleur, d'un beau rouge sombre. Son âge même prouvait que ce vin comptait parmi ceux de longue garde. Vigueur et puissance se mariaient avec une grâce et une finesse que le temps arrondissait. Au-delà des années il conservait même ce léger goût de réglisse qui lui donne son cachet. Il eût été dommage qu'un tel cru n'existât plus. Les grands Chambertin nécessitent des seconds comme lui, dignes d'eux.

Heureusement, il n'a fait que changer d'appellation, devenant Mazis-Chambertin tout en conservant ses qualités.

Quant à son nouveau nom il le tire de ces nombreux petits « mas » bâtis jadis au long de la route reliant Morey à Gevrey-Chambertin ; lors des marchés et des foires médiévales, on débitait justement les vins du pays. Et vraisemblablement celui-ci.

MEURSAULT-CHARMES
Bourgogne blanc. Meursault. Côte de Beaune. 1ᵉʳ grand cru.

Le charmes de Son Eminence

Qui boit du Meursault,
Ne vit ni ne meurt saut...

Les vignerons ne prétendent pas à la poésie mais ils aiment assez les formules faciles à retenir après boire. On peut d'ailleurs leur accorder du bon sens et reconnaître quelque vérité à ce dicton si l'on en juge par la réflexion d'un prélat français en poste à Rome au XVIIIᵉ siècle.

Ambassadeur de France, représentant Louis XV dans la capitale italienne, le cardinal de Bernis était un grand gourmand. A tel point qu'il ne consentait même à dire sa messe qu'avec un Meursault, choisi dans une bonne année.

Comme on s'en étonnait un peu, il s'absout sans aucune gêne de ces reproches par cette boutade :

« Eh ! je ne voudrais pas que le Seigneur me vît faire la grimace lorsque je communie. »

Il est vrai qu'alors les grands de l'Eglise ne répugnaient point aux plaisirs de ce monde.

Une telle référence, si besoin en était, suffirait à me faire évoquer aujourd'hui ce blanc bourguignon, capable souvent de concurrencer les Chablis et digne second des très grands Montrachet.

On connaît, bien sûr, les Meursault-Perrières, les meilleurs de cette Côte, réputés pour leur finesse, leur limpidité et leur aptitude à bien vieillir. Moins célèbres mais pourtant de très belle venue, les Meursault-Charmes méritent qu'on en parle. Ils offrent une belle gamme avec les Meursault-Charmes Dessus (en première cuvée) et les Meursault-Charmes Dessous en deuxième et troisième cuvées. Ces épithètes désignent la situation des vignobles fournissant ces crus, par rapport au flanc de coteau où ils poussent.

Pourtant certains Bourguignons gaillards se souviennent que ces domaines ont appartenu à de séduisantes dames, et content l'histoire de ces vins à grand renfort de galantes allusions.

Cela dit, vous pouvez vous arrêter sur le Meursault-Charmes Dessus. Vin couleur d'or, fruité (est-ce un goût de pêche, d'amande ou de noisette), parfumé, tout à la fois sec et moelleux, avec de la race, il supporte d'être bu à trois ou quatre ans. Et même il ne gagne pas à vieillir trop longtemps : la madérisation le guette parfois. Sans lui accorder la grande classe des Meursault-Perrières, on peut lui faire une belle place dans une cave déjà distinguée, visant au-dessus de la moyenne.

Poissons et crustacés autant que viandes blanches se trouveront bien de sa compagnie.

MONTÉE DE TONNERRE
Bourgogne blanc. Chablis. 1er cru.

Un Chablis du tonnerre

Il y a des réputations difficiles à refaire. Ainsi, à propos du Chablis, ce délicieux blanc de Bourgogne, je lisais, il y a peu, qu'il fut sans doute le vin le plus fraudé en France. On estime qu'au début du siècle Paris recevait trois ou quatre fois plus de ce cru qu'il ne s'en produisait alors.

Voilà en effet de quoi ruiner une renommée. Le temps n'était pourtant pas loin où un chanoine gourmand écrivait à Mme d'Epinay : « Mon vin a du montant ; étant bu il embaume le gosier et laisse une "odeur suave de mousseron". »

Ce même bon prêtre rappelait aussi à sa correspondante que Paris devait à Chablis une partie de ses toits.

Au XIVe et au XVe siècle, on transportait les pièces de ce vin par voie d'eau. Comme les forêts étaient encore nombreuses, on assemblait des troncs d'arbres en radeaux que l'on faisait naviguer par l'Yonne et la Seine, avec leurs chargements de vins, jusqu'à la capitale. On soutient que le Chablis gagnait du goût à ce ballottement. Et les radeaux devenaient ensuite charpentes.

Tout cela appartient à l'Histoire, les fraudes comme ce folklore pittoresque, et le Chablis me paraît reprendre une place méritée sur nos tables. Ce blanc sec, fin et fruité, toujours limpide, léger et nerveux, longtemps réduit à l'état de vin saucier, en retrouvant sa qualité, retrouve ses fidèles.

Non seulement pour les grands crus mais aussi pour les premiers crus parmi lesquels la Montée de Tonnerre dont la production demeure relativement peu importante. Vin distingué, avec de la sève et un bouquet délié, il vaut bien des Meursault. Surtout, il vieillit sans problèmes.

NUITS-CAILLES

Bourgogne rouge. Nuits-Saint-Georges. Côte de Nuits.
1er grand cru.

Les cailles de l'Elysée

Ah ! quel beau tissu, de quelle étrange trame,
Est ta robe de soie, et de pourpre et de feu,
Et de quels doux parfums arrachés à quelle âme,
De quels pensers de nuit et de quels rêves bleus ?
Offre-nous donc l'haleine enivrante et poivrée,
Lourde de lassitude et de subtils relents,
Comme un bouquet très doux qu'exhale, enamourée,
Ta tulipe de feu sous nos baisers brûlants.
Bourgogne rutilant, ton cœur sombre s'ouvrit
Sur un grenat brillant d'un rayon immortel,
Tout comme un pleur de sang où la douleur survit,
Eternelle lueur d'un amour éternel...

Et dire que c'est signé Amédée Ripaille !

Pourtant ce pseudonyme facile et truculent cachait le duc Amédée VIII de Savoie, prince avant que d'être pape, et qui abandonna la tiare pour vivre sa vie de gourmand et de poète. Sans doute ces vers apparaissent-ils de nos jours quelque peu pompeux et lourds, mais ils ne manquent pas d'expression.

On me les récitait il y a peu alors que je dégustai un Bourgogne de très belle venue, image lui-même d'un passé riche et opulent. Il s'agissait d'un Nuits-Cailles-Morin millésimé de 1937, de chez Lamazère.

Au-delà de ces vers de rimailleur, il me laissera une grande impression. Tout chez lui m'a surpris. A commencer par son étiquette où Nuits-Saint-Georges est réduit à Nuits, ce qui est rarissime; tout comme ce nom de propriétaire accolé à celui du climat ; et encore la forme de la bouteille, dite à bourrelets, très ventrue.

Pour une fois le flacon avait du charme, celui des choses un peu désuètes et vieillottes. Mais le vin lui-même nous a étonné par sa richesse, son gras, son charnu. Des quelque quarante-deux « climats » (autrement dit des crus) qui composent le vignoble de Nuits-Saint-Georges, celui des Cailles, peu connu malgré son excellent classement, donne un vin de grande classe, à mettre au premier rang dans une cave.

Plus élégant que les Saint-Georges, mais moins corsé, il est tout en nuances en dépit d'une sève et d'un corps puissants. Assez curieusement, il est très prisé des ambassades à Paris où on le considère comme un Bourgogne type. Il n'est jusqu'à la présidence de la République — où l'on mange mal mais où l'on boit bien — qui ne l'ait inscrit sur le registre de ses caves.

POMMARD-ARGILLIÈRES
Bourgogne rouge. Pommard. Côte de Beaune. 1ᵉʳ grand cru.

Un Pommard pour adoucir l'exil

J'enrage d'entendre souvent affirmer que les Bourgogne sont générateurs de mal de tête : tout cela sous prétexte qu'ils font preuve de puissance, de richesse et de corps. Soyons justes, ce sont tout simplement les vins de mauvaise qualité — qu'ils s'appellent Bourgogne, Bordeaux ou autres — qui causent les réveils pénibles. Songez à certains rosés truqués par exemple.

Quant à leur fâcheuse réputation — toute fabriquée d'ailleurs — de ruiner les santés, demandez plutôt leur avis aux habitants du Buisson, à deux pas de Beaune. Il y a quelques années, un écrivain expert en vignobles, Pierre Andrieu, y a compté plusieurs centenaires en quatre ans, une dizaine de nonagénaires, un cent d'octogénaires et autant de septuagénaires sur un millier de villageois. A croire que les Bourguignons vieillissent aussi bien que leurs meilleurs crus.

D'autre part, les côtes ne manquent pas de vins dits « légers », même parmi ceux connus pour leur fermeté et leur couleur. Je pense ainsi à certains Pommard.

D'ailleurs, il semble bien que ces crus soient mieux connus à l'étranger que chez nous. Sans doute apparurent-ils sur les tables de Henri IV et de Louis XIV. A ce propos, on notera que le bon roi Henri, en reconnaissance, avait accordé aux habitants de Pommard le privilège recherché de tirer les poules à l'arbalète le premier jour de mai.

Sans doute le compta-t-on au menu du sacre de Louis XV. Mais sa grande vogue hors de notre pays, il la dut aux protestants exilés de cette région où ils étaient nombreux et qui le firent venir en grande quantité hors des frontières. Et puisque nous en sommes aux exilés, faut-il rappeler qu'il était le favori de Victor Hugo ?

Son aptitude à voyager et à bien vieillir explique aussi cet engouement.

Tous les Pommard ressortent comme des vins puissants, avec du corps, colorés, d'une belle robe tirant sur le rubis, bien charpentés avec une mâche remarquable et tout cela avec une finesse qui se permet même de jouer sur les nuances. Selon le climat, ils s'affirment plus moelleux et racés (les Epenots), plus fermes (les Rugiens) ou plus légers (les Argillières).

Arrêtez-vous sur les Argillières si vous voulez persuader un irréductible adversaire du Bourgogne de la réalité et de l'existence de vins faciles à boire dans les côtes. On vous dira peut-être que les Epenots et les Rugiens-bas sont plus grands. Certes, mais celui-là mérite bien des Pommard : il en a toutes les qualités. Il sait même vieillir en prenant ce goût de truffe si caractéristique. Mais, attention, ils sont rares.

VOLNAY-CAILLERETS
Bourgogne rouge. Volnay. Côte de Beaune. 1er grand cru.

Un Caille pour le foie gras

Les amateurs de Bordeaux se plaisent à reprocher aux Bourgogne leur manque d'élégance et de délicatesse. C'est vrai qu'ils sont, en général, plus corsés et plus charnus, ces vins de Nuits et de Beaune, et qu'ils ont la réputation de vous monter vite à la tête et de vous faire la jambe molle. Mais il en est heureusement qui réfutent cette fausse impression. Et en tout premier plan le Volnay.

C'est le rouge le plus léger des vins de la Côte de Beaune, et Victor Hugo se trompait en y voyant le frère jumeau du Pommard, alors son favori. Il a moins de corps mais bien plus de souplesse.

Les ducs possédaient d'importants domaines dans ce climat qui devinrent ensuite propriétés royales. De nos jours, ils existent encore et ils donnent le Caillerets, toujours premier des Volnay.

De l'origine du nom on donne une double étymologie. Anciennement, « Cailleray » aurait signifié « terre contenant beaucoup de petits cailloux ». Mais on suppose aussi, à cause des vignes royales, que le sens de « Caille du Roy » serait plus juste. En tout cas, le vin est bien noble, lui.

Tout en finesse, il se caractérise par un goût de violette très prononcé, et sa belle couleur rubis ajoute à sa classe.

Un vieux dicton affirme « Qui n'a pas de vignes en Cailleray ne sait ce que vaut le Volnay ». Essayez-le sur un foie gras. Il est parfait avec ce plat de roi, mais il tient bien sa place avec les viandes blanches grillées et les gibiers à plume.

VOLNAY-POUSSE D'OR
Bourgogne rouge. Volnay. Côte de Beaune. 1er grand cru.

Le Volnay du Roi Soleil

Le vin de Volnay fut longtemps, et plus que tout autre, favori des têtes couronnées. Les caves royales contenaient, certes, un échantillonnage complet des crus de toutes les provinces. Mais celui-ci avait une place particulière.

Ainsi Philippe de Valois, et plus tard Louis XV, l'avaient choisi pour les fêtes qui suivirent leur sacre. Un des premiers gestes de Louis XI, dès la prise de possession de la Bourgogne après la mort du Téméraire, fut de se faire expédier en son château de Plessis-lès-Tours toute la récolte de Volnay : c'était en 1477.

On sait que Louis XIV l'a aussi beaucoup aimé ; mais, en fin politique, il s'affirmait en même temps très amateur de la Romanée et des Champagne. C'est son médecin Fagon qui lui avait fait connaître les uns et les autres.

A l'étranger, on comptait toutes les Cours et surtout la papauté parmi les plus fidèles clients de ce Volnay dont Grégoire XI disait : « Il est bien plus agréable que les boissons épaisses des vignes romaines. »

Il est assez curieux de constater que le Volnay de cette époque — tout comme le Pommard — se présentait avec une teinte légère que l'on disait « œil de perdrix ». Elle était obtenue par le mélange de pinots noirs et blancs ainsi que par la pose alternée de lits de paille et de lits de raisins dans le pressoir. De nos jours la pratique s'est perdue : on penche vers les vins plus foncés.

Le Volnay n'en demeure pas moins un très grand vin. Il a conservé une finesse et une délicatesse exceptionnelles. Le Pousse d'Or, que je vous conseille, n'est pas loin de valoir les très fameux Caillerets. Son très beau bouquet de violette est mis en valeur par un velouté et une suavité parfaits.

Souple et élégant, il sait accompagner avec un grand raffinement l'oie pour votre réveillon, et toutes les viandes blanches grillées.

Sans doute, comme toutes les Côte de Beaune, se fait-il plus vite que les Côte de Nuits et possède-t-il moins de force. Ce n'est pas un défaut. Il y gagne en distinction.

CHAMPAGNE

BOLLINGER
Champagne.

From England

Je m'étonnerai toujours de l'acharnement avec lequel les étrangers amateurs de vins s'attachent à les mieux connaître. Privés de cette sorte d'instinct qui fait de nous des amateurs-nés, mais trop souvent futiles, ils compensent notre lourde hérédité de peuple soiffard par une minutie dans leur choix et un recueillement dans la dégustation bien propres à nous surprendre.

D'esthètes ils deviennent rapidement de véritables experts raffinés et gourmands.

Je n'en veux pour preuve que ce livre passionnant consacré au Champagne Bollinger, édité à Londres et récemment traduit à Paris. Rassurez-vous : il ne s'agit pas là d'un hymne plus ou moins publicitaire à la gloire de la marque. Mais son histoire vaut bien un roman d'aventures et elle concerne tout autant la Champagne entière.

A commencer par l'invention de la coupe à Champagne dont j'ai appris ici qu'elle était due à un Anglais du XVIIe siècle, déjà fervent de nos crus. Jusqu'à présent on considérait son origine à partir d'un service de Sèvres dont une des pièces moulées sur le sein de Marie-Antoinette avait été ensuite copiée et transposée en verre...

Mais le plus inattendu du livre, pour moi, c'est la découverte d'un Bollinger dont j'ignorais jusqu'à l'existence. Le *Carte Blanche* conçu pour le marché sud-américain et vendu uniquement là-bas, traité en « très doux » d'un goût peu apprécié en France mais qu'il pourrait être curieux de déguster avec des fruits ou un dessert. Mais qui se préoccupe de desserts chez nous ?

« *Spéciales* » *ou pas ?*

Puisqu'il n'est pas de fêtes sans Champagne, autant aborder franchement le problème des « cuvées spéciales ». On se querelle beaucoup à leur sujet. Sont-elles supérieures ou ne sont-elles qu'un truc publicitaire ?

C'est Moët et Chandon, le Champagne préféré de Talleyrand, qui lança le premier son fameux *Dom Pérignon*, présenté dans une bouteille de style XVIIIe siècle.

Le succès faisant l'exemple, une dizaine de grandes maisons s'en sont inspirées.

En principe on trouve dans ces cuvées le nec plus ultra de la production champenoise. En principe seulement : car si l'on est toujours sûr d'avoir un très bon Champagne, certaines « spéciales » ont bien du mal à se hausser au niveau des grands « bruts » millésimés classiques.

Je ne crois pas qu'il faille protester contre leur prix élevé. Sur une table joliment dressée, l'élégance et la finesse de ces bouteilles de forme racée aident à oublier ce qu'elles coûtent. Elles apportent une note raffinée.

Et puisque je vous les conseille pour les jours de fête, je vous avouerai mes préférences.

Le *Grand Siècle* de Laurent Perrier me plaît par sa belle harmonie, et parce qu'il est un peu sophistiqué et particulièrement élégant au palais ; le *Cristal* de Rœderer, vin parfaitement équilibré, bien charpenté, a beaucoup de caractère et « reste » dans la bouche ; le *R.D.* de Bollinger (cuvée spéciale, bouteille classique) s'est fait une notoriété par sa finesse, qu'il doit à un dégorgement récent lui permettant de rester jeune malgré son âge ; un seul défaut, il doit être bu dans les six mois. Le *Dom Pérignon* n'a peut-être plus sa grandeur des débuts, mais sa classe et son fruité, tout comme son assise, lui gardent une belle place.

Chez Piper Heidsieck, le *Florens-Louis*, nouveau venu, dans une très belle bouteille, contient de belles promesses par sa fraîcheur, et sa dentelle, qui le font un peu féminin.

Qu'on ne s'étonne pas de ne pas trouver dans mon palmarès le *Comtes de Champagne* de Taittinger : agréable, bon même, il n'a pas la distinction des précédents et son renom est un peu surfait.

KRUG
Champagne.

A l'ancienne

Sans bruit aucun, et en dépit de la création de cuvées spéciales bien inutiles à mon avis pour sa réputation (mais sans doute utiles pour ses finances), Krug se maintient au premier rang. Chaque millésime apparaissant sur le marché m'en persuade et j'aime à le dire. Fruit, équilibre, élégance... Tout y est, à chaque dégustation.

Il y a tout de même une continuité assez surprenante pour notre époque. Surtout dans une maison qui se réclame du paternalisme le plus absolu, conception bien dépassée de nos jours.

Ainsi la marque est-elle la seule à ne pas avoir de « chef de cave » chargé des assemblages : ce sont les Krug qui en décident eux-mêmes tous les ans, depuis plus d'un siècle que la maison existe.

On ne s'étonnera pas que Krug soit alors attaché aux traditions. Pas de cuves en acier inoxydable pour la fermentation, mais de vieux fûts de chêne : le vin y conserve mieux sa finesse et se bonifie au contact du bois.

Un « soutirage » fait à la main : à aucun moment le Champagne ne passe ni dans un filtre ni dans une pompe. Des bouchons de liège pendant la seconde fermentation plutôt que les capsules métalliques utilisées ailleurs.

Un « remuage » qui dure quatre à cinq mois alors que des procédés chimiques pourraient le réduire à six semaines.

Evidemment, cela relève d'anciennes méthodes discutées par les partisans d'une production massive. Pas tout à fait cependant puisqu'ils s'en souviennent pour réaliser leurs cuvées extra-ordinaires.

Il faut donc croire qu'elles ont du bon et Krug, sans aucune modestie, s'en réclame : « Nous ne condamnons pas les méthodes modernes, mais nous préférons la coûteuse création en petite quantité. »

A méditer, quand on voit le résultat.

VEUVE CLICQUOT ROSÉ
Champagne. Reims.

Ce rosé ne rougit pas de honte

Certains le voient comme une aimable fantaisie, bien propre à séduire et à tourner les têtes féminines. D'autres le considèrent comme un raffinement extrême tandis qu'il est franchement méprisé par d'aucuns : c'est le Champagne rosé.

Et si nous l'acceptions simplement comme une curiosité avec ce que cela peut supposer de meilleur et de pire ?

Sa préparation originelle relève elle-même d'un procédé tout à fait particulier. Par définition, les vins rosés s'obtiennent à partir de temps de cuvaison différents de ceux des vins rouges.

Pour le Champagne, on s'en tient à une méthode on ne peut moins compliquée : on ajoute à la cuvée au moment de sa constitution une très légère quantité de vin rouge de Champagne, du Bouzy, en général. Strictement contrôlé, ce mélange ne peut être fait qu'en présence d'agents des contributions. Il est vrai que, partout ailleurs, cette opération reste totalement prohibée. Cela suffirait à faire du Champagne rosé une curiosité.

Reste le problème de sa qualité. Comme partout en Champagne, elle tient à celle de la maison. D'ailleurs, rares sont les marques à s'attacher à produire de grands Champagne rosés ; on le réduit souvent à la situation d'enfant pauvre de la famille.

Par contre, des Champenois ont choisi de se passionner pour lui, jusqu'à lui donner parfois un rôle brillant dans leurs affaires. La veuve Clicquot par exemple.

Avouons qu'il n'y a rien de bien étonnant à cela : dans la maison on a toujours aimé les défis. La veuve elle-même n'en était-elle pas un ? C'est qu'en 1805 il n'était pas courant de voir une femme à la tête d'une affaire de l'importance de celle qui lui avait laissée son défunt mari.

Ne lui doit-on pas aussi le fantastique essor pris par les vins de Champagne en Russie dès le xIxᵉ siècle ? Bien à tort on a souvent pensé que ce goût des Russes pour le Champagne datait de l'occupation de Reims par les troupes slaves en 1815. Fort avant, la veuve impérieuse démarchait l'empire des tsars, profitant de tout, s'informant de tout.

On a ainsi conservé la lettre d'un de ses courtiers, familier de la Cour, et rapportant : « Je suis instruit que l'impératrice est enceinte. Quelle bénédiction pour nous si c'était d'un prince ! Des flots de Champagne seraient bus dans le pays. Ne parlez point de cela chez vous, tous nos concurrents voudraient se jeter dans le Nord. » Quel sens du commerce !

Avec de tels antécédents, de sérieux et de persévérance, on ne sera pas surpris de ce que le Veuve Clicquot rosé soit une réussite. Frais, léger, coulant, près du fruit, avec de la distinction, il est plus qu'une curiosité, c'est une fantaisie de qualité et de bouquet.

WILLIAM DEUTZ
Champagne. Cuvée spéciale.

L'autre grand William

On sait évidemment que la maison Moët et Chandon fut la première maison de Champagne à créer une « cuvée spéciale », sous le nom de *Dom Pérignon*.

Cela se passait dans les années 30, mais il fallut cependant quinze ans pour que les Français le connaissent enfin : à l'origine il avait été conçu pour l'exportation.

Depuis, existe-t-il une seule grande marque qui ne possède pas sa « cuvée spéciale » ? On en compte facilement une quinzaine, dont il faut bien reconnaître qu'on peut en général leur faire confiance : on a affaire dans la plupart des cas à des produits qui sortent de l'ordinaire. Si l'on s'accorde encore à reconnaître une réputation plus grande au *Dom Pérignon*, on peut constater qu'il est serré de près par le *Florens-Louis* de Piper Heidsieck et le *Belle Epoque* de Perrier-Jouët en matière de notoriété.

J'ajouterai à ces favoris la *Cuvée William Deutz* de Deutz et Geldermann. Un brut millésimé très sincère, élégant, parfois un peu agressif, mais qu'il faut reconnaître bien fait et charpenté. Sa couleur est belle et il tient bien au palais. Son prix reste raisonnable par rapport à ses concurrents.

Je le considère comme d'autant plus intéressant qu'il appartient à une de ces vieilles maisons dont on parle peu, mais que sa création fait contemporaine de Pommery et plus ancienne que Krug, Pol Roger et Mercier. Une des rares à posséder suffisamment de vignes pour assurer la moitié de sa production avec ses propres raisins. Si l'on n'y a pas toujours le sens du commerce moderne, au moins tient-on à ses habitudes d'antan dans la fabrication. Cela suffit.

Bons vins

ALSACE

MANDELBERG-GEWURTZTRAMINER
Alsace blanc. Mittelwihr. Haut-Rhin.

Voltaire buvait le viager du duc

Un vin de Gewurtztraminer pour accompagner un fromage de Roquefort, d'après vous, cela tient-il du mariage de raison, de la rencontre incongrue, ou ne doit-on voir là qu'une audace toute gratuite ?

Les élégances exubérantes et les grâces florales du vignoble alsacien supportent-elles la noblesse gaillarde du lait des brebis caussenardes ?

Certains esthètes de la gastronomie, toujours en quête de subtilités, l'estiment, non sans quelques raisons. Curnonsky, pour sa part, s'insurgerait : il considérait le roquefort comme le plus propre à révéler leur âme aux grands vins rouges.

Mais, de mon côté, je trouve là un bon prétexte pour déguster justement un de ces Gewurtztraminer, dont il me faut bien avouer que je ne fais pas des folies. Non point par dédain, mais par manque d'habitude.

On est rarement accoutumé, hors l'Est de la France, à ces crus d'une extraordinaire richesse, où le goût de fleur domine en un bouquet splendide, un rien sophistiqué. La mode aussi en est passée.

Peut-être durait-elle depuis trop longtemps. On connaît en effet la vigne alsacienne comme une des plus anciennes de notre pays. Elle descendrait d'une plante locale du secondaire transformée au cours de l'ère tertiaire. Pour une fois, les Romains n'y seraient donc pour rien. Et, de Marc Aurèle à Richelieu, son vin se maintint comme un des plus chers d'Europe. A ce point que Voltaire accepta de prêter l'énorme somme de 300 000 livres au duc de Wurtemberg avec la garantie d'une rente viagère sur les vignobles de Riquewihr et de Mittelwihr. Connaissant l'avarice et la méfiance du « bonhomme », on considérera l'opération comme une sérieuse référence.

Il devait être aussi expert en vins, et, en Alsace, rien n'est moins facile. On sait que les vins y portent le nom du cépage dont ils sont issus. Quelquefois, ils y ajoutent celui de la commune d'origine et ces deux-là comptent parmi les meilleures. Exceptionnellement, on trouve aussi sur l'étiquette une précision de terroirs de réputation ancienne. Pour ne pas être reconnus officiellement comme des crus supérieurs, ils n'en sont pas moins considérés comme tels par les initiés.

A preuve le terroir Mandelberg, donnant de remarquables Gewurtztraminer. Il tient toutes ses promesses : corsé, généreux, suave, il tire sa séduction de son extrême parfum. Au nez, il semble une gerbe de fleurs : rose et jasmin dominent. Brillant, exaltant, original, terriblement riche en arômes, il impose sa personnalité. Trop, pensent certains qui lui préfèrent l'élégance des Riesling : certes, il n'y atteint pas mais pour qui apprécie les vins typés, hors de toute comparaison, quelle réussite !

BEAUJOLAIS

PAUL BOCUSE
Beaujolais rouge. Brouilly.

Paul Bocuse, vigneron

Il faudrait une belle santé — et de solides titres de rente — pour oser dîner tous les soirs chez Paul Bocuse.

Par contre, rien ne vous interdit de servir à votre table, autant qu'il vous plaira, son vin à lui. Non point sans doute un de ces fastueux Bonnes Mares dont sa cave détient le secret, mais ses Beaujolais, choisis avec le soin des vieux Lyonnais gourmands.

Par là même, d'ailleurs, il chasse de race. Comme il le rappelle, « l'ancêtre Nicolas Iᵉʳ Bocuse », fondateur de l'actuelle dynastie culinaire, descendant des « pirates » de l'île Roy, exerça en effet sous le roi Louis XVI la noble profession de « vigneron du seigneur de la Roche-Bozon ». Grosse responsabilité quand on se souvient de l'importance de la vigne dans la vie économique d'alors. Les vignobles comptaient même parmi les biens privilégiés de la noblesse, du Parlement et de l'Eglise.

Pour ne pas être lui-même vigneron, le Bocuse actuel aime à sélectionner ses vins à la propriété. Un de ses meilleurs choix est celui de son Brouilly. Un Brouilly fruité et tendre, un rien charnu, bien équilibré. Très digne de ceux du XVIIIᵉ déjà cités par les chroniqueurs comme les plus typiquement « Beaujolais ».

On aimera sa couleur pourpre ; on appréciera son bouquet développé et sa grande saveur. Comment pourrait-il en être autrement : en matière de vins, Bocuse ne galvaude pas son nom. On ne peut pas en dire autant à propos d'autres produits qu'il signe.

MOULIN À VENT
Beaujolais rouge. Romanèche-Thorins.

Ce moulin se vante à peine

Qu'on me permette exceptionnellement de parler en ancien combattant d'un vin, d'autant que pour ce vin-là j'oublie que je ne suis pas un fanatique du Beaujolais. Un vigneron — maire de Chenas, portant beau, le menton haut et les manières à la fois onctueuses et autoritaires — était persuadé que son Moulin à Vent (le cru de Moulin à Vent est en partie situé sur la commune de Chenas) n'était pas un Beaujolais mais, par sa nature, son bouquet, sa puissance et aussi son incontestable longévité, sa race, un vin assimilable à un grand Bourgogne.

L'ami Allard aujourd'hui disparu (du restaurant Allard), Bourguignon de souche, entendit lui prouver que son Moulin à Vent n'était qu'un bon cru de Beaujolais. Il lui mit sous le nez un admirable Bonnes Mares, tellement riche et bouqueté que le bonhomme en eut un haut-le-corps.

Ce fut alors une joute, une escalade, la bataille rangée d'une armée de Moulin à Vent, jeunes et vieux, contre un carré de Bonnes Mares et l'écho des combats, glouglous, chuintements, bruits de succion et de gargarismes se répercuta avec violence dans la grande cave aux voûtes immenses.

En tant que correspondant de guerre, neutre et goûtant aux deux râteliers, il faut avouer que le Bonnes Mares ne pouvait laisser échapper la victoire. Mais il faut reconnaître aussi que le Moulin à Vent se battit bien et que Don Quichotte, c'était son propriétaire.

Bourgogne ou pas, son Moulin à Vent était réellement très différent et pour certains supérieur en bouquet et en fruit à tous les autres grands Beaujolais. Il le demeure et le prouve toujours. En outre, il a sur tous ses voisins l'avantage de vieillir bien, très bien même, car j'ouvre parfois une bouteille vieille de dix ans, ce qui est exceptionnel pour un Beaujolais.

BORDELAIS

CHÂTEAU-BALESTARD-LA-TONNELLE
Bordeaux rouge. Saint-Emilion. Grand cru.

Le vin du chanoine et du coquin

Le territoire des vins de Saint-Emilion couvre quelque 7 000 hectares et donne bon an mal an dans les 170 000 hectolitres. Pour un même terroir, c'est énorme : il se trouve être le plus grand de France.

On ne manque donc pas d'éprouver beaucoup de difficultés à arrêter son choix parmi le nombre incroyable de domaines, classés selon une série d'appellations assez confuses pour le néophyte.

Certes, on n'ignore pas les Ausone, Angélus, Cheval-Blanc, Beauséjour, Trottevieille... mais les autres, les quelques centaines qui restent ! Il faut essayer de s'y retrouver.

Songez que parmi les « Saint-Emilion grand cru classé », placés en deuxième position derrière les « Saint-Emilion premier grand cru classé », j'en connais plus d'une cinquantaine.

En optant aujourd'hui pour le Château-Balestard-La-Tonnelle, je ne fais que suivre le conseil de ce grand pendard de François Villon, fieffé buveur autant que coquin. Ecoutez-le :

> *Vierge Marie, gente déesse,*
> *Garde moi place en Paradis ;*
> *Oncque n'aurai joie ni liesse*
> *Ici bas, puisqu'il n'est permis*
> *De boire ce nectar*
> *Qui porte nom de Balestard,*
> *Qu'à gens fortunés en ce monde.*
> *Or suis miséreux et pauvret.*
> *Si donc au Ciel ce vin abonde,*
> *Viens, doulce Mort, point ne m'effraye,*
> *Porte moi parmi les élus*
> *Qui là haut savourent ce cru.*

Pour être mécréant on n'en est pas moins amateur. Le rapprochement est encore plus surprenant si l'on veut bien se souvenir que le cru tenait son nom d'un *Balestard*, chanoine du Chapitre de Saint-Emilion.

Petite histoire mise à part, on a là un Saint-Emilion type, venu du haut d'un coteau, là où mûrissent les meilleurs. Généreux, bouqueté, corsé, avec de la race et de la finesse, il tient bien sa place dans sa catégorie. Il ne prétend pas rivaliser avec les plus grands mais il sait être lui-même, avec talent.

Vieillissant bien, il peut constituer un bon fonds de cave, pour aller ensuite avec rôtis, viandes, gibiers et fromages.

CHÂTEAU DE BEAUREGARD
Bordeaux rouge. Pomerol.

On louche sur ce Beauregard

La carte postale représentait un ravissant château du XVIIIᵉ siècle, et se légendait ainsi : « Merveilles de l'Etat de New York : à Long Island, le domaine de Mille Fleurs, propriété de Mme Daniel Guggenheim »... En la recevant, tout droit des Etats-Unis, Raymond Clauzel, héritier d'une propriété en Bordelais, ressentit comme un choc : ce « château » américain n'était rien d'autre que son propre château !

Il lui fallut bouleverser les archives familiales et raviver les souvenirs de ses aïeux pour s'y retrouver dans cette folle histoire.

L'énigme s'éclaircit ainsi. Durant la Première Guerre mondiale, un officier américain, du triste nom de Coffin (« cercueil », en version originale), mais bon vivant au demeurant, fut amené à terminer une convalescence à Pomerol. Il s'y lia d'amitié avec le grand-oncle de ce jeune homme et devint un habitué du château de Beauregard.

Comme il occupait ses loisirs à dessiner, il « croqua » la demeure, jusque dans ses moindres détails. Les tours, la balustrade du XVIIᵉ, le corps de logis du XVIIIᵉ, rien ne lui échappa de ce bâtiment élégant et distingué que l'on pense dû aux plans du fameux architecte Louis.

Revenu aux Etats-Unis, vivant avec ses meilleurs souvenirs, notre Américain édifia sur ses terres de Long Island une copie strictement conforme de Beauregard. Il n'osa tout de même pas en reconstituer le vignoble : de ce côté, il ne se faisait pas d'illusions. Long Island ne ressemble en rien au plateau de Pomerol, et sa terre, non plus que son climat, ne lui sont comparables. On n'y trouve pas ce sous-sol ferrugineux, cette « crasse de fer » où le vin tire son parfum de truffe et sa sève particulière.

Les crus — rouges, bien sûr — du Château de Beauregard prennent place parmi les « premiers » de Pomerol. Très représentatifs de cette appellation, d'une belle couleur, puissants, compromis entre le Médoc par leur finesse et les Saint-Emilion par leur vigueur, ils se comparent parfois aux Côte de Nuits. Vins charmants, souples et nuancés, corsés, avec du caractère et une sève exquise, on a dit d'eux qu'ils étaient « un engrenage de saveurs et d'arômes ». On les voit très bien avec des gibiers à poil et des viandes rouges ; leur personnalité généreuse y convient à merveille.

Parmi les clients célèbres du château de Beauregard, on compte la famille Guinness, plus connue pour ses fameuses bières. Lors d'une récente excursion organisée par Mme Guinness, dans le dessein de visiter ce qu'un impérialiste impénitent continue d'appeler « la Guyenne anglaise », c'est encore l'image de ce château qu'elle avait choisie pour illustrer sa carte d'invitation.

CHÂTEAU-CHASSE-SPLEEN
Bordeaux rouge. Moulis. Médoc. Cru « exceptionnel ».

Le meilleur des chasse-spleen

Les classifications des vins à travers les âges me rendent toujours un peu rêveur. Considérez les Médoc, par exemple. Leur grande diversité avait amené jadis à des divisions assez sensées, consacrées longtemps par les nuages.

On parlait ainsi, par ordre de mérite, de crus paysans, crus artisans, crus bourgeois ordinaires, bons bourgeois, bourgeois supérieurs et enfin de grands crus. On sait que ces derniers se trouvèrent classés, en 1855, en cinq grandes catégories, formant alors les « crus classés », maintenus de nos jours.

Pour les autres, un certain M. d'Armailhacq les répertoria, en 1858, dans un ouvrage savant où il citait 34 bourgeois supérieurs, 64 bons bourgeois et 150 bourgeois, ceux-ci anciens bourgeois ordinaires. Depuis 1932, les choses ont encore changé, puisqu'on se limite en général à une centaine de bourgeois et bourgeois supérieurs, tous reconnus par les courtiers du Bordelais.

On pourrait se féliciter d'une telle simplification si l'on trouvait, parmi les bourgeois supérieurs, certains vins dits « crus exceptionnels ». Malgré cette dénomination, ils se placent immédiatement après les cinquièmes crus classés. Et, pour embrouiller définitivement les esprits, on considère que certains d'entre eux pourraient prendre place parmi les crus classés. Allez donc vous y reconnaître.

C'est parmi ces crus exceptionnels que j'ai découvert le Château-Chasse-Spleen, un rouge de Moulis. Chasse-spleen... une telle appellation évoque immédiatement un vieux vigneron quelque peu poète, un rien rigolard, doué d'un sens certain du commerce autant que d'humour. Fallait-il aussi qu'il soit persuadé des vertus hilarantes de son vin !

Je m'attendais donc à une histoire pour le moins cocasse et pleine de surprises. Las ! les archives du château ont été pillées et détruites pendant la guerre de 1914 : il est vrai que le domaine se trouvait alors sous séquestre pour la bonne raison qu'il appartenait à un colonel allemand ayant fait souche là-bas. Point d'anecdotes étranges, donc, sur cette dénomination pour le moins originale.

Première observation : on lui reconnaît aisément l'accent personnel des Moulis. Un accent qu'ils doivent à un sol encore plus riche en calcaire que tous ceux du Médoc. Certes, il faut aimer les vins fermes et d'un caractère tanique. Sa couleur, sa mâche et son bouquet n'en font que mieux ressortir une finesse indéniable et une distinction qui lui permettraient de figurer parmi les crus classés.

Je n'aime pas les mariages absolus entre les plats et les vins, mais, pour celui-ci, je le vois en parfaite compagnie des viandes rouges.

CHÂTEAU DE LA DAME BLANCHE
Bordeaux blanc. Blanquefort. Médoc.

Cette dame a des bontés

Aux petits matins d'octobre, bien souvent, des brouillards légers flottent au-dessus des vignobles du Bordelais. De toutes les formes étranges que l'on devine dans ces longues écharpes de brume, il en est une, devenue légende : il s'agit de la « Dame Blanche ».

Les vignerons de Blanquefort y voient le fantôme d'une princesse maure, jadis mariée, ici, réputée pour sa bonté. Elle viendrait ainsi chaque année promettre de bonnes et belles récoltes, au gré du galop de sa cavale ailée. On dit même qu'il y a un demi-siècle une vieille Médocaine affirmait recevoir régulièrement sa visite tous les soirs à minuit.

Conte ou magie, toujours est-il que le nom est devenu celui d'un remarquable château du XVIIIe, d'une belle pureté, dont les chais eux-mêmes sont classés monuments historiques : un fait extrêmement rare !

Comme partout dans la région, il n'y a pas de domaine sans vignes. Celui-là — hors son nom — ne manque pas d'intriguer. Le centre des terres n'y est-il pas marqué d'une pierre des Templiers. Le vignoble lui-même n'y est-il pas coupé en deux par la limite du Médoc et des Graves : à tel point que ses rouges sont des « Haut-Médoc » et ses blancs de simples « Bordeaux supérieurs ». On s'y perd d'autant plus que dans la cuverie on trouve une vieille marque du début du XIXe, prouvant que ces mêmes vins passaient à l'époque pour des Graves.

Je me suis arrêté sur ces crus du Château de la Dame Blanche, pour en évoquer les blancs, car le propriétaire fait tout pour leur donner une nouvelle image bien différente des sempiternels doux Bordeaux. Il y a réussi et l'on a là un vin authentiquement sec, comparable aux blancs de Bourgogne.

Il a su cependant garder sa personnalité de Bordeaux et, sans arriver au même fruité que ses cousins bourguignons, il n'en manque pas. Vin aimable et gentil, sans autre prétention que celle d'être agréable, il n'est pas fatigant et s'avoue peu acide. On peut l'adopter pour un repas de famille.

Grand pavois pour le Gruaud

La réputation de sérieux et le caractère austère de la grande société bourgeoise des propriétaires de vignobles bordelais ne sont pas des mythes : à croire que le vin rend triste et cafard ! Pourtant ce petit monde passionné de lui-même n'a jamais manqué d'originaux et de fantaisistes.

Le sieur de Gruaud appartient à la lignée de ces seigneurs hors du commun. Fondateur au début du XVIIIᵉ siècle d'un domaine dans le haut Médoc, vu l'importance de ses vignes, il avait fait ériger une tour pour mieux en surveiller l'exploitation. Elle devint rapidement un symbole et un baromètre sur la nature de sa récolte de l'année.

En effet, une fois terminées les opérations de vendange et de première cuvaison, le sieur Gruaud hissait un pavillon sur le haut de son donjon. Non point le sien ou celui du royaume mais celui du pays auquel il estimait que son vin convenait le mieux. Si le vin de l'année avait un caractère léger et facile, c'était le drapeau allemand ; plus corsé, il montait la flamme hollandaise ; les crus puissants et généreux se voyaient signalés par les couleurs de l'Angleterre. Quant aux prix, il en affichait deux sur la porte de sa cave : avant et après avoir goûté. Souvent le second était plus élevé et il n'acceptait alors aucune discussion : il estimait qu'on devait lui faire confiance.

Reconnaissons aujourd'hui que la réputation de son vin de Gruaud-Larose s'est maintenue. Parmi les Saint-Julien, dont on n'ignore pas qu'ils assurent la transition du goût entre les Margaux — moins corsés — et les Pauillac — plus puissants —, il mérite bien son classement en deuxième cru.

Vin ferme, de grande race, d'une couleur remarquable, il s'affirme par un bouquet précoce et un arôme fleuri exceptionnel. Si on lui accorde moins d'élégance qu'aux Margaux il est réputé pour être délicat. Il a du corps et on le sait suave. Par sa souplesse, il convient bien aux entrées, et son bâti le destine aussi aux gibiers à plume.

CHÂTEAU-LAFON-ROCHET
Bordeaux rouge. Saint-Estèphe. Médoc. 4e grand cru.

Un velours, ce Rochet

Les grands crus du Bordelais deviennent inabordables : cette constation relève, hélas ! aujourd'hui du lieu commun. Les authentiques amateurs ne doivent tout de même pas désespérer. Il leur reste une grande chance de satisfaire leur passion : elle réside dans cette quantité invraisemblable de châteaux ignorés en partie, dont les vins méritent d'être connus et ne demandent qu'à l'être.

Je ne veux pas parler de quelques domaines plus ou moins confidentiels : pour les trouver il faut une âme de Sherlock Holmes. Non, il suffit simplement de consulter la liste des grands crus classés pour en découvrir certains, pratiquement inconnus.

Curieux de vins inattendus, goûtez un Château-Lafon-Rochet. J'avoue humblement avoir longtemps négligé ce Saint-Estèphe classé cependant en « quatrième cru ».

On peut rappeler que le domaine jouxte celui de Château-Lafite et de Cos d'Estournel et partant que ses vins empruntent leurs qualités à ces deux célèbres voisins.

Qu'on ne se méprenne pourtant pas, le Château-Lafon-Rochet existe et ne ressemble qu'à lui-même. Fruité, souple, généreux ; on peut d'une certaine manière le considérer comme un Saint-Estèphe type. J'ajouterai toutefois qu'il fait preuve d'un bouquet remarquable et pour le moins inattendu. En vieillissant il devient parfois tendre et je ne le lui reprocherai pas. Je pense même qu'en cas d'un reclassement il devrait monter d'une catégorie.

CHÂTEAU-LOUBENS

Bordeaux blanc. Sainte-Croix-du-Mont. Entre-deux-mers.

Avec le dessert

Force est bien de constater que les vins sont parfois victimes d'une mode. Ainsi, on voudrait nous persuader, depuis quelques années, de la vanité d'avoir des vins blancs doux sur sa table. On excepte le Château d'Yquem parce qu'il est grand et qu'il fait riche.

Mais pour le reste on cède à cette paresse gastronomique qui fait accompagner tout un repas avec un seul et même vin. Pourtant il est des vins de dessert comme il est des vins de hors-d'œuvre, et ce n'est pas une sotte prétention — encore moins une ruine — que de leur accorder une place dans un menu bien conçu.

Les Sainte-Croix-du-Mont et plus particulièrement le Château-Loubens sont de ceux-là. Les vignobles y sont installés sur la rive droite de la Garonne, face aux Sauternes qui se trouvent sur la rive gauche.

Certaines fantaisies de la nature ont fait que l'on voit, au sommet des coteaux de Sainte-Croix, des bancs de coquilles d'huîtres de plusieurs mètres d'épaisseur. Inutile de dire que cette présence eut une influence sur le caractère du terroir.

C'est aussi dans l'épaisseur de ces huîtres entassées depuis des millions d'années qu'un des propriétaires du Château-Loubens, conseiller au Parlement de Bordeaux et grand grilleur de sorcières, avait fait creuser une chapelle que Louis XIII honora de sa visite. Depuis, la chapelle a disparu pour faire place à une série de sept caves de soixante-dix mètres de profondeur où sont vieillis les vins du domaine.

Ces blancs sont fins, extrêmement souples, corsés et fruités. Ils ont une sève et une élégance que ne possèdent pas les Loupiac. Ils sont doux sans être trop liquoreux, et cette saveur très caractéristique que certains experts déclarent « suave et laiteuse » s'accorde très bien avec fruits, desserts et même foie gras.

CHÂTEAU-MAZEYRES
Bordeaux rouge. Pomerol. Libournais.

Un Bordeaux pour le gibier

Malgré les tableaux de chasse de moins en moins réjouissants, le temps du gibier revient. L'accompagnement de ces « poil et plume » toujours accommodés de sauces riches et puissantes oppose régulièrement les tenants des Bourgogne (Gevrey-Chambertin, Morey-Saint-Denis, Beaune, Pommard) à ceux des Bordeaux (Saint-Emilion, Saint-Julien).

Si vous vous trouvez devant ce dilemme, vous avez toujours une solution intermédiaire : choisir un Pomerol. Je sais bien que ce cru souffre de son voisinage avec le Saint-Emilion. Pour être puissant, il n'en a tout de même pas le caractère franchement capiteux et haut en alcool. En revanche, il est plus nuancé et son bouquet de « truffe » lui donne beaucoup de personnalité.

Une personnalité qui fut, d'ailleurs, étouffée jusqu'au siècle dernier, puisque les vins de Pomerol se confondaient jadis à la vente avec les Saint-Emilion. Pourtant la culture de la vigne n'est pas chose nouvelle en ces lieux. Les Romains commencèrent, puis, après une longue éclipse, les Hospitaliers de Saint-Jean de Jérusalem, qui avaient édifié ici une commanderie, reprirent les vignobles en main et en améliorèrent les produits. Les émeutes de l'occupation anglaise les malmenèrent quelque peu. Il fallut parfois attendre le xixᵉ siècle pour qu'ils retrouvent leur place.

Le Château-Mazeyres est le type même de ces propriétés anciennes où le vignoble a été méticuleusement reconstitué. Malgré sa petite superficie, c'est un des domaines les plus modernes qui soient en Bordelais, bien que les traditionnelles méthodes de vinification en « bois » aient été conservées.

Quand l'année se révèle médiocre, on n'hésite pas à y déclasser le vin, pour maintenir sa réputation. Les analogies, qu'on lui trouvera avec certains Côte de Nuits, ne doivent pas faire oublier sa finesse. Vin complet s'il en est, il est bien plus qu'une curiosité. Le 1982 est un millésime plein de promesses.

CHÂTEAU-MONBOUSQUET
Bordeaux rouge. Saint-Emilion. Grand cru.

Un Saint-Emilion pour sybarite

En vin comme ailleurs, il faut se garder des idées toutes faites. Ainsi, on nous dit que les Saint-Emilion sont de longue garde et qu'ils s'améliorent en vieillissant. Certes, ils sont parfaits généralement entre dix et vingt ans d'âge ; mais, quand on sait la complexité du Saint-Emilionnais, il faut compter aussi avec les exceptions.

L'appellation Saint-Emilion s'applique au territoire de vins fins le plus vaste de France et elle se subdivise en « premier grand cru classé Saint-Emilion », « grand cru Saint-Emilion » et « Saint-Emilion ». Encore faut-il tenir compte des appellations où le mot « Saint-Emilion » est précédé de celui de la commune productrice et ne faut-il pas oublier les Sables Saint-Emilion. Un vrai casse-tête... d'autant plus qu'à l'heure où — selon la formule consacrée — nous mettons sous presse cette classification est en voie de simplification. Mais les étiquettes sur les bouteilles en circulation depuis quelque temps relèvent des appellations précédentes.

En revenant au problème de l'âge idéal pour les Saint-Emilion, voici pourtant une exception car celui-là se boit jeune.

Cela ne lui enlève d'ailleurs pas ses belles qualités. Il s'agit d'un « Grand Cru Saint-Emilion » le Château-Monbousquet.

A la fin du XVIIe, le château appartint à Jacques Amédée de Carles, qui fut général de Louis XV et de Louis XVI. Mais comme il n'appréciait guère les idées des émigrés il défendit la République aux côtés de Dumouriez à Valmy. Peut-être parce qu'il pouvait continuer à se faire envoyer des caisses de son Monbousquet ainsi que du Cheval-Blanc (autre Saint-Emilion, mais « Premier Grand Cru classé »), dont il était aussi propriétaire, sur le champ de ses activités militaires.

Il faut croire que ses vins l'avaient bien conservé, puisque à l'âge de soixante-dix ans il épousa une jeunesse de vingt ans et finit ses jours en parfait sybarite entre la bonne chère et l'amour.

Fin et fruité, son Château-Monbousquet se rapproche un peu des Médoc. D'une belle couleur rouge brillante et veloutée, il est moins généreux que les vins venus des coteaux mais il est plus vif, avec un bouquet plaisant et une sève agréable. Il faut le boire dans ses premières années lorsqu'il a toutes ses qualités.

PAVILLON BLANC DE CHÂTEAU-MARGAUX
Bordeaux blanc. Margaux. Médoc.

Le cadet de Margaux

Les amateurs connaissent bien le nom de Château-Margaux. Ils savent qu'il est un très grand rouge du Médoc par sa noblesse et sa finesse. Peu sont aussi brillants et riches d'une telle histoire.

Mais on ignore souvent que le domaine cache aussi un blanc pour le moins imprévu ici. Sans doute les premiers propriétaires du château — le roi Edouard III d'Angleterre, le baron de Margaux et même le beau-frère de la célèbre du Barry — auraient-ils été surpris si on leur avait dit que l'on ferait pousser des vignes blanches sur leurs terres. Une fantaisie de la géologie en est la cause.

Il y a une cinquantaine d'années, en effet, on découvrait dans la propriété une veine de calcaire tertiaire longue seulement de huit kilomètres, particulièrement favorable à la venue des plants de Sémillon et de Sauvignon blancs. Une telle particularité ne se retrouve nulle part ailleurs, en Médoc.

Ce Pavillon Blanc de Château-Margaux n'a sans doute pas les prétentions de son grand aîné, mais il n'abuse pas non plus de son parrainage. Connu plus tôt, il aurait eu, lui aussi, son succès à la cour de Louis XV, entichée de tout ce qui venait de Margaux.

Ce blanc est donc de bonne race, issu d'un terroir riche. Assez étrangement, par sa sève et son nez, il fait penser à un Graves sec. Mais il a plus de corps et de personnalité, de la délicatesse et de l'élégance avec un bouquet qui le fait « recherché ». Sans être un grand, il mérite mieux que ce que sa simple appellation de « Bordeaux supérieur » peut laisser supposer. On le trouve à son meilleur vers trois ans d'âge, mais il se conserve bien, sans aucune tendance à la madérisation. Sa vocation est d'accompagner les poissons.

CHÂTEAU-POUJEAUX

Bordeaux rouge. Moulis. Médoc.
Cru Grand Bourgeois exceptionnel.

« De Georges à Valéry... »

Le président Pompidou ne manquait pas d'humour ni même d'entêtement. Solide fourchette, il s'y connaissait aussi en vins ; mais assez curieusement il avait écarté des caves de l'Elysée les « Lafite » de ses amis Rothschild à tel point qu'ils s'en irritaient amicalement. A cela il leur répondait qu'il avait aussi bien pour moins cher, et de le leur prouver. Il invita donc Elie de Rothschild (propriétaire de ce Lafite) à un déjeuner au cours duquel celui-ci s'extasia sur le vin qu'on lui servait, remerciant le président d'avoir eu la courtoisie de choisir le « sien ».

Or il s'agissait d'un Château-Poujeaux 1967, ce que Elie de Rothschild refusa de croire, mettant même en doute la bouteille vide qu'on avait conservée à l'office après l'avoir décantée et versée en carafe. Plutôt coléreux de nature, le baron Elie estima même, dans son rude langage, qu'on lançait le bouchon un peu loin. Pourtant la réalité était bien là.

C'est d'autant plus étonnant que ce millésime pour être bon n'est tout de même pas glorieux. Il ne faut donc pas s'attendre à un tel exploit pour chaque bouteille, mais le cousinage est certain car il y a une ressemblance évidente entre la terre de « Poujeaux » et le sol de « Lafite ». On fait preuve également de la plus extrême attention dans le choix des raisins (de vignes de plus de dix ans), la vinification et le vieillissement.

Mais « Poujeaux » ne prétend pas rivaliser avec les plus grands et sa devise l'affirme : « Je ne suis ni premier, ni second, ni troisième, ni même quatrième ou cinquième ; mais je suis celui qu'on aime. Je suis, je reste, Poujeaux lui-même. » Tel qu'en lui-même assurément, c'est un rouge puissant, terrien, avec de la mâche et du corps. C'est dire si dans sa jeunesse il est plutôt difficile, fermé. Il demande donc quelque patience : à partir de cinq à six ans une finesse certaine s'ajoute à son corsé et sa robustesse. Un 1978 dans votre cave serait par exemple un bonheur.

Ayant commencé par l'Elysée, j'y retourne car je me demande si François Mitterrand profite actuellement des Château-Poujeaux que Valéry Giscard d'Estaing avait fait rentrer en cave après son élection, chaussant en tout les pantoufles de Pompidou.

CHÂTEAU-LA ROSE-POURRET
Bordeaux rouge. Saint-Emilion. Grand cru.

Un vin gaulois

On sait que, jadis, la politique passait souvent par les banquets. Il n'était guère de visite officielle, en province surtout, qui ne se terminât par de gigantesques agapes avec les notabilités locales. Car il était bon, aussi, de montrer que l'on savait se tenir à table. Quitte à confier leur avenir à quelqu'un, les électeurs préféraient un bon vivant à un pisse-froid.

Aujourd'hui on préfère les conférences de presse et les séminaires. Technocrates obligent. Je ne sais si la politique y gagne quelque chose mais en tout cas la petite histoire y perd le pittoresque de ces aphorismes, plus ou moins heureux, qui fleurissaient après boire sur des livres d'or impitoyables.

J'ai relevé ainsi de la plume de Raymond Poincaré une déclaration un rien cocardière : « C'est un vin délicieux, essence de joie et de santé, extrait d'humeur gauloise, reflet du doux pays de France. » Cela sent son Déroulède mais pourtant, hors la forme, le président ne se trompait pas sur le fond.

Il s'agissait du Château-La Rose-Pourret, un grand cru de Saint-Emilion qu'une production peu importante empêche de mieux connaître. Parmi la multitude des Saint-Emilion, celui-ci peut retenir, avant tout par son élégance et sa délicatesse. Corsé et chaleureux sans être trop puissant, d'un beau parfum de truffe, il ne prétend pas à la grandeur des premiers mais il leur sert d'aimable second. Un vin du dimanche puisqu'ils sont vins de fête.

CHÂTEAU-TALBOT
Bordeaux rouge. Saint-Julien. Médoc. 4e grand cru.

Le rouge du connétable

Au xvᵉ siècle, lorsque les Bordelais étaient mécontents, ils n'y allaient pas de main morte : estimant en 1452 que le roi de France, Charles VII, les écrasait par trop d'impôts, ils en appelèrent au roi d'Angleterre. Celui-ci envoya une armée de plusieurs milliers d'hommes sous le commandement d'un des meilleurs capitaines anglais, Talbot, tout de même âgé de quatre-vingts ans. En quelques mois, il conquit quasiment tout le Bordelais, à tel point qu'on le surnomma « le roi Talbot ». Mais son règne ne dura qu'une année. A la mi-juillet de 1453, à Castillon-sur-Dordogne (devenu depuis Castillon-la-Bataille), les bombardes et couleuvrines des armées de Charles VII, en écrasant ses troupes, mettaient fin à la guerre de Cent Ans.

Un obélisque commémore encore cette victoire et un monument rappelle Talbot le vaincu.

Ce fameux Talbot prenait le temps de bien vivre. Dans le château qu'il habita et qu'il eut le temps de faire agrandir, il se passionna pour ses vignes.

Lui mort, les Anglais partirent, mais son vin demeura : il existe toujours. Mais ce Saint-Julien longtemps sous-estimé par la classification (quatrième grand cru) me paraît aujourd'hui surestimé. Toujours de qualité, il n'a plus le panache d'antan. Cependant, le rouge symbolise assez bien les Saint-Julien, vins de parfaite transition entre les Margaux et les Pauillac : plus corsé et plus vineux que les Margaux, moins brillant que les Pauillac, de belle couleur, régulier, avec un bouquet très plein, il sait rester discret, en grand monsieur.

Il convient aux gibiers à plume.

CHÂTEAU-LA TOUR-CARNET

Bordeaux rouge. Saint-Laurent. Médoc. 4ᵉ grand cru.

Vin d'oraisons

« Si vous vous portez bien, nous nous portons bien aussi, moyennant les huîtres en écaille, le Volnay et le Saint-Laurent. Le prince a voulu avoir son portrait et m'a régalé ici avec une caisse de Bordeaux... »

Croirait-on lire là une lettre d'évêque et plus encore signée Bossuet ? L'Aigle de Meaux, dont les oraisons planaient si haut, aurait-il été bassement matérialiste ? Cette caisse de Bordeaux sent son pot-de-vin pour l'immortalité.

Toujours est-il que je n'ai pas retrouvé le Saint-Laurent en question. S'agirait-il du Château-la Tour-Carnet ? Cela me paraît vraisemblable, car on le considère comme le meilleur des trois crus de la commune classée parmi les grandes du Médoc. Il apparaît en effet parmi les quatrièmes grands crus, alors que les Château-Belgrave et Camensac se classent dans la catégorie inférieure.

Une fantaisie du sort aurait donc ainsi voué ce vin aux célébrités littéraires. Ce château, érigé par Jean de Foix, par le jeu d'héritages divers, aboutit à un certain Thibaud de Camin dont le seul titre de gloire fut d'épouser la sœur de Montaigne, Madeleine. Nul doute que Montaigne n'en bût parfois.

Il se montrait par là clairvoyant. Ces rouges de Saint-Laurent, proches des Saint-Julien, comme eux représentent une bonne transition entre les Margaux et les Pauillac. Corsés, très vineux, avec de la chair même, ils ne prétendent pas à la grande finesse mais peuvent être considérés comme élégants. Avec eux on peut parler de vins virils. Leur franchise leur évite d'avoir à faire des manières. On ne s'étonnera donc pas de les voir accompagner des viandes rouges et mieux encore des gibiers.

131

CHÂTEAU-LA TOUR-DE-MONS
Bordeaux rouge. Soussans-Margaux. Médoc.
Cru bourgeois supérieur.

Sur la « Santa Maria »

Les seigneurs du Bordelais ont toujours été trop gens de bien pour se laisser aller à donner à leurs châteaux des allures de ruines romantiques. A travers crises, guerres et mauvaises récoltes, ils maintinrent toujours leurs façades — au propre comme au figuré. On n'en est que plus étonné de rencontrer sur la commune de Soussans-Margaux un vieux donjon couvert de lierre, à la Hubert Robert.

On s'attend évidemment à une bien belle histoire et la réalité n'en est pas si loin. Cette tour, datée approximativement du XIIIᵉ siècle, aurait été construite par un certain Jehan Colomb. Un cousin ancêtre, soutient-on, de l'autre Colomb qui découvrit l'Amérique deux siècles plus tard. On devrait rechercher si la *Santa Maria* embarqua des barriques de Château-La Tour-de-Mons.

Car en Bordelais il n'est pas château sans vignes. Cette tour marque donc un triple vignoble : Château-La Tour-de-Mons, La Tour-de-Bessan, Richeterre. Le premier propose plus de mérites que les autres à être découvert.

D'appellation communale Margaux, il en possède bien la délicatesse, maintenue avec une belle régularité. Rond, généreux, il arbore un bouquet fleuri convenant bien à une certaine élégance gracieuse, presque féminine. Il est à garder dans une cave au-dessus de la moyenne, comme vin des dimanches.

CHÂTEAU-TROTANOY
Bordeaux rouge. Pomerol.

Un Pomerol sans ennuis

Avec le gibier, Bordeaux ou Bourgogne ? L'ouverture de la saison de la chasse relance toujours de plus belle cette vieille querelle. Je n'y prendrai point part, mais je profiterai de l'occasion d'une belle bête « à poil » pour remonter du fond de ma cave une bouteille de Pomerol. Un vin dont on parle trop peu à mon avis.

Sans doute relève-t-il de la famille des Bordeaux, mais sa personnalité déconcerte quelque peu l'amateur. On le sait coloré et puissant : à tel point que certains n'hésitent pas à le comparer aux Côte de Nuits. Voisin des Saint-Emilion on lui trouve naturellement un petit air de cousinage encore qu'il fasse preuve de plus de nuances en dépit d'une force alcoolique plus prononcée. Sa finesse et son bouquet le font approcher aussi des grands Médoc.

Pour être donc un compromis entre les Saint-Emilion, les Médoc et les Côte de Nuits, le Pomerol ne ressemble pas pour autant à un bâtard et il a son caractère. On y décèle un parfum de violette et de truffe. Velouté, généreux et corsé, il ne déçoit pas ceux qui apprécient les vins vigoureux.

Mal connu, il ne bénéficie même pas d'une classification qui pourtant guiderait le curieux. Le Pétrus paraît devoir être reconnu par tous comme le premier mais je trouve beaucoup d'intérêt au Château-Trotanoy.

Il portait jadis un nom des plus pessimistes puisqu'on le connaissait sous l'appellation Château-Trop Ennoye, autrement dit « trop ennuie ». Il semble au contraire qu'il ait toujours su faire face. A l'époque du phylloxéra, le propriétaire eut le premier l'idée d'employer le sulfure de carbone pour s'en défendre et préserver ses vignes. Depuis, on n'a pas perdu l'habitude d'y faire du bon vin.

En lui, on trouve les qualités particulières au Pomerol type et, si l'on se décide un jour à un classement, il y fera bonne figure.

Y D'YQUEM
Bordeaux blanc. Sauternes.

« Y » l'inconnu

Lors du célèbre classement de 1855, le Château d'Yquem prit aisément place parmi les « crus exceptionnels ». On le reconnaissait déjà grandiose, précieux, parfait et toujours somptueux. Depuis longtemps déjà il régnait sur les tables les plus fameuses et même les plus lointaines : en 1786, le président des Etats-Unis Thomas Jefferson l'avait choisi pour son ordinaire.

Pourtant, et je vous étonnerai, ce cru suave, délicat et racé, qui représente aujourd'hui l'idéal des vins blancs liquoreux, s'offrait à l'époque, en « sec » ou en « demi-sec », tout en possédant ces goûts exquis qui demeurent encore les siens.

Les effets de la fameuse « pourriture noble » n'étaient pas alors connus ou plutôt l'étaient mal. Vers les années 1850, un marquis de Lur-Saluces, propriétaire du château, revenu tard de Russie pour les vendanges, constata une certaine pourriture sur ses raisins. Passant outre, il vendangea et obtint un vin qui l'étonna. Qui plut même, puisque le grand-duc Constantin lui en offrit 20 000 francs-or par tonneau. Les années suivantes, et d'une manière empirique, sur une petite partie de ses vignes, il continua l'expérience tout en poursuivant sa vinification en « sec » et « demi-sec ». Il fallut attendre jusqu'en 1880 pour que l'on dominât complètement cet étrange champignon qui, en contaminant les raisins déjà surmaturés, permet d'aboutir au Château d'Yquem actuel.

Cette histoire, je vous l'ai contée pour répondre à ceux qui considèrent le vin Y, fait depuis relativement peu de temps au château d'Yquem, comme une trahison. Ce blanc sec revient tout simplement aux sources. Il est en tout cas très intéressant car il conserve ce goût et cet arôme propres au Château d'Yquem et on retrouve en lui cette gamme évoquant le miel, le tilleul et l'acacia mais sur un tout autre registre. Il y a certes moins de grandeur en lui, mais il existe.

BOURGOGNE

AUXEY-DURESSES

Bourgogne rouge. Auxey-Duresses. Côte de Beaune.
2ᵉ grand cru.

L'entrecôte bourguignon

Voici une devinette que vous pourrez poser à ceux de vos amis qui ont quelque prétention à la connaissance des vins. Quel est, leur demanderez-vous, le vin qui fut longtemps vendu sous l'appellation de Pommard et de Volnay — mais oui, les deux à la fois — pour ses crus rouges et qui, en blanc, ressemble dit-on étrangement dans ses meilleures années au Meursault ?

Vous pouvez toujours aussi faire appel aux souvenirs artistiques bourguignons de vos interlocuteurs en leur précisant que le village en question est riche d'une église possédant un des plus remarquables triptyques du XVIᵉ de l'école régionale.

Comme il y a bien peu de chances qu'ils puissent vous répondre, avouez-leur qu'il s'agit de l'Auxey-Duresses. Le terroir est situé au sud de la Côte de Beaune, dans une combe menant vers le fameux château de la Rochepot, et jouxtant aussi le territoire de la Côte de Meursault. Suivant une logique simpliste, ces voisinages expliqueraient ces cousinages de goût, mais ils ne manquent pourtant pas de surprendre quand on sait que des terres distantes de quelques mètres seulement peuvent donner des vins totalement différents.

En vérité, on se demande si l'on n'a pas affaire là à un de ces vignobles mal aimés et qui se sont relativement mal débrouillés au moment des lois sur les appellations d'origine.

Car, après tout, ces analogies de goût que j'évoquais tout à l'heure relèvent un peu du folklore, à moins que ce ne soit de l'habileté commerciale de voisins plus entreprenants. L'Auxey-Duresses possède une personnalité qu'il faut bien lui reconnaître. Plus particulièrement quand on touche au premier cru provenant justement des terres de Duresses et portant leur nom en plus de l'appellation d'Auxey, commune à tous les crus du lieu.

Sans pour autant leur ressembler, il se situe justement entre les Pommard et les Volnay. Aux premiers, il laisse plus de corps ; aux seconds, il accorde un peu plus de finesse.

On le retrouve donc ferme, corsé, généreux avec une distinction de bon aloi. Il se fait en lui une plaisante alliance de la puissance des Côte de Beaune et du raffinement des Côte de Nuits. Un bâtard, dira-t-on, mais d'une belle venue quand même. Il ne prétend pas à être grand mais je le vois bien comme une synthèse agréable, assez propre à représenter l'esprit de toute la Bourgogne dans une cave.

BEAUNE-BRESSANDES
Bourgogne rouge. Beaune. Côte de Beaune. 2e grand cru.

Le Beaune du chanoine

> *Si j'avais le gosier large de cinq cents aunes,*
> *Et que la Seine fût de ce bon vin de Beaune*
> *Je m'en irais dessous le pont*
> *Je m'étendrais de tout mon long*
> *Et je ferais descendre*
> *La Seine dans mon ventre.*

Ce n'est peut-être pas une poésie très raffinée, mais ainsi chantait-on dans les cabarets au XVIIe. Le populaire faisait là écho à l'enthousiasme de la Cour où les crus bourguignons étaient en train de supplanter les vins de Saint-Pourçain.

Depuis, les vignobles ont bien évolué et la vogue n'est peut-être plus la même. On jure plutôt par les Côte de Nuits, rivales plus riches et plus variées que les Côte de Beaune. Dans les Côte de Beaune même, on évoque plus facilement les Pommard, les Volnay, les Montrachet : à croire que les vins de Beaune précisément n'existent pas !

On compte pourtant une bonne quarantaine de clos et de vignes donnant des produits tous différents et fort intéressants. Parmi les meilleurs, je peux bien avouer une certaine préférence pour les Bressandes.

Cela dit, leur réputation n'est pas nouvelle. Elles tiennent leur nom de Jean Bressans, un chanoine du XIIIe siècle : il les avait déjà fait connaître au-delà des limites de la commune. On suppose même que le cru avait été choisi pour être servi, plus tard, au prince de Condé, lequel en avait fait grand compliment.

Il y a toujours de quoi : on a là affaire à un des meilleurs rouges de Beaune. Il a de la sève, du bouquet, de la solidité, sans pour cela être privé d'une souplesse et d'une ardeur qui le font complet. Sa délicatesse le rend élégant. Sans doute s'étonnera-t-on de sa couleur assez claire, surprenante face à l'image traditionnelle des Bourgogne foncés ; pourquoi la lui reprocherait-on ? En tout cas, il peut plaire tout au long d'un repas déjà recherché.

La France, ton Chablis f... le camp !

Pour l'étranger son nom signifie « vin blanc de France ». Son vignoble est en constante augmentation. Et pourtant, depuis quelques années, le Chablis connaît une injuste disgrâce. On trouve de moins en moins sur les cartes ou sur les bonnes tables ce merveilleux vin, dont nos grands-pères faisaient l'indispensable ouverture à tout repas un tant soit peu sérieux.

Les Sancerre et autres vins blancs de la Loire — respectables au demeurant — l'ont peu à peu supplanté par une politique commerciale subtile pendant que les négociants du Chablis se préoccupaient surtout d'exportation.

Il est temps de redonner à ce blanc si français la place qu'il mérite chez nous. Le temps des coquillages, qu'il accompagne si bien, passe vite. Mais le Chablis, vin extrêmement léger, nerveux, sec et légèrement « moustillant », comme disent les vieux vignerons du pays, peut se boire en toutes saisons. Avec une truite ou un saumon, il est parfait.

On se demande pourquoi certains cuisiniers le réduisent à l'état de vin de sauce pour accompagner par exemple les soles. C'est une folie ! Tout comme ce projet, qui consisterait à déclasser certaines parties du vignoble pour l'attribuer à la Champagne.

Allons, s'il est vrai que les « petits » Chablis ne sont pas toujours intéressants et ont dû faire, en définitive, beaucoup de tort à l'appellation, les « grands crus », distingués, pleins de sève comme les Vaudesir, les Preuse, les Grenouille, valent certains vins blancs plus célèbres. Aurait-on oublié que le Chablis provient du même cépage noble que le Meursault et le Montrachet : le Pinot-Chardonnay.

Il est même des « premiers crus », comme les Monts-de-Milieu, qui atteignent une classe remarquable. Essayez-les donc, gardez-les même : ils savent vieillir.

CHÂTEAU-CORTON-GRANCEY
Bourgogne rouge. Aloxe. Côte de Beaune.

Le remède à Voltaire

Le vignoble bourguignon se trouve moins riche en châteaux que son rival bordelais. Mais certains sont absolument remarquables, tel celui d'Aloxe, tout à fait au début de la Côte de Beaune, presque à la limite de la Côte de Nuits.

Sa cuverie apparaît comme une des plus étonnantes que l'on puisse visiter. Avec cinq étages, dont trois enfouis dans la roche, elle peut contenir près de trois mille pièces de vin. C'est énorme.

Elle fut réalisée au XIXe siècle par les descendants du président du Parlement de Bourgogne, lui-même fondateur du château vers le milieu du XVIIIe siècle.

C'est à ce président, M. Le Bault, que Voltaire adressait de ses innombrables lettres.

« Plus je vieillis, lui écrivait-il, plus je sens le prix de vos bontés. Votre bon vin me devient nécessaire. Je donne d'assez bons vins de Beaujolais à mes convives de Genève, mais je bois en cachette votre vin de Corton. »

La lettre est datée des Délices, au 12 octobre 1759.

Ainsi, le bougre, qui était déjà devenu le patriarche de Ferney, demeurait-il toujours aussi préoccupé de sa petite santé. Et il ne renonçait pas à tâter égoïstement des bonnes choses, surtout quand cela ne lui coûtait rien. S'il appréciait ces Bourgogne puissants et bien propres, en effet, à rendre quelque force à son corps malingre et souffreteux, nul doute qu'il sût en goûter les qualités.

Comment, d'ailleurs, ne pas en aimer la couleur sombre, la richesse, la générosité. Les Corton rouges sont, en effet, des vins fermes, vineux, corsés, mais qui ne manquent pas de rondeur et, parce qu'ils savent merveilleusement vieillir, de moelleux. Leur bouquet se reconnaît entre mille — une espèce de mariage entre le cassis et la pêche en arrière-goût.

Cela dit, des vignobles entourent encore le château d'Aloxe, que l'on dit aussi de *Corton-Grancey*. Leur vin porte d'ailleurs ce nom. Il n'est pas le plus grand des Corton, mais il en a les caractères, sans excès, avec distinction. Je le pense assez brillant pour le faire goûter dans un grand repas. Essayez-le avec un gibier à poil ou avec un fromage à pâte fermentée. On vous en fera grands compliments.

FIXIN-CLOS-NAPOLÉON
Bourgogne rouge. Fixin. Côte de Nuits. 2ᵉ grand cru.

Doublement corsé, ce Bourgogne

Plats riches, viandes fortes, gibiers faisandés, fromages puissants... ils sont souvent le menu de ces repas pleins de chaleur que l'on aime en hiver. Un Côte de Nuits les accompagne habituellement. Connaissez-vous alors le Fixin ?

Au sud de Dijon, le village portant ce nom ouvre la route de la Côte. Il l'ouvre d'ailleurs en beauté, sur une des plus touchantes manifestations de dévotion à l'Empereur. Un ancien commandant des grenadiers de la garde, en s'y retirant, construisit sa maison à l'image de celle de Longwood. On y accède, depuis la Combe de Fixin, par un escalier de cent marches, en mémoire des Cent Jours.

Le brave Noisot — tel était son nom — ne devait pas s'arrêter là. Il commanda à Rude (le sculpteur de *La Marseillaise*) un monument sur le thème du « Réveil de Napoléon à l'immortalité ». Enfin il exigea dans son testament d'être enterré « debout, face à son empereur ».

Mais j'en arrive au vin du grognard. Sa femme lui ayant apporté en dot quelques pièces de vignes, il les exploita jusqu'à faire un joli domaine, producteur d'un bon cru, baptisé *Clos-Napoléon*. Dernier clin d'œil de l'Histoire, ce vignoble est à quelques pas des vignes de Chambertin, dont on sait que Napoléon garnissait le coffre de sa berline.

C'est un vin large d'épaules, un peu rêche dans ses débuts, mais qui acquiert ensuite un moelleux et un parfum qui mettent en valeur son nez et son fruité. Bouqueté et coloré, il ne prétend pas à la finesse du Chambertin. Ce qui ne l'empêche pas d'être très intéressant.

A noter que certains experts se refusent à classer le Fixin en Côte de Nuits. Pourtant il en a tous les mérites.

GEVREY-CHAMBERTIN MARCHAND
Bourgogne rouge. Gevrey-Chambertin. Côte de Nuits.

Le Chambertin de grand-papa

Les restaurateurs dignes de ce nom savent choisir leurs vins. Quelques-uns tiennent secrets leurs fournisseurs, qu'il s'agisse de crus peu connus ou de « déclassés », ou au contraire trop courus, comme le Beaujolais par exemple. D'autres n'hésitent pas à en dévoiler l'adresse.

Depuis quelque temps, et avec un sens certain du commerce, ces mêmes restaurateurs établissent une sélection de vins qu'ils vendent alors sous leur étiquette. Les premiers à y penser furent, je crois, Paul Bocuse, et Thuillier de Beau-Manière.

A son tour, un jeune homme plein d'allant, propriétaire de la Rôtisserie du Chambertin à Gevrey-Chambertin et dont il faut dire grand bien, décide de nous aider dans notre quête. Il faut rappeler qu'il chasse de race : son arrière-grand-père était tonnelier ; son grand-père aussi mais devint de surcroît vigneron ; son père maintint les vignes mais s'attacha surtout au négoce. Avec un tel atavisme on ne s'étonne plus de sa vocation.

Il ne la nie pas : l'entrée de sa rôtisserie se présente comme une sorte de musée Grévin de la vigne, avec, en bonne place, l'établi de tonnelier de l'arrière-grand-père.

Ses vins, en revanche, sont bien vivants. Je vous en propose pour preuve un aimable Gevrey-Chambertin, fort jeune puisqu'il est de 1970. D'une belle couleur, généreux avec de la vigueur, il ne manque pas à ce léger goût de réglisse, si caractéristique. Par sa jeunesse même il possède un rien d'agressivité qui le rend frais, plaisant à boire. On sent qu'il vieillira bien et que son bouquet déjà brillant ira en s'enrichissant et en se développant.

Cette double vocation le rend bien séduisant.

MARSANNAY
Bourgogne rosé. Marsannay-la-Côte.

Ce rosé pourrait être rouge

Contrairement à une mode qui est en train de devenir une tradition, je ne crois pas au conseil des gargotiers en mal d'imagination qui veulent nous persuader que le rosé est un vin à tout faire. Je préfère un petit blanc puis un petit rouge en place d'un petit rosé ; on ne me persuadera pas du contraire.

Cela dit, je pense qu'il y a des rosés honorables, méritant d'être distingués de ce cortège de vins truqués, désagréables et chers qui leur font compagnie.

Alors qu'il est le plus vieux des vins, le rosé a tant d'avantages commerciaux qu'on le croirait inventé par quelque homme d'affaires, plutôt que par un vigneron : il se fait vite, en une ou deux nuits de cuvaison, alors que les rouges exigent d'une à trois semaines. Il permet d'utiliser des vignes souvent médiocres qui ne donneraient qu'un rouge encore plus quelconque. Comme il ne se conserve pas, on est obligé de le boire jeune, ce qui aboutit à un débit rapide, à la suppression du stockage. Un vigneron de « rosés » n'a pas de problèmes d'immobilisation d'argent. Le restaurateur qui s'en fait une spécialité non plus : il n'a pas de cave à composer puis à faire vieillir.

On comprend donc que ces braves se soient mis d'accord pour proposer un peu n'importe quoi aux ignares de la table.

Tout de même, il existe des exceptions. Certains Cabernet d'Anjou, rosés des Alpes, de Savoie, d'Alsace, du Mâconnais, de Tavel, de Champagne, de Bourgogne, de Bordeaux et même de Provence. Certes, tous pourraient faire des vins rouges honorables, mais ils préfèrent bénéficier de la vogue des rosés et des avantages, déjà cités, d'une telle commercialisation. D'ailleurs, vendus en rouge, ils seraient victimes de comparaisons peut-être peu flatteuses et n'atteindraient pas les mêmes prix. Encore moins ceux auxquels ils se cèdent en rosé.

Le rosé de Marsannay est le type réel de ces rosés par force plus que par vocation. Il a même fait la réputation de cette commune de la Côte de Nuits par son caractère gai et spirituel. On lui reconnaît une personnalité et des caractéristiques bien marquées : un rien de miel, une touche de framboise, sur un fond sec. Pour être chaud et ferme, il ne supporte guère d'être servi trop frais. C'est tout du moins ainsi que le définissent les experts et les amateurs.

En tout cas c'est un vrai vin, tel qu'on l'aime : je lui trouve bien du charme et du bouquet. Surtout il ne m'assomme pas avec cette « barre » sur le front, propre à trop de rosés. Elle est due à l'excès d'anhydride sulfureux autorisé par la loi pour équilibrer les vins et dont on abuse parfois en rosé pour les sauver totalement.

MONTHÉLIE
Bourgogne rouge. Monthélie. Côte de Beaune.

Un cousin du Volnay

Si la création des appellations contrôlées mit un peu d'ordre dans le commerce vinicole, elle ne favorisa pas certains crus obligés soudain de se faire un nom. L'exemple des vins de Monthélie apparaît très caractéristique de cet état de fait.

En effet, pendant des siècles, ils se vendirent sous l'étiquette de villages plus réputés, surtout Pommard et Volnay. Et même, parmi les quatre-vingt-dix pièces expédiées à Reims pour le sacre de Louis XV, plusieurs venaient, dit-on, de Monthélie. Cependant les relations de cet événement n'ont retenu pour la postérité que les noms de Beaune, Pommard et Volnay.

Difficultés, donc, pour se faire connaître lorsque Monthélie disposa de sa propre appellation. D'autant que le vignoble, relativement restreint, ne facilite pas les choses. Mais toute la terre y est consacrée, ignorant toute autre culture, à tel point qu'un dicton local affirme : « Une poule à Monthélie meurt de faim en moisson. »

Quoi qu'il en soit, ces rouges méritent plus d'attention qu'on ne leur en porte. Certains se montrent tout proches cousins des Volnay, avec seulement un ou deux degrés de moins. Beaucoup d'amateurs les tiennent justement pour remarquables. Agréables, avec une sève délicate où se reconnaît un élégant parfum de violette, ils s'avouent très fins. Corsés, peut-être un peu durs à leurs débuts, il leur faut du temps pour se révéler. Leur bouquet alors s'épanouit et un certain velouté apparaît ensuite.

Sans être grands seigneurs comme le Volnay, ils ont de la race.

MONTHÉLIE CLOS DES CHAMPS FILLIOTS
Bourgogne rouge. Monthélie. Côte de Beaune. 2ᵉ grand cru.

L'inconnu de la Côte de Beaune

Prononcez le nom de « Côte de Beaune » ; immédiatement on évoquera le Beaune, le Pommard, l'Aloxe-Corton, le Meursault, le Puligny-Montrachet. Les amateurs ajouteront le Savigny, le Volnay et le Santenay.

Bien rarement, on pensera au Monthélie. Cet ignoré et mal aimé est victime de ses fréquentations. Vignoble minuscule coincé entre le Volnay — au nord — et le Meursault — au sud — on l'oublie au bénéfice de ses grands voisins. Il ne prétend pas leur être supérieur, mais sa qualité même mérite plus d'attention.

La Côte de Nuits donne en général des vins capiteux et puissants. Les Côte de Beaune ont parfois un peu moins de corps et un peu moins de couleur.

C'est bien le cas du Monthélie. Celui que nous avons goûté venait du Clos des Champs Filliots. C'est une première cuvée. Elles ne sont que deux d'ailleurs, l'autre se nommant Clos des Chênes.

Si l'on veut jouer aux comparaisons, on peut dire qu'il a le mordant du Pernand Vergelesses, mais avec tout de même un peu plus de moelleux. Il est aussi fin que l'Auxey-Duresses : il a du bouquet et il est élégant.

Du Volnay, il a l'équilibre. Il a de la sève, mais pas suffisamment pour être un grand vin. Tout cela arrive à lui donner une certaine personnalité. Il est certain que si la production était plus importante il serait arrivé à une réputation de bon aloi. Pourtant, les producteurs font de leur mieux : il n'est pas un seul terrain de la commune qui ne soit consacré à la vigne et au raisin (du pinot d'ailleurs). Dans une cave, il est non seulement preuve de qualité, mais aussi d'originalité. Les viandes blanches rôties et les viandes rouges en sauce s'en accommoderont bien.

144

PRÉMEAUX CLOS DE LA MARÉCHALE
Bourgogne rouge. Prémeaux. Côte de Nuits. 1er grand cru.

Ce Nuits a du galon

De premier grand cru en grand cru classé et en château, il n'est pas toujours facile de s'y retrouver dans les dénominations du Bordelais. Ce n'est pas souvent plus simple dans le vignoble bourguignon.

Ainsi la Côte de Nuits n'est-elle redevable d'aucun de ses très grands crus à la commune à laquelle elle doit son nom. Et parmi les meilleurs vins connus sous l'appellation de Nuits-Saint-Georges justement, on compte ceux du village voisin de Prémeaux. On s'y perd.

Ce territoire de Prémeaux n'en est pas d'ailleurs à une bizarrerie près. Dans ce pays, où les moines furent de tout temps et avant tout préoccupés de leurs ceps, vers le XVIIe, on vit un capucin baptisé Ange — par prédestination sans doute — entamer une polémique sur les vertus thérapeutiques des eaux locales ! Et, avant que de se faire une réputation pour ses vins, Prémeaux (traduction de *Primae Aquae* : premières eaux) fut en vogue pour sa source chaude de la Courtavaux. C'est pour le moins paradoxal dans ces régions-là.

Aujourd'hui on parle bien plus du Clos de la Maréchale, une terre qui produit un des plus remarquables Nuits-Saint-Georges. Selon certaines traditions, elle appartint jadis à la Maréchale Ney : rien n'est moins sûr. Par contre, on sait qu'avant la Révolution l'endroit présentait une bien mauvaise image : on y pendait malandrins et malfaiteurs. C'était le « Clos des Fourches », autrement dit des « bois de justice ».

Le vin ne se porte pas plus mal de ce parrainage. Très typique, avec la couleur, la charpente et la mâche des Nuits, il n'est pas cependant aussi tanique et aussi mâle que certains. Tout en ayant la même solidité de fond, il est plus souple, plus flatteur, plus parfumé. Dans toute la Côte on constate ainsi ces deux tendances : elles lui donnent une des gammes les plus brillantes et les plus complètes de rouges que nous possédions.

Ils trouvent ainsi place tout au long d'un repas, mais le Clos de la Maréchale conviendra surtout avec des viandes rouges grillées ou rôties, avec des fromages à pâte persillée.

SANTENAY LA COMME
Bourgogne rouge. Santenay. Côte de Beaune. 2ᵉ grand cru.

Le Santenay se boit sans son eau

Même si on l'a parcourue mille fois, la Nationale 6 réserve toujours quelque imprévu.

Par exemple, ma surprise a été grande de découvrir aux abords de Chagny, parmi les écriteaux évoquant les vignobles voisins de Mercurey, Rully, Montrachet et Meursault, un panneau conviant à faire connaissance avec l'EAU de Santenay. Une invite frisant la provocation et ressortissant à l'humour noir, en plein pays du vin !

Force me fut bien de reconnaître qu'elle existait : elle est même la plus lithinée d'Europe. D'ailleurs un casino et des thermes ont fait du bourg une authentique station thermale : Santenay-les-Bains. Comme il n'y a jamais rien de nouveau sous le soleil, on m'a rappelé que déjà au XVIIᵉ siècle on vantait « les effets merveilleux de la fontaine salée, la nymphe de Santenay ».

Il faut bien le reconnaître : l'eau, pas plus que les deux plus vieux platanes de France plantés là, et la très jolie église Saint-Jean dont le porche en bois et les voûtes d'ogive sont remarquables, ne suffiraient à faire la réputation du village. C'est le vin qui a fait Santenay.

Ce Santenay, on l'oublie par trop souvent quand on parle des seconds grands crus de la Côte de Beaune. Pourtant il ne manque pas de qualités et d'originalité. Dans la Côte de Beaune il est de ceux qui vieillissent assez lentement. Vin moelleux, mais gardant tout de même une certaine nervosité, il se révèle léger et convient aux ragoûts et gibiers à plumes. Les Santenay « Gravières » ou « Clos de Tavannes » sont les plus connus certes.

Celui que je veux vous conseiller est un Santenay La Comme. J'ai trouvé en lui finesse, souplesse, fermeté et surtout ce bouquet qui évoque tout à la fois l'amande et la fraise. Un bouquet qui s'épanouit à merveille à partir de six ou sept ans d'âge.

CLOS BLANC DE VOUGEOT
Bourgogne blanc. Vougeot. Côte de Nuits.

Le clos a aussi son blanc

Sans même évoquer la célèbre Confrérie des Chevaliers du Tastevin, on a beaucoup parlé du Clos de Vougeot. Tout a été dit sur ce rouge, le plus fin de la Côte de Nuits. On a raconté mille fois les démêlés des abbayes de Cîteaux et de Saint-Germain-des-Prés s'en disputant la propriété.

On se souvient de Stendhal rapportant le geste du colonel Bissot : en route pour l'Armée du Rhin, il fit rendre les honneurs militaires au Clos. Il est vrai que cet officier était considéré « comme le meilleur buveur et le meilleur mangeur de l'armée française ».

Vous connaissez sans doute aussi la hautaine réponse de dom Goblet (un nom prédestiné), dernier cellérier de l'abbaye, à l'officier d'ordonnance de Bonaparte, retour de Marengo et qui manifestait le désir d'acheter quelques bouteilles : « J'ai du Clos de quarante ans. S'il veut en boire, qu'il vienne lui-même ! »

Ce que l'on oublie trop souvent, c'est l'importance des vins blancs dans l'histoire du Vougeot. Jusqu'au XIXe siècle, le vignoble était composé pour 3/5 de pinot rouge et pour le reste de vigne blanche. Sans doute les rouges de l'époque étaient-ils plus clairs, mais on faisait aussi des blancs vendus très chers. Jusqu'au jour où le banquier Ouvrard, alors propriétaire du domaine, y renonça, préférant corser ses rouges et les rendre plus généreux.

Il n'en demeura pas moins, en bordure du Clos, une parcelle de 84 ouvrées (un peu plus de 2 ha) jadis nommée « Petit Vougeot » qui resta consacrée au blanc. Reconstituée et replantée en ceps de Pinot Chardonnay vers 1925, elle donne aujourd'hui un cru très peu connu : le Clos Blanc de Vougeot.

On dit parfois qu'il se rapproche des Meursault. Sans doute est-il bouqueté, avec beaucoup de charme. Mais pour ma part je lui trouve une souplesse de caractère et un moelleux très particuliers qui en font le digne frère des Clos de Vougeot.

Avec des hors-d'œuvre et des poissons il est à sa place. Sur une table, il est une preuve d'originalité car il est rare.

CHALONNAIS

RULLY
Chalon blanc. Rully. Côte du Chalonnais. 1er cru.

Blanc comme un ange

Il y a tant de restaurateurs qui n'y connaissent rien en vins — ce qui ne les empêche pas d'avoir « le vin du patron » à leur carte — que je m'en voudrais de ne pas signaler ce grand restaurateur que fut Armand Monassier fondateur jadis des « Anges » (un des classiques parisiens) et retiré dans ses vignes d'où il tire un bien bon Rully.

Je m'y attache d'autant plus que c'est un vin pour le moins mal connu. En effet les crus du Chalonnais ne sont en général représentés sur les cartes que par les Mercurey rouges. Fort honorables sans doute, ils font oublier ces blancs de Rully qui ne manquent pas non plus de qualité.

Il y a fort longtemps pourtant qu'on les apprécie. Dès le XVIe siècle, rapportent les archives de la ville, les seigneurs de la région acceptaient la dîme de leurs vassaux sous forme de pièces de vin de Rully.

Après la révolution de 1789 et la dîme étant abolie, ce sont des appréciations fort pertinentes et honnêtes sur la qualité des récoltes qu'on retrouve aux archives. Elles vont du « très mauvais » à l'« excellent ». Belle franchise trop disparue !

Mais comment le situer plus précisément, ce Rully ?

Certains voudraient le rapprocher tout à la fois des Meursault et des Chassagne-Montrachet. Je crois qu'on peut lui accorder une réelle personnalité. Fruité, charpenté, charnu et cependant léger, il sait faire preuve de finesse, même dans les petites années.

C'est un des rares blancs à même d'accompagner tout un repas. Idéal pour les poissons, il se marie parfaitement avec les viandes blanches en sauce et plus particulièrement avec les volailles (un poulet à la crème et aux morilles, par exemple) ce qui n'est pas le cas des Sancerre ou des Muscadet.

Le Rully peut donc être une « solution blanche » au problème si délicat des mélanges « rouge-blanc » pendant un repas.

CHAMPAGNE

BOUZY
Champagne nature rouge. Bouzy.

Celui d'avant dom Pérignon

Les tables parisiennes ont parfois de ces coups de tête étranges : elles s'emballent à nouveau pour le « vin nature de Champagne », autrement dit pour les Champagne non mousseux. Outre l'habileté commerciale de certains, outre les voies mystérieuses du snobisme, il y a là un retour à des origines que beaucoup ignorent. Le Champagne fut longtemps, et avant tout, un vin comme les autres. Un vin qui le disputait surtout aux Bourgogne, comme en témoignent mille anecdotes.

Ainsi dans *L'Art de bien traiter les gens*, un manuel de savoir-vivre et de gastronomie du XVIIᵉ, on pouvait lire à son propos : « Il n'est point au monde une boisson plus noble et plus délicieuse, et c'est maintenant le vin si fort à la mode que, à l'exception de ceux qu'on tire de cette agréable contrée, tous les autres ne passent plus que pour des vinasses »... ce qui paraissait pour le moins un peu dur pour tous les autres.

« Ce vin-là — c'est du Champagne qu'il s'agit et de lui seul — ne donne ni douleurs d'entrailles, ni dérangements d'estomac, ni de torpeur des sens, ni de migraine, ni d'ardeur à la gorge. Prenez-en le soir et vous pourrez, le lendemain, frais et dispos, vaquer à vos occupations », affirme un de ses zélés avocats au milieu du XVIIᵉ.

« Le vin de Champagne dont la pointe se fait sentir à l'estomac est brusquement précipité et, s'échappant tout seul sans être adouci par son séjour dans le ventricule et par son mélange avec d'autres éléments, va bientôt inquiéter les parties nerveuses par les pointes de son tartre et en aigrir le sang, ce qui n'arrive pas au vin de Bourgogne », rétorque bien plus tard dans son charabia épique Fagon, médecin de Louis XIV. Sans doute pour contrarier son prédécesseur auprès du royal patient, qui, bien au contraire, lui recommandait le Champagne !

Heureusement dom Pérignon et sa mousse sont venus mettre tout le monde d'accord.

Reste que pour les « vins nature de Champagne », plus que jamais il est bon de savoir faire son choix. Certes, les productions sont limitées, mais trop souvent elles couvrent des vins ou des années trop pauvres pour être champagnisées.

Le Bouzy rouge, parmi eux, tient la vogue actuellement : j'en ai retenu un, fin, parfumé, qui n'est pas sans garder en son fond un léger goût de pêche ; puissant, chaleureux et bouqueté, il tient la bouteille encore qu'il doive voyager avec prudence. Il naît de trois vignerons modestes dont on doit espérer que le succès ne les grisera pas. Il n'y aura point de querelle à son endroit.

HEIDSIECK
Champagne.

Ces Champagne font perdre la tête

En France, rien n'est jamais très simple quand il s'agit de vins. « Comment s'y reconnaître, par exemple, en matière d'étiquettes de Champagne. Optant sur un vague souvenir pour un Heidsieck, ne vient-on pas de m'en proposer trois, sans doute différents, sous des noms presque semblables : Charles Heidsieck, Heidsieck & Co Monopole, Piper Heidsieck. Ces étiquettes cachent-elles le même cru, des sous-marques ou des frères ennemis ? »

En vérité, il y a sous ces appellations des produits bien différents, chacun avec son caractère, élaborés par des sociétés indépendantes nées de rivalités familiales : mais on peut aussi y trouver l'aventure complexe d'une dynastie brillante dont le fondateur fut le fils d'un modeste pasteur luthérien de Westphalie, venu se marier à Reims en 1785 avant de s'y installer dans les « vins et tissus ». Il se nommait Florenz Louis Heidsieck, lequel patronyme se retrouve d'ailleurs, pour simplifier les choses, sur les bouteilles d'une cuvée spéciale lancée par Piper Heidsieck !

Pour en revenir aux Champagne de la famille, selon mon goût, voici mes préférences, compte tenu qu'ils sont tous d'une qualité au-dessus de la moyenne.

Heidsieck & Co Monopole représente la maison la plus ancienne dont un des directeurs prit la peine, en 1811, d'aller présenter quelques échantillons à la foire de Nijni-Novgorod, du côté de Moscou : il fallait de la persévérance. Aujourd'hui, les meilleurs clients semblent être plus voisins : Allemands, Suisses et Britanniques. Ils aiment ce Champagne flou, assez indéfinissable, d'un tempérament un peu alcoolique, aimable à boire, assez corsé mais malheureusement parfois irrégulier.

D'une classe supérieure, le Charles Heidsieck nous propose de bien jolies bouteilles. Sa souplesse, sa finesse en font un séducteur, plaisant pour les femmes. Si la firme n'a été fondée qu'en 1851 — soit soixante-six ans après la précédente — elle n'en compta pas moins elle aussi un personnage curieux, Charles-Camille Heidsieck, qui n'hésitait pas à parcourir l'Amérique en pleine guerre de Sécession pour vendre son Champagne.

Venons-en enfin au Piper Heidsieck, mon préféré. Fruité, vineux, avec un goût très prononcé de raisin, coulant, plus mâle et cependant facile à boire, je le crois le meilleur des trois et apte à vieillir en beauté. Il est sans doute le plus célèbre aux Etats-Unis, d'où lui vient son nom. Au XIXᵉ, les Américains avaient pris l'habitude de demander du « Piper's Heidsieck », c'est-à-dire du « Heidsieck de Piper », ce monsieur Piper ayant épousé une dame Heidsieck, et vendant le Champagne de sa femme sous son nom. Le succès venant, le bon sens commercial maria aussi les deux sur les étiquettes.

153

RICEYS
Champagne nature rosé. Riceys.

Le rare rosé des Riceys

Hormis les Champagne tels que nous les connaissons, on fait grand bruit autour des vins naturels provenant de la même région, comme les Bouzy, Ambonnay et autres dont je vous ai déjà entretenus. La réputation de ces rouges fait trop oublier un délicieux rosé, que les connaisseurs se disputent en ayant bien soin de n'en jamais révéler l'origine. Il s'agit du Riceys.

Il vient de la commune du même nom qui groupe trois ravissants villages à la limite de la Champagne et de la Bourgogne. Les amateurs d'architecture Renaissance, quand ils passent à proximité, n'hésitent pas à quitter la route Paris-Dijon par Troyes pour aller admirer leurs trois églises, fort intéressantes. Assez curieusement, ce vin partage son appellation avec un fromage local, le « Riceys cendré ». C'est logique, puisque les cendres de sarments de vignes habillent d'une enveloppe grise ce fromage maigre de vache.

On commence à parler du cru de Riceys dès le XIVe siècle parmi les vins « français » emmagasinés pour la « pourvanche » des ducs de Bourgogne ; mais il s'agissait alors d'un blanc. On pense même que les meilleures parties du vignoble appartenaient dès le XIIe à l'abbaye de Molesmes.

Mais s'il fut connu il ne fut pas célèbre. Au XVIIIe la dispute qui opposa Bourgogne et Champagne à son sujet ne dépassa pas les limites d'une querelle de clocher.

Et pourtant ce vin, issu de Pinot noir, suffirait à faire oublier la mauvaise réputation des rosés. Sec et généreux, il a bien plus de caractère que les rouges de Champagne. Avec son léger goût de pierre à fusil, il donne bien des satisfactions et sa fraîcheur, son fruité doivent lui offrir une place dans une cave où l'on aime les vins francs, originaux et sympathiques.

Mais attention ! Il faut retenir à l'avance ses bouteilles de Riceys et les attendre parfois toute une saison, car il demeure rare.

154

SALON-CRÉMANT
Champagne.

Un Champagne de style, le Salon

J'apprécie, à l'occasion, quelques-uns de ces excellents Champagne que des productions limitées maintiennent plus ou moins confidentiels. On m'a ainsi proposé un *Salon* Brut et je ne saurais à mon tour que vous le conseiller.

Cette marque est née de la gourmandise d'un homme riche — il faisait dans la fourrure et les peaux — un rien orgueilleux, que sa passion pour le Champagne amena à posséder son propre cru. Avec beaucoup de lucidité, il acheta des vignes dans la commune de Mesnil, dont on sait qu'elles donnent d'excellentes cuvées, et il sut trouver les hommes qu'il fallait.

Tout en se régalant, il régalait aussi ses amis jusqu'au jour où l'homme d'affaires reprit le dessus : les amis auraient fini par le ruiner et il se décida à leur vendre ce Champagne qu'ils prisaient tant. Ce Brut brillant, bien bâti, un rien fruité, doué d'un caractère séduisant, devint ainsi le favori de la société parisienne : Maxim's fut même un des premiers à le découvrir, dans l'avant-guerre.

Il faut reconnaître qu'il a su se maintenir à travers le temps. On persiste à n'y faire toujours que des années millésimées, ce qui assure d'une belle continuité.

Plus simple, par contre, mais combien aimable, facile à boire, m'est apparu le Crémant Blanc de Besserat de Bellefon. Petit à petit il est en train de se préparer une large place sur nos tables. C'est un Champagne, mais avec un rien de moins moussant que les autres. Comme on le dit là-bas : il « crème ». Et cette légèreté se révèle son principal argument pour le choisir comme le vin de tout un repas. Sa fraîcheur est celle des Champagne nature, avec ce que cela comporte d'élégance. Le résultat est assez réussi pour que j'ose dire que l'on a là le « Beaujolais » des Champagne : mais attention, que l'on ne s'y méprenne pas, il s'agit d'un très bon « Beaujolais ». Pour ma part, c'est un beau compliment.

CÔTES DU RHÔNE

CÔTE-RÔTIE
Côtes du Rhône rouge. Ampuis.

Une côte qui se descend bien

Je ne manque jamais de m'étonner de certaines habitudes. Une bonne éducation m'a persuadé une fois pour toutes que les gibiers s'accommodaient fort bien de Vosne-Romanée ou de Pommard, et les viandes rôties de Saint-Emilion ou de Pomerol. Sorti de là, on ne m'avait fait entrevoir que fantaisies hérétiques.

En un début de saison de chasse, il aura fallu un modeste lapin de garenne pour me faire redécouvrir le vin de Côte-Rôtie. Si vous avez déjà suivi la rive droite du Rhône, entre Lyon et Avignon, vous avez certainement remarqué les vignobles étroits, entassés sur de minuscules terrasses de pierraille, qui apparaissent en face de Vienne. Les premiers sont alentour du village d'Ampuis.

Apportés ici il y a quelque treize siècles par des Grecs, les cépages rouges de Syra ont réussi à faire souche. Une chaleur sèche en été, une certaine douceur en automne, un sol caillouteux, qui garde le soleil toute la nuit, font un vin corsé, coloré, chaleureux, vieillissant bien : le Côte-Rôtie.

Malgré la surface restreinte du vignoble, on a fait longtemps une distinction entre côte rôtie, « côte brune » et « côte blonde ».

Les terrains de côte brune contenaient moins de chaux que ceux de côte blonde. On accordait donc aux premiers des vins ayant plus de race. La différence est tellement infime que plusieurs producteurs ont décidé d'unifier ces deux Côtes.

J'ai trouvé au Côte-Rôtie une belle finesse, une élégance de bouquet, une sève et une onctuosité qui m'ont surpris. J'y ai même deviné ce goût de violette que je croyais jusqu'ici réservé au blanc voisin de Château-Grillet.

Si l'on voulait faire une comparaison, on évoquerait une Côte de Nuits. Donc n'hésitez pas à l'essayer pour les viandes rôties, en sauce, et les gibiers à poil. Mon « 1979 » titrait fort et pourtant il m'a prouvé que ces Côtes du Rhône — car le Côte-Rôtie en est un — ne sont pas obligatoirement des vins lourds.

LIRAC
Côtes du Rhône rosé. Gard.

Le rival du Tavel

Je ne crois pas tellement aux plats folkloriques dont on retrouve les recettes dans les vieux bouquins consacrés à la cuisine. Trop souvent notre goût a tellement évolué que nous n'y avons plus aucun plaisir.

J'avais donc quelques doutes lorsque des amis habitant dans l'Ardèche crurent bon de me transformer en cobaye avec une recette de poissons dénichée dans les archives de Saint-Martin-d'Ardèche, dans la région de Pont-Saint-Esprit. Il s'agissait, m'apprirent-ils, d'une matelote des pêcheurs qui aurait fait jadis la réputation de ce village. La préparation en est simple : au fond, un lit de truites, puis une couche de pain, ensuite un lit d'anguilles, une couche de pain, une couche de barbeaux, puis successivement et alternativement, lits de pain et de poissons blancs, l'essentiel de l'assaisonnement étant représenté par de la sarriette et de l'eau-de-vie.

La chose était solidement reconstituante et, je dois l'avouer, savoureusement rustique. Elle le devait à la fraîcheur et à la variété des poissons mais aussi au vin de Lirac qui en assurait le fond : Lirac rouge (corsé et puissant, assez rare) ; le Lirac rosé l'accompagnant.

On sait trop ma méfiance à l'égard des rosés pour ne pas relever la qualité assez surprenante de ce rival mal aimé du Tavel. Ce cru se trouve actuellement en plein progrès. Il possède des caractéristiques proches de celles du Tavel. Vif et brillant, avec du fruité, un infime goût poivré, sec, il a plus de souplesse et n'accuse pas le charnu et le capiteux de son voisin célèbre. Cela peut d'ailleurs le lui faire préférer quand on penche vers les vins moins chargés. Mais voici au moins un aimable vin de vacances.

DOMAINE DE MONT-REDON
Côtes du Rhône rouge. Châteauneuf-du-Pape.

Le vin des papes

Sa Sainteté le pape Urbain X eut à faire face à de délicats problèmes lorsqu'il voulut transporter le siège de la papauté d'Avignon à Rome. Mais l'un d'eux — et non le moindre — tenait à la gourmandise des cardinaux.

Comme le souverain pontife s'en ouvrait au poète Pétrarque, celui-ci lui répondit : « ... Les princes de l'Eglise estiment le vin de Provence et savent que les vins de France sont plus rares au Vatican que l'eau bénite... » Sans doute pensait-il plus particulièrement au Châteauneuf-du-Pape, où la cour d'Avignon possédait justement un domaine.

Avec de pareilles références, on s'explique la réputation des crus de Châteauneuf : il ne faut cependant pas y voir leur acte de naissance. Si la vigne romaine a colonisé l'Europe, il est certain qu'elle le fit en passant par la vallée du Rhône. Les cépages les plus divers s'accommodèrent fort bien — tout comme aujourd'hui — du sol rocailleux de Châteauneuf, où galets, pierres et silex emmagasinent la chaleur du soleil pour la rendre à la vigne dès la nuit tombée. Cette surmaturation fait la richesse d'un vin qui est de nos jours le seul à s'interdire toute adjonction de sucre ou d'alcool.

Ce vin de soleil n'en a d'ailleurs pas besoin. Sa puissance même, son tempérament corsé et capiteux sont tels qu'il serait plutôt difficile à supporter. Les viticulteurs l'ont bien compris : depuis quelques années ils s'emploient à le rendre plus léger sans lui faire perdre sa finesse, son bouquet, sa chaleur et son ampleur. Il est certaines réussites : le Domaine de Mont-Redon en est une.

Ne titrant que 13°5 mais cependant bien enveloppé, il évoque un peu les Bourgogne en gardant sa personnalité de Châteauneuf. Le dosage de ses treize cépages me paraît réussi. Fait pour accompagner les mets relevés et les viandes rouges, il est très bien avec les fromages forts.

Et ceux que j'ai goûtés le prouvent : c'est un vin sachant admirablement vieillir.

CHÂTEAU-RASPAIL
Côtes du Rhône rouge. Gigondas.

A boire à la santé du Diadumène

Trouver le nom d'un homme politique célèbre sur l'étiquette d'un bon cru n'est pas chose courante : quand il s'agit de Raspail on ne peut se garder d'une certaine méfiance. Il était d'abord chimiste et la chimie, cela peut mener loin !

En fait, ce Château-Raspail doit sa dénomination au neveu du savant. Les conseils du tonton durent être bons puisque le vin demeure encore un des meilleurs parmi les Gigondas. Mais il faut noter encore que ce vignoble doit aussi beaucoup à Polyclète le sculpteur grec.

Eugène Raspail — le vigneron —, après avoir tâté de la politique avec son oncle, choisit en définitive l'archéologie comme violon d'Ingres. Vers 1860, il avait découvert près de l'amphithéâtre de Vaison-la-Romaine une statue remarquable, réplique rare du Diadumène (éphèbe) de Polyclète. L'invasion phylloxérique l'ayant amené au bord de la faillite, il se résigna à vendre son Diadumène. Une première proposition au Louvre fut refusée, selon une habitude chère à nos conservateurs qui ont le don de rater les occasions. Par contre, le British Museum fit en 1870 une offre de 25 000 F de l'époque. C'était peu — environ le quart de la valeur de cette statue considérée comme la plus belle jamais trouvée en France — mais suffisant pour repeupler les quelque 80 hectares du domaine. Gigondas était sauvé !

Si je vous ai parlé de ce Côtes du Rhône, c'est qu'il se trouve être actuellement très à la mode comme tous les autres Gigondas. Son caractère très corsé lui permet d'être à l'aise avec les gibiers.

Il faut reconnaître qu'il n'est pas un vin de dames. Sa richesse alcoolique le porte en général entre 12°5 et 14°5. On ne s'étonne pas alors de lui trouver du corps, de la chaleur et du bouquet qu'il doit à des sols divers et riches. On dit avec raison que ce vin est complet, car son terroir lui accorde une finesse et une subtilité bien faites pour séduire les amateurs de crus authentiques et puissants. Une récente suppression des cépages de Carignan lui assure à présent une souplesse propre à l'améliorer encore.

SAINT-PÉRAY
Côtes du Rhône blanc. Saint-Péray.

L'or du Rhône pour Wagner

Je veux faire un chant triomphal
Pour le vin qui met dans nos veines
La gloire du pays natal
Des blanches Alpes aux Cévennes.
Pour celui qui fait plus brillants
Les yeux des filles de Valence,
Levons nos verres pétillants,
Buvons au roi des vins de France.

Sur la fin du siècle dernier, le président Félix Faure, la duchesse d'Uzès, Jules Claretie et toute la Comédie-Française au grand complet avalèrent sans broncher ce couplet mirlitonesque suivi d'une dizaine d'autres du même tonneau. Il y avait là de quoi faire frémir le brave Emile Augier dont on inaugurait ce jour-là la statue à Valence. Le talent de bonne compagnie de l'auteur du *Gendre de M. Poirier* méritait mieux.

Pourtant on affirme que tous ces braves gens supportèrent avec stoïcisme le rimailleur et honorèrent grandement le vin responsable de telles envolées. Sans rancune aucune, ils se grisèrent de Saint-Péray.

Sur le livre d'or du propriétaire du cru, Félix Faure apposa sa signature après celle de Wagner. Vingt ans avant, alors qu'il terminait *Parsifal* à Bayreuth, le grand musicien avait demandé qu'on lui envoie « cent bouteilles de cet excellent Saint-Péray ». Sa lettre est conservée dans le musée voisin de Tournon.

Un peu plus tard, Paul Bourget, à son tour, s'enchantait d'un compliment de Barbey d'Aurevilly : « Il m'a déclaré : vous êtes le Saint-Péray de mes amis. »

Sans doute s'agissait-il pour la plupart de ces amateurs du Saint-Péray mousseux dont on sait qu'il se place immédiatement derrière les Champagne. Pourtant, j'ose espérer que les uns et les autres avaient aussi goûté le Saint-Péray nature, un des rares vins blancs des Côtes du Rhône.

Il faut lui accorder bien plus qu'un simple succès de curiosité. D'une belle couleur jaune paille, il porte en lui le grand soleil de sa terre natale. Chaud, il ne manque pas pour autant de finesse et de nervosité. Son arôme très caractéristique de violette se marie parfois à un léger parfum de noisette. Solide et bien bâti, comme savent l'être les vins de là-bas, il voyage bien.

Dans l'ordonnance d'un repas, le Saint-Péray se trouvera bien d'accompagner des poissons en sauce : mais je vous le conseille aussi en apéritif, encore que sa richesse exige alors qu'il soit suivi d'un vin puissant comme le Châteauneuf-du-Pape. En fait, il convient aux tables des francs buveurs.

TAVEL
Côtes du Rhône rosé. Tavel.

Le roi des rosés

La cochenille a bien mérité de certains vignerons. Grâce à elle, bon nombre d'entre eux ont transformé en « gentils petits rosés » des vins qui n'auraient jamais franchi les limites de leur canton d'origine. En effet, ce petit insecte, au demeurant bien calme et peu nuisible, après avoir été passé au four sur des plaques brûlantes, puis ensuite desséché, devient ce que les cuisiniers et les pâtissiers appellent le carmin.

Merveilleux colorant, cette substance est bien vite passée des cuisines à certaines caves. Mais hélas, en multipliant les rosés, elle leur faisait une bien mauvaise réputation. Non qu'elle leur donne une saveur particulière puisqu'elle est absolument inodore et justement sans aucun goût. Pour rassurer tout le monde, ajoutons qu'elle est aussi non toxique. Seulement voilà, elle couvre n'importe quelle bibine.

Pourtant les vrais rosés, sans carmin ou autres colorants, existent. Je sais bien qu'il est un certain snobisme de connaisseurs et d'esthètes qui nient que les vins rosés soient de vrais vins. Loin de moi la pensée de vouloir entamer une polémique. Mais, à tous ceux qui considèrent les rosés comme petit divertissement de vacances ou de fin de mois, je voudrais simplement proposer le Tavel.

Sa réputation ne date pas d'hier, même si son appellation est relativement récente. Déjà, au XVIIIe siècle, plus de 10 000 pièces des vignobles de Lirac et de Tavel étaient expédiées vers la Hollande et l'Angleterre.

Corsé et bouqueté, il avoue sa filiation de Côtes du Rhône. Titrant de 11 à 18°, il possède une générosité qui est celle du soleil. Sables, grès et pierrailles sur lesquels poussent les vignobles lui donnent comme un goût de roche, très caractéristique. Pour être charmant il n'en est pas moins puissant. Comme s'il voulait multiplier sa séduction, il se boit frais en entrée et sa personnalité lui permet d'être légèrement chambré pour accompagner les viandes blanches. Voilà qui nous amène bien loin des rosés habituels.

Avouons que les prix aussi sont différents. Mais comme il sait vieillir, pourquoi ne pas en prévoir quelques bouteilles dans votre cave ?

DORDOGNE

CHÂTEAU DE MONBAZILLAC
Monbazillac blanc. Dordogne.

Un rival pour les Sauternes

Je n'apprécie pas en général le trucage consistant à faire d'un melon ce qu'il n'est pas, grâce à une rasade de porto. En revanche je ne refuse jamais un verre de porto pour l'accompagner. A tous deux, ils font un excellent apéritif bien plus qu'un hors-d'œuvre.

J'ai connu un restaurateur qui, en place de ce porto qu'il n'avait pas ou ne voulait pas avoir — il était chauvin —, persuadait ses clients de prendre un Monbazillac avec leur « Cavaillon ». Je ne saurais trop vous conseiller d'en faire autant.

Quels vins doux sont en effet capables de donner autant de bouquet, de sève, de limpidité et de finesse que le Monbazillac ? Les Muscat de Frontignan ? Ils sont bien plus liquoreux et moins élégants. Les Sauternes ? Certes, ils écrasent les Monbazillac, puisqu'ils sont les plus grands vins blancs doux. Mais c'est justement au Monbazillac qu'ils le doivent.

Le principe de vendange tardive, opérée quand le raisin a atteint le stade très avancé dit « pourriture noble », était en effet déjà connu sous la Renaissance dans la région de Bergerac. Elle apparut en Sauternais sous le Second Empire seulement. Cet emprunt fut d'ailleurs l'occasion d'une querelle vinicole de plus entre les deux provinces. Au temps où les vins voyageaient surtout par voie d'eau, les Bordelais, qui craignaient la concurrence, avaient tout fait pour empêcher ceux de Bergerac de descendre la Dordogne. Et quand ils y furent contraints ils se vengèrent en les écrasant de taxes.

A propos de taxes, il est curieux de constater que les gens de Bergerac doivent leurs meilleures vignes, celles de Monbazillac, aux tracasseries fiscales du XVIe siècle. Par une de ces fantaisies dont les ronds-de-cuir ont le secret, les vignobles plantés sur la rive droite de la Dordogne payaient beaucoup plus d'impôts que ceux existant sur la rive gauche. Ce qui aboutit à un transfert et à une amélioration imprévue des vins, les nouveaux terroirs s'étant révélés plus riches et convenant mieux aux plants.

Le Monbazillac est un vin liquoreux titrant entre 15° et 18°, d'un beau doré, tournant à l'ambre dans les grandes années, avec un bouquet très développé où on relève un goût de musc, discret certes, mais suffisant pour le différencier principalement du Sauternes. Onctueux, parfumé, franc de goût, il se boit à trois ou quatre ans d'âge ; très vieux, à quinze ou vingt ans, il devient exceptionnel.

Sa vocation : desserts, foie gras et, bien sûr, melon avec lequel il est parfait.

JURA

L'honnête Jean-Jacques en a volé

De la table des empereurs de Rome aux caves de nos dernières cours européennes, nos vins du Jura demeurent sans doute les seuls à pouvoir faire état d'aussi royales références. A travers les siècles on les trouve régulièrement dans les banquets de couronnement : Charles Quint, Henri IV, Nicolas II et jusqu'à la reine Juliana.

Cet engouement relève certes de la gourmandise. Mais bien souvent il reflète aussi des pensées ou des manœuvres politiques. On sait combien la Franche-Comté fut l'objet de convoitises entre les souverains de France, d'Espagne et de Bourgogne. Les uns et les autres n'ignoraient pas que le loyalisme des villes passait par les bourgeois. En favorisant leur commerce — et pour les Francs-Comtois, en l'occurrence, celui du vin — on pouvait s'appuyer sur eux, ou s'assurer au moins des bonnes dispositions de leur maître de l'instant.

L'introduction à la cour de France des vins du Jura par Philippe le Bel n'eut ainsi d'autre raison. Un de ses vœux secrets était de réunir à sa couronne la Bourgogne sur laquelle régnait alors le comte palatin Othon IV. Un mariage fut alors envisagé entre un des fils de Philippe et une fille d'Othon, Jeanne de Bourgogne. Pour confirmer sa bonne foi, et comme un gage supplémentaire, Philippe le Bel décida d'acheter régulièrement d'énormes quantités de vins d'Arbois.

Si le mariage se fit, Philippe le Bel ne réussit tout de même pas dans son dessein. L'héritage, plus tard, ne revint pas aux rois de France, mais aux ducs de Bourgogne ! Lesquels s'empressèrent, attentifs et méfiants, de favoriser à leur tour les vins du Jura en les mettant au même plan que ceux de Beaune.

Jusqu'à la fin du XVIIᵉ on pourrait ainsi suivre l'histoire du vin du Jura à travers notre petite histoire, de privilèges en privilèges. Il n'est jusqu'à nos grands écrivains qui ne se passionnèrent pour lui.

Passons sur le souvenir de Rabelais, qui le fit aimer à Pantagruel, et rappelons que Jean-Jacques Rousseau fut chassé de son emploi pour en avoir volé quelques bouteilles. Jean-Jacques, qui l'eût cru ? On imagine ce qu'aurait pu écrire Voltaire, son vieil ennemi, lui-même amateur de Jura, s'il l'avait su.

De nos jours, il passionne moins. Pourtant je vois plus d'une raison de lui laisser une place, à part bien sûr, dans une cave d'esthète. Qu'y choisir, le très rare Château-Chalon, un Arbois ou encore un Etoile ? Soyons modeste et arrêtons-nous sur ce dernier.

Il n'existe qu'en blanc ; sec, délicat, élégant, distingué, au goût de terroir. Prenons le classique, non mousseux, en laissant son Vin Jaune et son Vin de Paille, tous deux encore plus insolites. Son originalité est indéniable et il donne du caractère aux poissons et aux coquillages.

MÂCONNAIS

POUILLY-FUISSÉ
Mâcon blanc. Pouilly. Solutré.

Le Pouilly de Vercingétorix

Les historiens, les préhistoriens, les alpinistes et le président Mitterrand connaissent la Roche de Solutré, en Mâconnais. Sur le plus haut de cette masse rocheuse dominant de cent mètres ses alentours, les druides, soutient-on, dédiaient des sacrifices aux dieux du Feu. Il paraît même que Vercingétorix utilisa ces brasiers pour appeler les tribus gauloises à la résistance et à l'union : sans doute le temps n'était-il pas clair, si l'on juge du résultat qu'il obtint.

Pour leur part, les préhistoriens s'en donnent là à cœur joie. Au pied de la Roche, en un lieu dit le Cras du Charnier, se situe un fantastique gisement d'os de rennes, de chevaux et surtout quantité de silex attestant des foyers vieux de cent mille ans. Pour les ossements, on avance une explication fort controversée : acculés au sommet de la Roche par les battues ou les incendies volontaires des chasseurs, gibiers et chevaux sauvages étaient précipités du bord de la falaise. Il ne restait plus, en bas, qu'à les dépecer. Pour certains experts, les faits démentent cette hypothèse. On n'aurait trouvé que des os de membres et jamais de squelettes entiers : l'endroit ne serait en fait qu'une immense décharge publique de l'époque... Alors on fouille.

En revanche, les amateurs de vins semblent ignorer jusqu'au nom de l'endroit : pourtant, la Roche domine de beaux vignobles dont le vin porte l'appellation d'un hameau de la commune de Solutré, *Pouilly*, accolé du nom d'une commune voisine, *Fuissé*.

Les vignes de Solutré ne manquent pas de caractère : tout au plus peut-on reconnaître à leur produit un rien d'alcool en plus qu'à celui de Pouilly. Pour le reste, on y relève les mêmes caractères.

La couleur dorée où se jouent des reflets de verts si vifs qu'ils évoquent l'émeraude ; ce caractère de vin blanc sec, vigoureux, assez nerveux, généreux et puissant, capable cependant de s'envelopper, de prendre du moelleux ; sans doute son talent capiteux ne le rend-il pas supportable à tous, mais son bouquet exquis, tout en nuances, où se fondent des parfums de noisette et de fruits le fait séducteur.

Parfois vert dans sa première année, il gagne tout à vieillir : il s'arrondit alors et, dans les bonnes années, il aboutit à une extrême délicatesse de goût. Encore que les avis ressortent partagés sur le problème, je pense qu'il faut plutôt le boire entre cinq et huit ans d'âge, sa plus belle époque. Décidément le vin de Solutré mérite bien d'être un Pouilly-Fuissé.

Il convient bien aux vacances, avec leur cortège de poissons et de coquillages.

POUILLY-LOCHÉ
Mâcon blanc. Pouilly-Loché.

L'autre Pouilly a ses mérites

Vous cherchez un autre vin blanc pour accompagner huîtres et fruits de mer ? Essayez donc le Pouilly-Loché. C'est un mal connu. Sans doute à cause de son trop illustre voisin, le Pouilly-Fuissé.

Pourtant, il devrait bénéficier de la vogue que Paris accorde aux crus mâconnais depuis l'astucieux coup de publicité d'un vigneron de la région à la cour de Louis XIV. A cette époque, un nommé Claude Brosse fit, en effet, le trajet de Mâcon à Versailles en trente-trois jours, roulé par un char à bœufs et juché sur deux barriques de son vin. Avec la naïveté des gens simples, il espérait bien le faire goûter au roi.

Refoulé d'abord par tous les officiers de bouche, il réussit néanmoins en son projet. Le Roi-Soleil, ayant remarqué sa taille gigantesque dans la chapelle royale, le fit mander pour savoir le pourquoi de sa présence. Comme le souverain était bien élevé et un peu démagogue, il acquiesça à la requête du brave homme et voulut bien reconnaître que son vin était supérieur à ceux de Suresnes et de Beaugency. Les courtisans s'empressèrent de suivre. La fortune des Pouilly et des Mâcon était faite. Sauf pour le Pouilly-Loché, qui a cependant bien des mérites.

Sa robe est agréable, d'un beau vert doré. Le cépage Chardonnay lui donne un caractère sec, fruité et simplement bouqueté. Dans sa première année il est moins vert qu'un Pouilly-Fuissé, ce qui est plutôt un avantage quand il s'agit d'accompagner les huîtres. Généreux, puissant, il ne manque pas cependant de souplesse et, à deux ou trois ans d'âge, il s'enrichit d'un léger goût de noisette, discret et séduisant.

Parce qu'il n'est pas trop typé, il autorise, à sa suite, des vins modestes : ce n'est pas le cas du Pouilly-Fuissé qui impose derrière lui des vins riches.

PROVENCE

Ce Bellet n'a rien d'un bellâtre

Le maréchal de Catinat, un des plus habiles capitaines de Louis XIV, fut un temps gouverneur de Nice. Sa table en était alors réputée une des plus honorables. Pour le vin, il se contentait d'un produit local, peu répandu, le Bellet, qui avait le triple avantage d'être en général ignoré de ses hôtes, de ne pas lui coûter cher et de flatter ses administrés vignerons. Comme ce cru se laissait boire agréablement, on comprend que notre homme ait été digne du surnom de « Père la pensée » dont l'avaient gratifié ses soldats.

De nos jours, qu'il soit rouge ou blanc, le Bellet n'est guère plus connu qu'alors. Son vignoble, perché sur une colline de Nice, joliment située en surplomb au-dessus de la vallée du Var, ne couvre en tout que 70 hectares et sa production totale atteint péniblement 700 à 800 hectolitres dans les années fastes. Encore une grande partie en est-elle réservée à la consommation particulière des propriétaires.

Il n'en demeure pas moins qu'il s'agit d'une appellation contrôlée, une des quatre « grandes » de ce Sud de notre pays, avec les Cassis, Bandol, et Palette.

De son ancienneté on sait peu de chose sinon qu'il y a bien des chances pour que les premiers plants aient été amenés par les Romains. Rien n'est moins sûr, cependant ; témoin l'histoire des chais actuels. Les caves sont certes d'une incontestable origine romaine, mais une toute récente étude de leur revêtement fait apparaître une similitude étonnante avec celui des piscines également romaines de la colline de Cimiez, toute voisine. Ce qui tendrait à prouver que les actuelles caves à vin n'étaient alors que des citernes... à eau. Sic transit...

Le rouge est bien bâti, titrant jusqu'à 12°, d'un beau rubis, fruité, léger, fin et facile à boire malgré une richesse certaine. Sans doute le doit-il à son honnêteté : avec lui on ne risque pas le coup d'assommoir. Son goût est très particulier — un rien de résine, un rien d'amertume — et on s'étonnera de ne pas lui trouver un air méridional. C'est là peut-être sa plus grande originalité.

Le blanc fait preuve de la même personnalité. Rien à voir avec les Cassis, par exemple : plus parfumé, plus corsé, plus sec, il a été tout à la fois rapproché des Chablis et des Meursault par un collège d'experts. Pour un vin du Midi, c'est inattendu.

Pour la qualité, il faut préférer celui qui est dit « Château-Crémat » : les raisins viennent tous de la même propriété. Ce n'est pas le cas des autres vins, vendus d'ailleurs par le même négociant : il les fait avec des assemblages moins heureux. Un dernier mot sur les prix : ils me paraissent un peu élevés. Mais c'est une fantaisie de bon goût.

CHÂTEAU-MINUTY
Côtes de Provence rosé. Gassin.

Enfin un vrai « Saint-Trop »

J'ai rarement rencontré un viticulteur aussi amoureux de son métier que M. Matton Farnet, propriétaire d'un domaine à Gassin. Hé oui ! à deux pas de Saint-Tropez, royaume du bluff et du faux-semblant. Qui plus est, il produit un rosé : vous connaissez mon opinion sur les rosés des Côtes de Provence. J'en ai bu trop de médiocres pour ne pas ressentir une première méfiance quand on m'en présente un. D'autant que leurs bouteilles aux formes torturées m'horripilent par leurs fantaisies inutiles.

Je ne les poursuis pas pour autant d'une haine systématique et je suis prêt à reconnaître les qualités de ceux qui sont dignes d'une appellation parfois mal connue. En effet, il ne faut pas oublier que les Côtes de Provence ne sont jamais classés que dans la catégorie des VDQS (vins délimités de qualité supérieure), c'est-à-dire comme les Corbières par exemple. Il ne faut donc pas en attendre autre chose que le plaisir d'un vin simple, accompagnant un repas sans façon lui aussi.

Le développement de la Côte d'Azur les a tout à la fois favorisés et desservis. Vins du pays, ils se devaient de prendre une place de choix sur les tables des estivants. Mais ce succès a entraîné deux conséquences graves : d'une part, les restaurateurs ont pris la marge maximale sur chaque bouteille, d'autre part certains producteurs ont eu vite fait, pressés par la demande, de fabriquer des vins indignes de ce terroir.

Enfin, cet engouement du rosé a fait oublier les rouges et les blancs donnés par ces mêmes vignes et dont il faudra bien tout de même découvrir un jour les qualités. Ce rosé du Château-Minuty, qui pousse dans un vignoble agréable dont on n'imagine pas la beauté sauvage à proximité des foules de Saint-Tropez, possède de rares qualités de fruité, de finesse et, comme on dit, de « longueur », surtout dans la cuvée du Clos de l'Oratoire.

Il s'agit du *nec plus ultra* du domaine à partir de ceps plantés autour d'une chapelle construite par les anciens propriétaires, dont les terres allaient d'un seul tenant jusqu'à Cavalaire, au début du siècle.

De ce même clos, je vous recommanderai surtout le blanc de blancs, un peu vert, agaçant sur la langue, plein de fruit, et le rouge, vrai vin si j'ose dire, un rien râpeux, rustique et élégant comme un gentilhomme paysan.

D'ailleurs, parlant de gentilhomme paysan, il faut visiter la cave en compagnie de M. Matton Farnet, jadis destiné à la basoche. Il vous étonnera par le talent avec lequel il parle de son vin, de sa recherche quotidienne pour lui faire retrouver dans le monde d'aujourd'hui sa qualité d'hier.

CHÂTEAU-VIGNELAURE
Coteaux d'Aix-en-Provence rouge.

Un bordelais en Provence

Etonnante aventure que celle de ce vin... étonnant personnage que celui qui l'a inventé. On en parlera longtemps dans les annales. Georges Brunet, longtemps propriétaire du Château la Lagune (troisième grand cru bordelais) à qui il avait rendu toute sa qualité, décide un jour de passer côté Méditerranée.

Dans sa région d'Aix-en-Provence, il découvre un domaine abandonné. Il replante les vignes, songeant même à des haies pour que les oiseaux, grands mangeurs de pucerons, chenilles et autres, puissent nicher, et il n'oublie même pas des massifs de rosiers, pour faire joli, en toute simplicité. Il restaure aussi la bastide, en faisant une très ravissante demeure. C'était dans les années 50-60. Puis il attendit que les cépages, bordelais, qu'il tentait d'acclimater, donnent raison à sa théorie qui veut que l'on peut marier cépages bordelais et cépages provençaux et méditerranéens.

Dès le premier millésime, ce fut la surprise et la réussite : ce rouge avait de la couleur, du fruit et du terroir. Sa richesse en tanin lui assure une longue garde. Oserais-je dire que c'est un honorable Bordeaux provençal ? Il y a, c'est vrai, des deux... mais sa personnalité est indéniable. C'est un joli vin pour tout un repas.

Je m'en voudrais de ne pas signaler aussi l'exploit qu'a représenté le lancement de ce vin diaboliquement vinifié. Georges Brunet a su le faire aimer à quelques grands chefs à la mode d'une part, et d'autre part il a réussi à en faire un snobisme. Ses déjeuners d'été réunissent toujours une quantité de gens célèbres sous les très vieux platanes du parc. Et, comme l'hôte est aussi brillant qu'intelligent, ça marche. Il échange même ses vins avec les peintures d'artistes déjà connus : cela lui fait de bien jolies caves.

Cela durera-t-il ? Pourquoi pas, puisque cet homme-là a fait de son vin un défi. Mais il me semble qu'il commence à le vendre un peu cher... serait-il grisé ?

PYRÉNÉES

JURANÇON GAN
Pyrénées blanc. Jurançon-Gan.

Le chéri de Colette

En déclarant les vins des Pyrénées « les meilleurs de tout le pays de Guyenne », Henri IV prêchait pour sa paroisse.

Nonobstant le fait qu'il ait été baptisé de quelques gouttes de Jurançon, il n'oubliait pas que sa mère, Jeanne d'Albret, lui en avait justement légué quelques vignes.

Quand bien même notre goût nous aurait-il éloigné de ces types de vins, je leur reconnais une personnalité hors du commun. N'est-ce pas d'ailleurs Colette, bonne vivante s'il en fut, qui les appréciait en ces termes : « Je fis, adolescente, la rencontre d'un prince enflammé, impérieux, traître comme tous les grands séducteurs : le Jurançon. » Et comme elle s'y connaissait, la future vieille dame du Palais-Royal !

Une originalité, une personnalité aussi trouble que paradoxale la séduisirent à juste titre. Sa robe dorée peut flatter l'œil et son bouquet permet de rêver. Tient-il à l'odeur de cannelle, de muscade, de girofle ? Pourquoi sous un moelleux remarquable et incontestable pousse-t-il une pointe d'acidité qui lui confère une nervosité inattendue ? Un expert a pu en dire : « Coup de griffe excitant sous la patte de velours. »

D'autant que de nos jours on le traite aussi en « sec », à partir d'une récolte de raisins moins mûrs, ce qui donne un vin plus fruité, plus nerveux, plus frais, à boire jeune, au contraire du doux fait pour les longues gardes.

Le rouge n'étant qu'une curiosité à usage local, je vous conseillerai donc le blanc, bien à sa place pour accompagner les viandes et les poissons. Cela ne manque pas de fantaisie pour un cru doux.

On peut s'étonner plus encore de le voir souvent servi sur les tables de ces pays de l'Adour et des gaves, avec du fromage de Hollande. Je ne me prononcerai pas sur ce mariage. Du moins s'explique-t-il.

Jusqu'au XIXᵉ siècle, Belges et Bataves prisaient fort le Jurançon dont ils faisaient venir moult pièces. La loi des échanges commerciaux fit qu'en retour les boules de Hollande devinrent des plus communes dans nos provinces pyrénéennes. L'habitude s'en maintient encore.

Un autre fait, relaté par un professeur du Collège de France, Roger Dion, dans une étude sur l'histoire de la vigne, confirme l'importance de ces vignobles dans ces temps passés. Il a constaté que les années fastes en récolte de vin ne l'étaient point pour les blés. Pour cette bonne raison que le « trafic du vin fatiguait ou tuait un grand nombre de bœufs », lesquels manquaient alors pour les travaux de la terre.

Pourtant, ce n'est point là un vin à assommer un bœuf : l'expression naquit sans doute ailleurs.

VALLÉE DE LA LOIRE

COULÉE DE SERRANT
Anjou blanc. Savennières.

Goûtez une goulée de Coulée

Ce sont deux vins royaux, incontestablement, qu'au début du xiiᵉ siècle les moines de Saint-Nicolas d'Angers plantèrent sur les hauts coteaux dominant la rive droite de la Loire. Deux crus exquis qui ne sont pas encore tombés dans le « domaine public » : la Roche aux Moines et la Coulée de Serrant.

Pendant des siècles, ces vins blancs furent portés aux nues par les chroniqueurs. Ils étaient présents sur les tables des rois et des grands seigneurs qui chantaient leur « parfum exquis, leur chair, leur sève, leur ampleur, leur harmonie et leur perfection ».

Malheureusement, avant la guerre, le domaine alla à l'abandon ; les vignes furent mal travaillées et, à part Curnonsky qui estimait que la Coulée de Serrant était capable de donner « le vin du siècle », ces vins magnifiques disparurent à peu près du marché. Un couple de la région, le Dr Joly et sa femme, eut, en 1960, le coup de foudre pour ce joli coteau au sol pierreux baigné de soleil et où se dresse toujours un charmant logis avec l'ancien monastère et le vieux cellier. Ils reprirent en main ce domaine de 4 hectares, extrêmement difficile à cultiver étant donné sa situation abrupte. Aujourd'hui, ils ont redonné à ces vins tout leur prestige d'autrefois.

La Coulée de Serrant et la Roche aux Moines (Clos du Château et Clos de la Bergerie), plantés en Pineau de Loire, produisent d'admirables vins blancs secs et demi-secs (à mon avis, des deux, c'est malgré tout la Coulée de Serrant qui s'impose). Ce sont des vins de garde qui sont parfaits au bout de dix ans. Si le « 83 », déjà en vente, est honorable, ayez un peu de patience avec lui : vous y gagnerez et lui aussi. Je ne vous conseille cependant pas les vins antérieurs à 1970 si par hasard vous en trouviez : les vignobles, je vous l'ai dit, étaient alors mal entretenus et le vin madérise.

JASNIÈRES
Touraine blanc. Jasnières. Lhomme.

Le plus jeune des vieux vins

Il faut tout de même reconnaître au Guide Michelin certaines qualités inégalables, entre autres celle de signaler tout particulièrement les restaurants servant des petits vins locaux.

Une balade en Val de Loire, entre Le Lude et La Flèche, m'a ainsi amené à déjeuner dans ce délicieux bourg de La Chartre-sur-le-Loir, dont les maisons troglodytes m'étonneront toujours. Un bistrot de l'endroit, curieusement réputé pour ses langoustes, m'en a servi une accompagnée d'un cru de Jasnières. Ce vin n'était jusque-là qu'un nom pour moi.

Ce vin de Jasnières nous vient de la Sarthe, dont le vignoble n'est cependant pas tant réputé. Certains le considèrent comme un des meilleurs blancs secs que nous possédions. Nous n'irons pas aussi loin, mais il mérite, et largement, d'être connu.

On dit qu'il fut longtemps servi au château royal de Saint-Germain-en-Laye, sur la table d'Henri IV. Le roi gaillard ayant été baptisé au Jurançon et ayant continué à boire sec, honorant tous les crus de France autant par goût que par opportunisme politique, la référence serait faible.

Reste sa personnalité réelle : au-delà des poissons et des crustacés, elle se plaît en compagnie des andouillettes, dont on est friand par là-bas.

C'est un vin sec, nous l'avons dit, sauf dans les années très chaudes. Il est fin avec beaucoup de fruité et ce goût de pierre à fusil, si facile à saisir. Vingt ou trente ans de bouteille ne lui font pas peur, mais il sait garder toute sa verdeur, à tel point qu'on le dit « le plus jeune des vieux vins ». Sa légèreté le rend facile à boire et son bouquet, assez développé, le révèle séduisant. On le compare parfois aux crus des Coteaux de la Loire et de Vouvray : il a moins de puissance, plus d'élégance et surtout d'originalité.

Une petite production l'oblige à se cantonner aux tables locales : peut-être est-ce préférable, car il ne me paraît pas être doué pour les grands voyages. Mais, après tout, rien n'empêche d'aller jusqu'à lui, ou à tout le moins d'y penser en longeant les bords du Loir. Et s'il lui fallait un dernier atout, j'avancerais son prix, fort raisonnable. En vérité, il est le type même des vins régionaux que l'on aimerait trouver à chaque étape.

MENETOU-SALON
Sancerrois blanc. Menetou-Salon.

Ce vin ne fait pas le jacques

Les vacances demeurent encore le meilleur des prétextes pour les quêteurs d'inédit. Ainsi une route buissonnière dans le Sancerrois m'a révélé à la fois une étrange cité et un vin original, tous deux injustement méconnus.

Parlons d'abord de la première : il s'agit en fait d'un minuscule village, miracle d'urbanisme, d'autant plus surprenant qu'il date du début du XVIIᵉ siècle. Construit sur un plan rayonnant, l'ensemble ne manque pas d'équilibre avec ses huit rues convergeant toutes vers une place centrale carrée, dotée d'un joli puits. L'ensemble est d'une rare harmonie et l'on regrette que Henrichemont — tel est son nom — n'ait jamais été terminé.

On doit cette curieuse bourgade à Sully. Le sage ministre du Vert Galant avait décidé de se tailler une sorte de principauté où — le cas échéant — ses amis protestants et lui-même auraient pu se réfugier. Henrichemont devait en être le chef-lieu.

Insolite pour insolite, c'est à quelques kilomètres de Henrichemont que j'ai trouvé mon petit vin, dans le bourg de Menetou-Salon, dont il porte d'ailleurs le nom. Naguère on le vendait sous la dénomination de « Coteau du Sancerrois ». Il méritait d'être mieux distingué sans avoir besoin de faire ainsi une concurrence hypocrite au Sancerre. On a donc inventé l'appellation Menetou-Salon. Une appellation surveillée de près, puisque chaque récolte, avant d'en bénéficier, doit passer le test de la dégustation officielle.

Si le titre est nouveau, le vignoble ne date pas d'hier. Jacques Cœur, grand bourgeois s'il en fut, avait même trouvé bon de s'en attribuer la propriété. C'était au XVᵉ. On savait déjà vivre.

On a là affaire à un vin issu de cépage de Sauvignon, au goût particulier et un peu épicé C'est donc un blanc, sec, fruité et frais. S'il fait preuve de moins de finesse que le Sancerre, il est plus gai.

A propos de ce cépage de Sauvignon il faut bien reconnaître qu'il donne à l'ensemble de ces vins de Sancerre, de Pouilly fumé, de Reuilly et de Quincy, un petit air de famille. Son domaine ne s'arrêtant pas pour autant à ces régions : on le trouve en Bordelais où il entre dans la composition des célèbres Sauternes, dans certains vignobles pyrénéens et méditerranéens et même en Californie où il apporte aux vins une certaine distinction fort bien venue.

Le Menetou est excellent en compagnie des poissons et des fromages de chèvre. En Berry, il a sa place derrière tous les comptoirs pour l'apéritif.

MUSCADET SUR LIE
Nantais blanc. Vertou.

A boire jusqu'à la lie

Pourquoi le Muscadet « sur lie » ? Depuis quelques saisons, les restaurateurs à la mode ne jurent plus que par lui. Ils n'en sont pas pour autant capables, dans leur grande majorité, d'en expliquer la raison ni même la signification de cette appellation.

Quant aux clients, tout comme pour le poivre vert ou les vins nature de Champagne, ils suivent le mouvement, persuadés de tenir là le *nec plus ultra* des Muscadet et, surtout, trop inquiets à la pensée de ne pas être dans le vent. Eclairons plutôt notre lanterne.

La lie consiste en un dépôt jaunâtre, composé d'impuretés et de levures, et qui se dépose au fond des tonneaux. Le viticulteur les retire par des opérations de soutirage destinées à faciliter le vieillissement du vin d'une part, de l'autre à l'éclaircir jusqu'à ce qu'il soit parfaitement transparent afin de procéder à la mise en bouteilles.

Dans le cas du Muscadet « sur la lie », on conserve le vin sur ses lies, jusqu'à la mise en bouteilles. Il en résulte le processus chimique suivant : les levures de ces lies empruntent au vin l'oxygène nécessaire à leur survie le protégeant ainsi de l'oxydation, et par conséquent du jaunissement et du vieillissement.

Autrement dit, on garde ainsi au vin sa jeunesse, sa fraîcheur et son fruité.

D'autre part, un vin maintenu sur ses lies contient plus de gaz carbonique qu'un autre. Ce gaz provient de la fermentation alcoolique et n'a pas été éliminé par les opérations de soutirage successives : cela aboutit à un pétillement léger, jeune, picotant agréablement le palais, propre aux vins « mis sur lie ».

D'ailleurs, les lies facilitent d'autres fermentations s'accompagnant, elles aussi, de dégagement de gaz carbonique qui reste dissous en partie dans le vin, accentuant ainsi cette nature piquante.

Cela expliqué, il faut ajouter que la « mise sur lie » est une opération délicate, artisanale Parce qu'elle ne peut se faire que dans les bonnes années, on est déjà assuré d'un vin au-dessus de la moyenne. On peut être aussi certain de le trouver avec toutes ses qualités de jeunesse, fringant et juvénile comme en ses premiers mois. Dans une cave où les vins jeunes meurent vite, voilà un avantage appréciable.

Cette méthode n'est pas le privilège du Muscadet : on la trouve utilisée aussi pour certains vins d'Alsace, pour les Crépy de Savoie, les Gaillac perlés et pour les Valais et Vaud suisses. Laissez-moi vous recommander celui que je considère comme le meilleur des « Muscadet sur lie » : il vient de Sèvre-et-Maine, léger, sec, avec de la finesse et du charme, frais et, bien sûr, « pointu » sur la langue, brillant et séduisant, il est signé Métaireau.

QUARTS-DE-CHAUME
Anjou blanc. Rochefort-sur-Loire.

Ce quart fait bonne mesure

Un récent voyage sur les bords de la Loire m'a permis de redécouvrir avec un certain étonnement le verre à vin d'Anjou : j'en avais même oublié l'existence. C'est un verre haut, à tige droite très fine, supportant une coupe à fond plat, assez réduite en hauteur et dont les parois s'élèvent en s'incurvant légèrement. Il n'était certes pas désagréable à voir et il flattait le vin.

Mais, pas plus que je ne crois aux bouteilles de formes plus ou moins fantaisistes, je ne me laisse impressionner par les verres tarabiscotés, gravés, taillés ou colorés.

Un beau verre, bien conçu pour faire ressortir les qualités du vin, soit. Mais je ne suis guère, personnellement, partisan de les multiplier sur la table pour « faire joli ».

Il me semble que la maison des vins Nicolas avait créé un verre particulièrement réussi, convenant fort bien à tous les crus : que ne nous le propose-t-elle à nouveau ? Il serait le bienvenu.

Pour en revenir à notre verre à Anjou, on m'a dit qu'il fut dessiné par un vigneron de Chaume. Une excellente occasion pour moi d'évoquer ces vins fameux du Layon, les Quarts-de-Chaume.

L'origine du nom évoque une véritable révolution terrienne, celle du XIe siècle. Pour encourager la création de vignobles sur les terres à défricher, les propriétaires de terres avaient inventé une nouvelle sorte de contrat. A eux la terre ; au vigneron la propriété des plants et des raisins sous réserve d'abandon au bailleur d'une quote-part de la récolte. Cette accession à une propriété réelle avait été fort appréciée.

La dénomination Quarts-de-Chaume rappelle par le mot « chaume » l'ancienne terre inculte, et « quarts », le montant de la redevance due au bailleur, l'abbaye du Ronceray d'Angers.

Le Quarts-de-Chaume est un cru blanc des Coteaux du Layon. Sa récolte n'est pas sans évoquer celle des grands Sauternes : cueillette échelonnée, choix des grains atteints de « pourriture noble », un par un. La vinification est certes différente : très court séjour en fût et traitement particulier.

On aboutit ainsi à un vin riche et gras. De couleur or pâle avec des reflets verts, il se révèle puissant, avec un bouquet très épanoui. Son fruité le fait remarquer par une légère pointe d'amertume et son goût de pierre à fusil le range bien parmi les Anjou. Il peut se déguster jeune mais il vaut mieux le laisser vieillir quatre à cinq ans : il fait alors dans le palais ce que l'on appelle la queue de paon.

ROCHE AUX MOINES
Anjou blanc. Savennières.

Un blanc pour consoler Joséphine

Quand Madame Joséphine
A l'humeur un peu chagrine,
Elle en boit un petit coup.
C'est son goût,
Après tout...

Il en faut certes plus pour asseoir une réputation, mais un livre d'or ne se néglige pas. Sur celui des vins de Savennières, l'Impératrice succède ainsi aux Trois Mousquetaires : le bon père Dumas leur en faisait boire beaucoup. Est-ce à dire qu'ils penchaient pour les vins de dames ? Faut-il croire que la délaissée de la Malmaison avait un goût de soudard ?

En vérité, ces coteaux de la Loire produisaient de quoi satisfaire les uns et les autres. Ses crus possèdent une élégance et une nervosité assez rares parmi les blancs. Fins et délicats, ils se montrent corsés, pleins de sève et un rien alcoolisés. En fait, ils sont les grands seigneurs de l'Anjou.

Sans doute, l'ancienne femme de l'Empereur choisissait-elle le cru de la Coulée de Serrant. A l'époque, il se vinifiait en demi-sec ou en moelleux. La bande à d'Artagnan préférait celui de la Roche aux Moines : il fut toujours sec.

Cela le rend peut-être moins puissant, mais il gagne en nervosité sans rien perdre de sa distinction ni de son élégance. On lui reconnaîtra ce goût de tilleul et de coing si caractéristique des vins de Savennières. Contrairement à la Coulée de Serrant, il se boit plus vite.

Ce cru de la Roche aux Moines, au-delà de ses qualités, ne manque pas d'histoires. Les vignes furent plantées par les moines de Saint-Nicolas, en un lieu où, quelques années plus tard, Jean sans Terre vint perdre en une bataille fameuse ce qui lui restait de domaines en France : comme de son côté Philippe Auguste se trouvait victorieux à Bouvines, il n'eut plus qu'à retraverser la Manche pour garder sa dernière couronne.

Faut-il rappeler aussi que ces vins rendent la tête claire : Savennières vit naître, au XVIe siècle, René Benoist, théologien, un temps curé de Saint-Eustache de Paris, qui traduisit pour la première fois la Bible en français.

Une dernière anecdote enfin, où Louis XIV, une fois de plus — que n'a-t-il bu ! — apparaît. Convié par les maîtres des vignes à les visiter, tenté par ce vin à la gloire certaine, il s'en alla s'embourber et fut contraint à un demi-tour humiliant. On dit que les meilleures bouteilles ne purent lui faire pardonner : preuve d'une mauvaise foi toute royale.

Vins agréables
et intéressants

ALSACE

CLOS DE LA HUNE
Alsace blanc. Riesling. Hunawihr.

Trois étoiles à la Hune

Ce sont des vins mal connus que ceux d'Alsace. Guerres et occupations ne leur ont pas été bénéfiques. Et le fait qu'ils portent pour la plupart le nom des plants de vigne dont ils sont issus et non point celui de leur terroir d'origine ou de leur cru n'a pas simplifié les choses.

Sans doute certains villages ont-ils fini par imposer leur réputation : parmi les producteurs de Riesling, on connaît Ribeauvillé, Zellenberg, Riquewihr, Dambach. On peut y ajouter Hunawihr. Un terroir de rocaille et de calcaire, des coteaux exposés plein sud l'ont toujours désigné à l'attention des vignerons.

D'autre part, cette commune possède un des rares Riesling à s'enorgueillir d'avoir un nom de cru. Il s'agit du Clos de la Hune. En 1880, l'arrière-grand-père des propriétaires actuels décida de délimiter ainsi ses vignes, qui sont dans la famille depuis 1626 et voisinent avec une extraordinaire église fortifiée dont la moindre originalité est de servir actuellement aux cultes catholique et protestant.

Le Clos de la Hune est un vin véritablement typé. Sec, très racé, fruité en finesse, franc, corsé, il a un léger goût de cannelle et d'écorce d'orange très caractéristique. Il figurait parmi les blancs choisis pour un banquet offert par le lord maire de Londres à Sa Majesté la Reine d'Angleterre.

Ne commettez pas l'erreur de le boire avec des huîtres, comme je l'ai souvent vu faire. Hors-d'œuvre et poissons restent sa vocation. Pour la température idéale, sachez qu'elle est de 7 à 9°, c'est-à-dire frais et non glacé. Pour sa conservation, retenez-lui le meilleur endroit de votre cave, à l'abri des variations de température et dans la plus parfaite obscurité. Il est sensible et fragile. Vous pouvez même aller jusqu'à envelopper les bouteilles dans du papier journal. Car vous avez là un excellent vin.

190

PINOT ROUGE
Alsace rouge. Eguisheim.

Dans les vignes du Seigneur

La possession d'un vignoble demeura longtemps le privilège des princes d'Etat autant que de ceux d'Eglise. Mais, entre eux, que d'astuces, que d'artifices, combien de querelles pour agrandir leurs domaines respectifs aux dépens les uns des autres !

L'époque médiévale se révéla particulièrement bénéfique pour l'accroissement des terres abbatiales, épiscopales et autres. La multitude même des miracles — preuve tangible, pour les seigneurs d'alors, des relations privilégiées de l'Eglise avec le pouvoir divin — leur fut, entre autres opérations, très favorable.

On raconte, d'après des manuscrits du VIe siècle, comment le roi d'Austrasie, Childebert II, finit par attribuer d'énormes domaines viticoles à saint Airy, alors évêque de Verdun. Le souverain, revenant de Metz, s'était arrêté à Verdun, convié par le prélat à un festin somptueux. Tout se présentait parfaitement, sauf, au dernier moment, pour le vin. Les caves de l'évêché ne contenaient plus, paraît-il, qu'un fond de barrique ! Catastrophe.

Mais quand on est saint, on n'en appelle pas pour rien à la miséricorde divine : quelques oraisons suffirent à remplir un tonneau, lequel se maintint à son niveau maximal, après que Childebert et sa Cour y eurent puisé tout au long du repas.

Il y avait de quoi faire réfléchir un roi : qui peut le moins peut sans doute mieux. Avec de tels pouvoirs miraculeux, un évêque peut devenir un partenaire appréciable ou un rival dangereux. Childebert le préféra comme allié : il lui fit alors don de vignobles importants en Alsace et en Lorraine, « convenables, précisa-t-il, pour honorer et satisfaire, en toutes circonstances, ses devoirs hospitaliers ».

De tels miracles n'étaient pas aussi rares que l'on pourrait bien le croire : saint Rémi, saint Goar, saint Ermeland se taillèrent ainsi quelques belles propriétés. A Dieu plaise !

Cette anecdote m'a amené dans ces vignobles de l'Est, si mal connus, en définitive, des gourmands français qui en sont encore aux blancs, remarquables parfois.

Mais il y pousse aussi des rouges d'une certaine originalité. Ainsi dans la commune d'Eguisheim, où le maire, Léon Beyer, les a amenés à une belle réputation, surtout le sien, un Pinot, issu du cépage bourguignon du même nom, lequel a essaimé dans toute la France. Tirant légèrement sur le rosé, destiné à être bu frais, ce vin convient très bien aux traditionnelles choucroutes et aux cochonnailles.

Peu corsé, mais admirablement fruité, frais et sec, il s'assume par un charme indéniable, sans prétention, mais avec le piment des choses rares.

TRAMINER
Alsace blanc. Traminer. Ribeauvillé.

Un Traminer pour l'Attila

Le brochet est devenu rare dans nos eaux, sauf en Alsace où les Alsaciens se sont fait depuis longtemps une spécialité de ce poisson, qu'ils accommodent avec des préparations de nouilles ou d'amandes.

La chair ferme de « l'Attila des rivières » et son goût très fin se marient merveilleusement avec un Riesling ou un Traminer (bien que le Meursault et le Montrachet aient leurs farouches partisans).

Quand on parle des vins d'Alsace on est un peu obligé de revoir certaines habitudes. Ainsi vous savez que les Bordeaux sont vendus, en général, sous le nom du château, les Bourgogne sous le nom de lieu, les Champagne sous le nom de marque. Les Alsace, eux, sont présentés sous le nom du cépage. Lorsqu'ils sont Zwicker, cela signifie que cépage noble et cépage courant y sont mélangés. Un Edelzwicker est le résultat du mariage de plusieurs cépages nobles.

Ces particularités m'en rappellent une autre, pour le moins originale. Il existait jadis une sorte de cérémonial pour accueillir l'acheteur de vin dans les villages alsaciens. Son arrivée était annoncée à son de cloche par le guetteur de la cité. Le responsable des ventes — expert en vins que l'on appelait alors le « Gourmet » — lui faisait franchir les portes, et le conduisait chez le vigneron. Une fois l'affaire traitée, il accompagnait les fûts jusqu'aux frontières de la commune.

Si vous allez à Ribeauvillé — près de Colmar — où j'ai trouvé un Traminer de belle tenue, ne vous attendez pas à une telle réception : les temps modernes ont fait disparaître cette coutume. Mais le vin reste bon. S'il a moins de classe qu'un Riesling — qui demeure le favori des amateurs de la province — il a de quoi séduire. Robuste, il est sec, corsé et même assez généreux. Son bouquet et son goût presque fleuri le font reconnaître très facilement.

N'oubliez pas que ce blanc doit être servi frais (7° à peu près) et qu'il se trouvera aussi en bonne compagnie avec les fruits de mer.

BORDELAIS

CHÂTEAU-BELLEVUE
Bordeaux rouge. Plassac. Blayais.

Le Blaye a la cote

Mais si, il existe des vignobles sur la rive droite de la Gironde. Ils sont même tellement oubliés que l'on se demande si leurs propres propriétaires en ont encore conscience. Font-ils seulement quelque chose pour nous les faire connaître ? J'en doute.

A tel point que dans un ouvrage, fort bien conçu d'ailleurs, consacré aux ressources de la France gourmande, au sujet de cette région du Blayais on parle surtout de ses fraises, de ses asperges, mais à peine de son vin. Si la mention « vin estimé » apparaît discrètement, savez-vous quelle en est la grande affaire ? Les « praslines » !

L'anecdote ne manque pas d'intérêt cependant, pour les amateurs de petite histoire gourmande. C'est à Blaye, en effet, dans le domaine du maréchal de Plessis-Praslins, que furent définitivement baptisées les « praslines », par une de ses invitées à laquelle il avait offert ces bonbons inventés par son officier de bouche. Une trouvaille datant déjà d'une vingtaine d'années, qui avait fait de son inventeur un homme riche. Toute la Cour venait le voir à Montargis où il s'était installé dans une maison qui existe encore et où l'on continue à fabriquer ces gourmandises.

En dépit des apparences cela va nous ramener à nos vins du Blayais. Le Château-Bellevue qui donne son nom au cru que j'ai choisi n'est pas sans rappeler, dans son architecture romantique, celle de l'Hôtel des Praslines de Montargis.

La comparaison s'arrête là. Rien de sucré dans ce rouge peu connu. Une jolie robe, du moelleux, du fruité, de la souplesse, du bouquet et une bonne aptitude au vieillissement. Il est bien dans la ligne de ce que l'on nomme les petits Bordeaux.

CHÂTEAU DU BREUIL
Bordeaux rouge. Cissac. Médoc. Cru bourgeois.

A la santé de Robin des Bois

En Bordelais plus qu'en toute autre région vinicole de la France, la découverte des vignobles passe aussi par celle des demeures.

Sans doute, pour les besoins de leur cause, un certain nombre de crus se parent-ils, sur leurs étiquettes, du nom d'un château, quand bien même celui-ci ne s'étend qu'aux dimensions d'une modeste maison. Par ailleurs, on ne compte plus les authentiques demeures nobles, qu'elles s'inspirent du classicisme du Grand Siècle ou des prétentions du nôtre.

Il reste pourtant bien peu de forteresses médiévales. Çà et là, parfois une tour, conservée à titre de témoignage et de curiosité, et prise dans un ensemble plus récent pour lui garantir, en quelque sorte, ses lettres de noblesse.

A Cissac, commune voisine de Saint-Estèphe, les vestiges de la baronnie du Breuil affirment un beau passé guerrier. A commencer par la situation même, sur une plate-forme rocheuse ; le donjon carré encore percé de ses meurtrières, les consoles des mâchicoulis et cette belle porte du XVIᵉ dont le guichet méfiant oblige quiconque veut entrer à se courber. Il n'est jusqu'au puits de la grande cour qui ne communique avec d'immenses souterrains menant à l'église du village et jusqu'à un château voisin : comme dans un bon vieux Ponson du Terrail !

Les origines dateraient du VIᵉ siècle, encore que les premiers éléments sûrs datent de quelques siècles plus tard. Parmi les propriétaires successifs on retiendra les noms de Robin des Bois — mythe, légende ou réalité —, du fameux Talbot, longtemps maître de la Guyenne, alors propriété anglaise, et celui de Douce d'Apremont. Châtelaine au Xᵉ siècle, elle fit souvent mentir son nom. Avec une énergie et une inconscience rares, elle provoquait ses voisins en ces « jugements de Dieu » médiévaux auprès desquels le jeu de la « roulette russe » apparaît comme une aimable distraction : quel que fût le différend, ils renonçaient tous, effrayés autant par l'épreuve que par Douce.

Le vin du Château du Breuil n'a pas besoin de tels arguments pour se faire valoir. Il se place premier de la commune, avec une appellation de Haut-Médoc et un bon rang dans les crus bourgeois. Il conviendra très bien à ceux qui cherchent un rouge agréable, supérieur aux simples Bordeaux, pour leur ordinaire.

Le Château du Breuil se montre en général assez moelleux, avec une rondeur plaisante, de l'élégance et de la générosité. Une belle couleur le rend joli à l'œil, tandis qu'on retrouve en lui les caractéristiques des Médoc, l'harmonie surtout. Toutes qualités non point développées à leur extrême car, il ne faut pas l'oublier, on a affaire là à un vin sans prétentions, pensé pour chaque jour.

CHÂTEAU-VRAY-CANON-BOUCHÉ
Bordeaux rouge. Fronsadais.

Marchons au canon

« Dans une charmante folie italienne qu'il avait fait construire sur le tertre de Fronsac, le duc de Richelieu — duc de Fronsac — donnait des fêtes élégantes et spirituelles dont l'écho dépassait les limites de l'Aquitaine... » Ainsi s'exprimait un contemporain anonyme du duc de Richelieu.

Autrement dit, Monseigneur faisait la foire. Les historiens régionaux y ont trouvé une mine pour leurs études, et les vins de Fronsac une gloire, de nos jours bien injustement ternie.

Il est vrai qu'avec Pomerol et Saint-Emilion pour plus proches voisins il est bien difficile de se faire une réputation. Toutefois, pas plus que le duc, les Anglais — grands amateurs de Bordeaux s'il en est — ne s'y sont trompés. Voici comment ils définissent les vins du Fronsadais : « Ce ne sont pas des grands vins, encore moins de très fins ; ce sont tout simplement de très bons vins. »

Il faut déjà tenir compte du fait que les cépages — Cabernet, Bouchet, Malbec, Merlot — sont les mêmes que ceux des grands voisins. Et le terroir présente bien des similitudes.

Toutes ces conditions ont donné des vins généreux et corsés qui s'apparentent à certains crus bourgeois du Médoc, mais avec une personnalité bien marquée. Côtes de Fronsac et Côtes de Canon-Fronsac sont les deux appellations du Fronsadais.

Aujourd'hui, j'attirerai votre attention sur un Canon-Fronsac assez exceptionnel par son caractère. Pour la petite histoire, on retiendra le fait que ce titre de « canon » — d'après certains propriétaires — est venu des nombreux boulets, vestiges de combats passés, que les viticulteurs retrouvaient dans leurs vignes.

Ce Château-Vray-Canon-Bouché, puisque tel est son nom, n'a pas la prétention d'être un grand cru. Coloré, assez charnu, très franc de goût, il est un très bon vin pour les repas sans complications. Il a l'originalité d'étonner par une curieuse dualité : en le dégustant on évoque tout à la fois la grâce du Bordeaux et la vigueur du Bourgogne. Servez-le dans une carafe et vous constaterez que vos invités se poseront un instant la question : « Bourgogne ou Bordeaux ? »

CHÂTEAU DU CASTÉRA
Bordeaux rouge. Saint-Germain-d'Esteuil. Médoc. Cru bourgeois.

Un bourgeois lettré

Si l'on s'en tenait à la rumeur publique, on pourrait croire que seuls les vins classés parmi les grands crus comptent dans le Bordelais. On n'en finit pas d'épiloguer sur eux à la moindre occasion comme si tous les Français avaient les moyens de les mettre sur leur table à chaque repas.

Les crus que l'on dit « bourgeois » sont peut-être les premiers à souffrir d'un tel état. Pas assez fins pour être grands, trop élégants pourtant pour être ordinaires, comme ils sont mal à l'aise !

D'ailleurs, leur titre de « bourgeois » apparaît presque comme un symbole.

Pas plus que la bourgeoisie, bien mal en point il est vrai, ils ne méritent l'oubli. Dans une cave, ils peuvent former un solide fonds, sans prétentions, mais sur qui l'on peut compter en dehors des grandes occasions.

Parlons ainsi du Château du Castéra, un Médoc rouge, poussant sur la commune de Saint-Germain-d'Esteuil, à la limite du haut Médoc et de Saint-Estèphe. La terre est ancienne, puisque lorsque le Prince Noir détruisit le château au xvᵉ siècle elle comptait déjà parmi les plus vieilles vignes du pays. Il est curieux de noter qu'il fut apporté en dot par l'épouse du frère de Montaigne, lequel Montaigne en hérita sans doute plus tard, pour le céder ensuite à La Boétie. Il est surprenant qu'aucun des deux écrivains, pourtant passionnés par leurs vignes, n'en ait parlé. Les cachottiers !

Si l'on osait, on dirait que ce vin a goût de raisin, à la manière des Saint-Estèphe. Peut-être fait-il preuve d'un peu moins de bouquet, mais il est tout de même d'un arôme très ouvert et le corps reste souple. Parler de grande distinction serait exagéré, mais sa franchise lui donne un ton que l'on devrait se plaire à retrouver chaque jour si l'on aime les vins authentiques.

CHÂTEAU DE CÉRONS ET CALVIMONT
Bordeaux blanc. Cérons. Graves.

A la place du porto

Un cuisinier de talent, passionné par les recettes oubliées des grands chefs d'antan, m'a fait la surprise de me servir du vin de Cérons pour accompagner un melon. Je dois souligner qu'il eut l'intelligence de me le présenter dans un verre. Solution plus à mon goût que celle qui aurait consisté à le verser tout bêtement dans le melon, évidé, comme cela se pratique, hélas ! pour le traditionnel porto.

L'idée lui en serait venue à la lecture du *Dictionnaire de l'Académie des gastronomes*. Toujours est-il que l'occasion me permet à mon tour de vous faire redécouvrir ce blanc du Bordelais presque totalement tombé dans l'oubli. Son vignoble se place entre ceux de Graves et de Barsac-Sauternes et fort logiquement il se présente comme une excellente transition entre les blancs de ces régions.

Les cépages étant ceux de Sauternes et la vendange s'effectuant aussi par tris successifs, il existe un lien de parenté évident entre Sauternes et Cérons. Le Cérons est cependant moins liquoreux ; plus léger, plus nerveux que le Barsac, il n'en garde pas moins ses distances avec les Graves. Son bouquet épanoui, son fruité très riche, son arôme prononcé, une sève réelle mais sans excès peuvent le faire choisir pour une approche de ces blancs de Bordeaux par trop laissés de côté aujourd'hui sous prétexte qu'ils sont trop doux et parfois perfides.

A ce propos je reprends à nouveau l'anecdote contée par un historien local et contemporain de Louis XIII. Toute la Cour s'arrêta à Cérons. Le lendemain elle s'y trouva incommodée pour avoir bu trop de vin doux à souper. Beaucoup de personnes en moururent et d'autres, selon la chronique, en naquirent. Certains soutenant que la transcription fut mauvaise et qu'il s'agissait en fait de Créon et non de Cérons, vous ne courez donc aucun de ces risques.

CHÂTEAU-FERRAN
Bordeaux rouge. Martillac. Graves. Cru « supérieur ».

Montesquieu vigneron

Académicien à Paris, Londres et Berlin, président à mortier au Parlement de Bordeaux, écrivain réputé et philosophe apprécié de ce Siècle des Lumières que fut notre XVIIIᵉ, Charles-Louis de Secondat ne manquait pas de titres. Il se plaisait surtout à utiliser celui de « baron de Montesquieu » pour signer les œuvres qui firent sa célébrité. Mais il en est d'autres auxquels il se sentait encore plus attaché ; ceux de « seigneur de Martillac et baron de la Brède » parce qu'ils évoquaient ses vins.

Il était en effet gros propriétaire. Il faisait de l'armagnac dans ses terres de Clairac et au domaine de Montesquieu. Dans l'Entre-Deux-Mers, son château Raymond où il avait composé ses *Lettres persanes* produisait un excellent rouge doublé d'un blanc agréable.

Moins connu se trouve être le vignoble du château Ferran, jadis partie de la seigneurie Martillac, apporté en dot par sa femme. Ses vins se répertorient parmi les crus bourgeois de Graves.

Graves donc, rouge, chaud et fin, avec cette sorte d'élégance un peu féminine qui le distingue des Médoc, avec un bouquet très ouvert, d'un goût franc et sans complications. Pas de prétention, mais il est de ces vins qui forment aisément le fonds d'une cave d'honnête homme.

CHÂTEAU DU GRAND-PUCH
Bordeaux rouge. Saint-Germain-du-Puch. Entre-Deux-Mers.
1re Côte de Bordeaux.

Un château fort

On a déjà organisé des voyages de dégustation à travers nos vignobles et plus particulièrement le Bordelais. Qui complétera ce genre d'excursions par un circuit parallèle consacré non plus exclusivement aux caves mais aux châteaux proprement dits ?

Une des découvertes les plus curieuses serait celle du château du Grand-Puch, rare exemple conservé de l'architecture militaire du XIIIe.

Il y aurait là aussi l'occasion de reprendre contact avec les vins de l'Entre-Deux-Mers si négligés par les sommeliers et les marchands. Car le château du Grand-Puch possède un domaine énorme.

Je m'attacherai aujourd'hui au rouge, parce que les rouges restent rares dans cette région. Ce Château du Grand-Puch, d'un rouge très foncé, un peu âpre en primeur, s'arrondit avec l'âge. On apprécie alors son fruité et une certaine souplesse qui le rend facile et agréable à boire. Sa sève permet de le reconnaître comme venant de l'Entre-Deux-Mers, et lui vaut une petite personnalité suffisante pour désirer en faire un de ces vins quotidiens honnêtes et sans façon.

200

CHÂTEAU-LANESSAN
Bordeaux rouge. Cussac. Médoc. Cru bourgeois supérieur.

Le vin de postillon

L'amateur de vins peut facilement se donner une bonne conscience en Bordelais. Il ne manquera jamais de prétextes autres que
la dégustation pour entamer une tournée de châteaux. Au-delà de
leurs vignobles ou de leurs caves, ils offrent mille raisons à visites :
haras, ruines anciennes, architectures classées, parcs centenaires,
ensembles romantiques, collections de peintures, curiosités
naturelles.

Dans cet esprit, la dernière en date de mes trouvailles se tient au
château Lanessan à Cussac. Dans cette demeure de la fin du XIX⁰
siècle, assez surprenante déjà en elle-même, puisqu'on a l'impression de visiter soudain un château irlandais, il existe d'immenses
écuries et leurs remises. Par un sens de la conservation assez étonnant, on y a gardé les voitures à chevaux de la maison depuis 1883.
Il est vrai qu'à cette époque on ne pratiquait pas la « reprise »
comme aujourd'hui sur le marché de l'automobile.

On n'y est d'ailleurs pas très loin de l'automobile puisque la collection compte, entre autres, cabriolets, landaus et breaks dont les
appellations se retrouvent actuellement. Ils sont en excellent état,
témoignant encore du talent des carrossiers de l'époque. Certaines
voitures peuvent être attelées de quatre chevaux. La série de har-
nais exposés a de quoi faire rêver les rabatteurs du musée Hermès.

Mais, en Médoc, qui dit château dit vin. Le rouge du Château-
Lanessan est un « bourgeois supérieur » de haute qualité. Charnu
et moelleux, il gagne beaucoup encore à vieillir. Sa finesse se révèle
alors en une élégance inattendue. Il ne prétend pas aux premiers
rangs, mais il donne de plus grandes satisfactions que celles auxquelles son prix pourrait faire croire.

CHÂTEAU-MALAGAR
Bordeaux blanc. Saint-Maixent. 1re Côte de Bordeaux.

Le doux de Mauriac

François Mauriac fut « aussi » vigneron. Certes, on le voit mal en habit d'académicien, pantalon retroussé, foulant les grappes de raisin de son vin de Malagar.

Nous ignorons toujours si ce cru fut pour quelque chose dans la gestation d'ouvrages du Maître, écrits au domaine ; mais j'ai voulu au moins savoir ce qu'il valait.

Contrairement à ce que l'on pourrait supposer, le Château-Malagar, une première Côte de Bordeaux s'il vous plaît, ne cache aucun nœud de vipères. Né sur la très respectable terre — elle fait quand même dans les 17 hectares à 50 kilomètres de Bordeaux — laissée à notre pharisien par un ancêtre que l'on dit tonnelier, il est à peu près inconnu du grand public, mais jouit dans la région d'une honnête réputation.

Mal entretenu pendant des années, le vignoble, planté en cépages de Sémillon et de Sauvignon, est redevenu brillant. De l'avis général son emplacement est le meilleur des communes de Saint-Maixent et de Verdelais. Il donne surtout des blancs, dans la proportion de 75 %. Traités à la fois en « doux » (liquoreux) et « sec » (moelleux), ils surprennent agréablement. Délicats et aimables, ils ne ressemblent guère à leur défunt propriétaire académicien. En revanche, leur force en degrés pourrait expliquer certaines foucades ou encore les curieux oublis de l'auteur du *Bloc-Notes*.

Pour les amateurs de comparaisons et pour le situer, il est proche des Monbazillac. Il convient donc bien au dessert en « liquoreux » ; pour les poissons, le « sec », en vérité encore assez doux, paraît un peu faible malgré son moelleux.

Le Château-Malagar a cependant un gros défaut : son prix excessif qui le met aussi cher que des deuxième et troisième crus bien supérieurs. Au fait, Mauriac qui assurait avoir payé la première salle de bain du château avec l'argent du Nobel voulait peut-être faire installer une deuxième salle de bain dans sa propriété lorsqu'il décida des prix de ses vins.

CHÂTEAU-MALLERET
Bordeaux rouge. Médoc.

Le bourgeois du Marquis

Franchement, les châteaux du Bordelais m'étonneront toujours. Amené à visiter le domaine de Malleret, en Médoc, je me suis cru, un instant, en Ile-de-France ou en Normandie. La demeure, construite à la fin du Second Empire, et le parc, dessiné par le maître paysagiste de Napoléon III, expriment cette aisance cossue tant appréciée à l'époque et qui fit florès dans les campagnes des alentours de Paris.

Il y a aussi ces herbages entourés de lisses blanches où s'ébattent poulinières et poulains, tout comme dans les haras normands. Les pistes d'entraînement et la somptueuse écurie traitée à l'anglaise avec son très original balcon-galerie intérieur ajoutent à cette impression équestre, peu courante en ces régions.

On s'y croit très loin du Bordelais, d'autant que les vignes restent presque invisibles depuis les baies du château. Pourtant, elles passionnent Bertrand du Vivier, le maître des lieux, tout autant que sa meute, son équipage de chasse à courre et son élevage de chevaux. S'il y a du seigneur dans ce personnage, il traite ses vins en véritable homme de la terre, en vigneron.

Pour son cru, il n'a pas les prétentions de sa naissance et il se contente de le voir simple « bourgeois ». Léger, bouqueté, d'une jolie couleur, avec de la sève, ce rouge doit plaire pour les repas quotidiens. Son prix en fait le rival heureux de bien des Beaujolais.

CHÂTEAU-MATRAS
Bordeaux rouge. Saint-Emilion. Grand cru.

Boire d'un trait

La véritable encyclopédie que constitue l'ouvrage *Bordeaux et ses vins* de MM. Cocks et Féret consacre presque deux cents pages aux seuls vins de Saint-Emilion. Je ne compte pas là celles détaillant les vins des communes voisines et pouvant adjoindre à leur nom celui de Saint-Emilion pour leurs crus. C'est dire combien je ne m'étonne plus de trouver sur les cartes des restaurants des Saint-Emilion pour moi encore inconnus.

Dernier en date dans mes dégustations, le Château-Matras, classé « grand cru », autrement dit en troisième position, derrière les « premiers grands crus classés » et les « grands crus classés ». Sa qualité mérite cette situation.

Mais l'origine du nom m'a autant intéressé que le vin lui-même. « Matras » : carreau d'arbalète terminé par une petite masse de fer, désigne aussi l'arbalétrier. Ainsi nous renseignent les dictionnaires. Les armes du château portent, en effet, et l'arbalète et l'homme d'armes. Pourquoi ? On pense qu'après la guerre de Cent Ans un soldat se serait installé sur ces terres et y aurait planté les premières vignes.

Quoi qu'il en soit, l'endroit convenait bien au vignoble. Aujourd'hui contigu aux domaines de l'Angélus et Tertre Daugay, bien abrité des vents, il donne un vin à noter au-dessus de la moyenne.

Ce rouge a du corps, de la générosité sans excès, mais assez pour le faire un peu cousin éloigné des Bourgogne. Le bouquet et le léger « cachet d'amertume » avouent son appartenance au Saint-Emilionnais. Son moelleux autant que sa sève la confirment.

CHÂTEAU-MUSSEAU
Bordeaux rouge. Saint-Michel-de-Fronsac. Côtes de Fronsac.

Le vin du Galant Duc

On est bien en peine d'évoquer les vins de Bordeaux sans faire référence, à un moment quelconque, au maréchal de Richelieu. On sait qu'il fut le meilleur des propagandistes de ces crus auprès de la cour du roi Louis XV. Il devait cette passion à un long séjour dans le Bordelais, où il tenait la fonction de « Gouverneur de Septimanie, d'Aquitaine et de Nivempopuli ».

Il s'attacha d'ailleurs suffisamment au terroir pour faire fructifier ses vignes de Fronsac, un village qui par coïncidence valait aux cadets de sa maison le titre de duc de Fronsac. En cet endroit on trouve d'ailleurs une tour qui rappelle son souvenir. Faut-il noter qu'elle s'élève en un lieu dit « Bouc », fort bien nommé si l'on se rapporte aux exploits amoureux de ce seigneur bon vivant qui fréquentait souvent en galante compagnie la « Folie italienne » jadis construite ici ?

Mais arrivons-en à ces vins, en vérité peu connus, des Côtes de Fronsac. Ils régnèrent longtemps sur les tables des Flandres et d'Angleterre au Moyen Age. On les appréciait pour leur puissance, leur mâche et leur expression. Colorés et corsés, ils se révèlent toujours comme une sorte de compromis rustique et solide entre les Bordeaux et les Bourgogne. Des premiers ils tiennent une certaine élégance ; des seconds ils offrent la vigueur. Je les traiterais de gentilshommes campagnards. Ces rouges vieillissent avec bonheur et au-delà de leur nervosité première ils trouvent sur le tard un moelleux confortable, tout en conservant une saveur épicée assez typique. Saveur assez remarquable pour que d'aucuns en fassent un argument de vente, tel le Château-Musseau, très représentatif de ces Côtes de Fronsac, tous sans prétention mais déjà assez bien élevés pour un repas soigné.

CHÂTEAU-PEYRABON
Bordeaux rouge. Médoc.

Ce grand bourgeois vieillira bien

Château-Margaux, Lafite-Rothschild, Latour, Pichon-Longueville, Montrose : on peut s'en offrir une bouteille, mais il est plus difficile d'en faire toute sa cave. S'ils sont les premiers, ils ne sont pas les seuls.

En haut Médoc, il y a tout de même 29 communes et quelque 500 « Propriétaires » ou « Châteaux » qui produisent annuellement dans les 26 000 tonneaux de vin ! Pour qui aime ces vins de belle sève et de saveur fine, il reste donc de grandes chances de salut hors les crus classés.

Oh ! il n'a pas la prétention des grands Pauillac. Mais son terroir l'en rapproche. Classé cru bourgeois supérieur, il mérite mieux. Il a beaucoup de corps, sa souplesse en fait un vin moelleux, qui coule très agréablement. Il a une belle couleur et il est bien charpenté. Assez riche en alcool — il titre 11°5 « couverts » —, il vieillira bien. En tout cas, le 1981 que j'ai goûté m'a donné cette impression avec beaucoup de fruit en plus.

D'autre part, on peut compter sur le sérieux du propriétaire. Ses installations de vinification et ses caves sont parmi les plus modernes du Bordelais. Les replants qu'il fit il y a une quinzaine d'années, à « grands écarts », lui permettent une vendange rapide : cela est important pour avoir une récolte stable. Pour se faire et tenir sa réputation, il a renoncé à mettre en bouteilles les mauvaises années. Sans être un grand vin, il peut faire un excellent fonds de cave.

Si vous êtes curieux, je vous conseillerai aussi de faire un tour jusqu'à Saint-Sauveur-de-Médoc (à 6 km de Pauillac) pour visiter le « château » qui est un des plus jolis de la région. Et la famille Babeau, propriétaire et bourguignonne d'origine, met un point d'honneur à conduire elle-même ses clients.

CHÂTEAU-PICQUE-CAILLOU
Bordeaux rouge. Mérignac. Graves.

Le Graves de l'Empereur

Les grandes métropoles sécrètent, hélas ! d'immenses cités-dortoirs et de multiples villes-satellites jusqu'à former de gigantesques banlieues sans fin où la nature n'apparaît plus alors que comme une curiosité incongrue. On demeure étonné, stupéfait, d'y trouver un coin de verdure, un champ et plus encore une vigne.

Telle est du moins ma réaction en atterrissant sur l'aéroport de Bordeaux, dont les pistes grignotent sur les vignes alentour. Certes les vignobles venaient jadis jusqu'à la ville même, mais j'ai été intrigué par leur présence dans ce village de Mérignac qui ne fait plus qu'un aujourd'hui avec la capitale du Sud-Ouest.

Sans doute ne reste-t-il pas grand-chose : deux crus, rassemblés sous la houlette du même propriétaire : le Château-Picque-Caillou et le Château-Chêne-Vert. Derniers survivants de ce que l'on appelait autrefois les Graves de Mérignac, ils couvrent ensemble quelque 70 hectares.

Le premier m'a particulièrement intéressé parce qu'il est le type même de ces Graves rouges que l'on s'obstine à ignorer au profit des blancs. Son nom pourrait être lui aussi symbolique : on sait en effet que l'appellation de Graves est inspirée par la nature du sol fait de sables et de graviers. Celui-là ne cache pas son origine !

Et puis la petite histoire lui a fait une place dans la cave de Napoléon, alors que je demeurais persuadé qu'il était resté fidèle toute sa vie au Chambertin. On nous a assez dit que sa cantine en était largement pourvue. Et dire qu'il l'allongeait d'eau ! Un Chambertin !

Toujours est-il qu'au retour de la campagne d'Espagne l'Empereur, faisant étape dans la commune voisine de Pessac, voulut goûter les vins du château de Lussey. Le Picque-Caillou se trouvait parmi eux et lui plut assez pour le faire inscrire sur les inventaires des caves impériales.

Ce cru, chaud et nerveux, peut aussi vous intéresser par sa finesse, qui n'est pas sans rappeler celle du grand « Pape Clément ». Il ne prétend certes pas lui être égal, mais sa souplesse lui donne un charme inattendu. Comme chez tous les Graves rouges, le goût est franc, net, de sève très ouverte. Il ne faut pas en espérer autant de moelleux que d'un Médoc mais il est très typé, avec une personnalité à laquelle on ne s'attend pas. Il possède l'authentique saveur de « terroir » devenue fort rare.

Une parenthèse très courte sur son voisin, le Château-Chêne-Vert. Il fait preuve de plus de modestie et ses bouteilles recouvrent souvent les toutes petites années du Picque-Caillou.

CHÂTEAU-RAYMOND
Bordeaux rouge. Entre-deux-mers.

Montesquieu et l'esprit... de vin

Lors d'une visite à Rome, Montesquieu, en tant que président à mortier, fut reçu en audience privée par le pape, alors Benoît XIV. Pour honorer l'écrivain autant que le magistrat, le souverain pontife lui accorda une dispense bien faite pour satisfaire un homme gourmand : par une bulle, il lui donnait permission — ainsi qu'à toute sa famille — de faire gras le restant de ses jours.

Le Saint-Père chargea un secrétaire de remettre le brevet en question à l'heureux bénéficiaire, dès la sortie de son cabinet privé... non sans lui réclamer quelques substantiels droits à payer sur l'heure.

Fort près de ses deniers, Montesquieu n'allait pas s'en laisser compter. Après avoir admiré le document, il le rendit au prélat avec force compliments sur la bonté du pape pour terminer sur cette envolée :

— Je remercie encore Sa Sainteté de sa bienveillance, mais Elle est si honnête que je m'en rapporte à sa parole...

L'auteur de *L'esprit des lois* en avait beaucoup pour sa part. Et, pour être riche et célèbre, il ne reniait pas le sens de l'économie tété au terroir bordelais où il possédait des vignobles auxquels il tenait beaucoup. Si l'on en croit sa correspondance, il fut même bien plus préoccupé de la vente de ses vins que de celle de ses écrits.

Souvent il parle de ses vins de Graves qui « produisent peu mais bon » et jamais il ne manque de les associer à sa réputation littéraire. « Le succès que mon livre, *Les lettres persanes*, a eu en Angleterre contribue, à ce qu'il paraît, au succès de mon vin », constatait-il avec satisfaction.

C'est d'ailleurs dans la propriété d'un de ses vignobles, le Château-Raymond, qu'il écrivit justement *Les lettres persanes*. Il le tenait d'un oncle.

Le Château-Raymond existe toujours, les vignes et le vin aussi, restés entre les mains des descendants de Montesquieu. Le cru est un Entre-Deux-Mers. On sait que cette région donne des rouges assez âpres, foncés mais s'adoucissant en prenant de l'âge. Le Château-Raymond possède un bouquet et une sève qui ne sont pas sans rappeler certains Saint-Emilion. Il ne se veut pas une grande bouteille, mais il est à même de prendre la place d'un vin quotidien pour qui ne se suffit pas des grands ordinaires. Le domaine donne aussi un blanc, léger, relativement sec, agréable par sa fraîcheur en été, mais il n'a pas la personnalité du rouge, non plus que sa puissance. Si le premier est fait pour les ragoûts et les potées, le second se marie bien avec les coquillages. Enfin, l'un et l'autre sont mieux que des curiosités littéraires ou historiques.

CHÂTEAU-RECOUGNE
Bordeaux rouge. Fronsadais.

Pour chasser rogne et grogne

> *Qu'on s'esbaudisse donc, bramait Pantagruel,*
> *Chantez, baffrez, riez, geignards, chétifs, cruels,*
> *Sachez qu'il n'est céans hargne, rougne ni grougne,*
> *Que ne puisse noyer le nectar de Recougne.*

Le général de Gaulle, qui pilla ce quatrain rabelaisien pour l'une de ses « sorties » les plus célèbres, n'avait pas été jusqu'à indiquer à ses sujets de mécontentement cette plaisante manière de remédier à leur mauvaise humeur.

Aujourd'hui, ce Château-Recougne ne prétend certes pas à un tel lyrisme, mais il porte avec talent la simple appellation de Bordeaux supérieur. C'est plus rare qu'on ne croit. Si vous êtes à la recherche d'un de ceux-là pour en faire votre vin quotidien, je vous le conseille très sincèrement.

Sa distinction et sa générosité sont plaisantes et sa renommée ne date pas d'hier. Ainsi, Henri IV en fit-il son ordinaire, le temps d'une bataille et d'un amour.

La bataille, c'est celle de Coutras où Henri de Navarre — il n'était pas encore roi — défit le duc de Joyeuse, amiral de France et jadis favori d'Henri III.

L'amour, c'est celui de la dame du château. Le combat terminé et la victoire acquise, Agrippa d'Aubigné proposa au futur roi de s'en venir visiter le château voisin dont la cave l'avait si bien satisfait : il parla aussi de la châtelaine. Déjà fort gaillard, le prince abusa du vin, en fit abuser à la dame pour finir par abuser d'elle. Sans doute en gardèrent-ils un bon souvenir, puisque le château fut, depuis, appelé « Recougne » c'est-à-dire « reconnaissance ». Mais l'histoire ne dit pas si ce fut lui ou elle qui le rebaptisa.

Jouxtant les vignobles de Fronsac, il n'en demeure pas moins que ce Recougne s'approche bien plus par son caractère et sa personnalité des Pomerol. Un sol de crasse de fer qui lui donne un léger goût de truffe en est la raison. Bien charpenté, il ne manque pas de souplesse. C'est un petit vin sans doute, mais comme l'on dit petit-maître pour un peintre de talent qui a compris la leçon des grands.

A côté de ce rouge généreux, j'ai eu la surprise de trouver sur ces mêmes terres une petite production d'un blanc sec, de très bon prix, bien venu pour accompagner les huîtres.

CHÂTEAU-LA TOUR-SÉGUR
Bordeaux rouge. Lussac-Saint-Emilion.

Il a fait le bonheur de Sophie

Sans pour autant en conclure que le vin mène à la littérature — ou le contraire — force est bien de constater qu'en évoquant l'un on est souvent obligé de parler de l'autre. Montaigne, Rabelais et quelques autres gourmets de plume ne me contrediront pas.

Et encore moins la vertueuse comtesse de Ségur qui me donne prétexte à présenter cet aimable Bordeaux du Château-la Tour-Ségur.

Non point qu'il soit né sous son règne. Au temps des *Malheurs de Sophie*, la vigne poussait depuis belle lurette en cette commune de Lussac, voisine de Saint-Emilion.

Des débris d'amphores à vin et même des couteaux à vendanges, datant de l'époque romaine, y ont été découverts. Mais c'est tout de même dans ce domaine que la comtesse rédigea une bonne partie de ses écrits destinés à la *Bibliothèque rose*.

L'histoire du château aurait tout aussi bien pu l'inspirer. Mais sans doute appréciait-elle assez peu la moralité du sire de Ségur, l'ancêtre de son mari : « un mouvement d'humeur » l'avait poussé à trucider un moine qui l'importunait au cours d'une partie de chasse.

En pénitence, il dut « faire aumône » de ses terres à l'abbé des cisterciens installés à Lussac : celui-ci en fit sa résidence.

Pour en revenir au vin que les moines furent les premiers à mettre en valeur, il faut noter aujourd'hui une particularité. Il fait partie de ceux qui ont renoncé aux millésimes, afin d'assurer une plus grande régularité dans la qualité. Le principe en est souvent discuté mais l'exemple de Château-Margaux inspire plutôt confiance.

Pour celui que j'ai goûté, il m'a paru être un des plus intéressants parmi les Lussac-Saint-Emilion. C'est un vin franc, d'une belle couleur, bouqueté, assez généreux et ayant de la mâche. Ce rouge, sans avoir la richesse des Saint-Emilion, convient bien aux viandes assez corsées, aux rôtis.

CHÂTEAU DE VIAUD-GRAND CHAMBELLAN
Bordeaux rouge. Lalande de Pomerol.

Un grand bourgeois, le Chambellan

Si l'on est un peu curieux, on peut apprendre beaucoup de choses sur Pomerol. Le passé historique du village. La commanderie des Hospitaliers de Saint-Jean de Jérusalem, leur manoir, les vignes qu'ils cultivèrent, les émeutes sous l'occupation anglaise, et la reconstitution du vignoble au XVIe siècle.

Mais on retiendra surtout que le vin du même nom a de nobles prétentions et qu'il les tient. Sa richesse, sa corpulence font dire de lui qu'il est le Bourgogne du Bordelais. Dans la bouche d'un Bordelais cette affirmation ne manque pas d'une orgueilleuse ironie. Comme il est vin de classe, il faut bien le comparer aussi à ses pairs de la Gironde : plus mâle mais moins fin que le Médoc, il se rapproche par la sève du Saint-Emilion. En définitive c'est un vin complet.

Mais s'il y a une appellation Pomerol il n'y a pas de classement. Les amateurs reconnaissent toutefois le Petrus comme le meilleur, suivi par les Châteaux La Conseillante, l'Evangile, le Clos de l'Eglise.

Pour le reste on se fie un peu au hasard, à ses dégustations et goûts personnels, voire à l'ordre alphabétique. Il y a ainsi quelque quarante-cinq crus et châteaux, tous fort estimables. En général, après l'énumération de ces crus méritant la dénomination, on se contente d'ajouter quelques lignes discrètes précisant l'existence d'autres crus bourgeois ou artisans à Lalande et Libourne.

Eh bien ! ils sont intéressants, ces crus trop négligés. D'ailleurs, trois jugements ont autorisé la commune de Lalande à adjoindre à son nom celui de Pomerol. Et le vin qu'elle produit est bien digne d'un parrainage si difficilement obtenu.

Je vous recommanderai le Château de Viaud-Grand Chambellan. Il vaut bien des Pomerol.

Essayez-le avec des truffes, un bon gibier à poil, ou encore des viandes blanches : il leur donnera presque autant de caractère qu'un grand cru. Dernier point : il vieillit bien.

BOURGOGNE

Le vin de ville du Vert Galant

« *Superlativum, pretiosissimum...* », ainsi qualifiait-on les vins d'Auxerre dans les débuts du XIIᵉ siècle. Le jugement est un peu emphatique sans doute, mais il reposait à l'époque sur une réputation estimée à une dizaine de siècles, pas moins.

Des preuves, des témoignages d'une telle ancienneté, il n'en manque pas. Les biographies de saint Germain, le patron de la cité, suffiraient. Toutes rapportent, en effet, les somptueux festins qu'il donnait du temps qu'il était laïc : chaque fois on y relève la qualité des vins alors servis, « tous, précise-t-on, tirés de ses fonds et de ses vignes », hérités de ses parents. Et saint Germain naquit à Auxerre, le rappellerons-nous, au milieu du IVᵉ siècle...

Cette renommée nous paraît bien lointaine et semble ne plus appartenir aujourd'hui qu'à l'Histoire. Qui connaît, qui se souvient, qui boit du vin d'Auxerre ? Existe-t-il même encore ?

Le fait est qu'on se retrouve loin de ces gigantesques vignobles dont un moine franciscain de Ferrare notait qu'ils couvraient tout le diocèse et qu'Auxerre avait à elle seule « davantage de vin que Cremone, Parme, Reggio et Modène réunies ». Il serait étonné de voir, six siècles plus tard, ce qu'il en reste.

Quelques champs, tout au plus, vestiges modestes mais dont le plus curieux reste sans conteste le Clos de la Chaînette.

Une vigne bien incongrue en vérité : imagine-t-on, de notre temps, des ceps plantés en pleine ville ? On peut la dire étrange même ; connaît-on beaucoup de vins naissant entre les murs d'un asile d'aliénés ?

Pourtant le Clos de la Chaînette est tout cela. De révolutions en adjudications, cette terre, jadis propriété de l'abbaye de Saint-Germain, se trouve maintenant miraculeusement préservée de tout morcellement, entre les mains de l'asile psychiatrique de l'Yonne. Curieuse destinée que celle de ce vin qu'Henri IV s'était engagé à maintenir dans les caves royales avec quelques autres, en échange des clés de la ville !

En tout cas, le vin s'est maintenu égal à lui-même. J'ai apprécié le blanc, pour ouvrir un repas. Vif et léger, bien tenu en alcool, il fait preuve d'une vinosité et d'un bouquet sympathiques. Sans arriver à la finesse des vins des Côtes de Beaune ou de Nuits, il doit plaire pour sa sincérité sans complications. Mieux qu'un vin de pays, il ira parfaitement pour les petits dîners entre amis, comme preuve d'une originalité de qualité et de bon goût. Economique de surcroît.

Attention, il est à boire jeune, à température de cave, sans le frapper ni le glacer.

CLOS DU ROI
Bourgogne rouge. Côtes Dijonnaises.

Le vin de Margot

Si le hasard autant que la gourmandise vous entraînent vers Dijon, à l'occasion de la Foire gastronomique, ayez alors l'idée de pousser jusqu'à Chenove, à 4 kilomètres seulement de la ville.

Vous trouverez là des souvenirs bien propres à intéresser tous les amateurs de vignes et de vins En un lieudit *le Clos du Roi*, l'ancienne cuverie des ducs de Bourgogne a été conservée et mérite une visite. Haute d'une vingtaine de mètres, couverte d'une toiture de lave soutenue par d'énormes poteaux de bois faits d'une seule pièce, elle abrite deux pressoirs gigantesques datant du XIIIe et construits sur ordre d'Alix de Vergy, veuve du roi Eudes III.

Le levier commandant la vis de chacun de ces pressoirs ne mesure pas moins de 11 mètres de longueur et il supporte un contrepoids en pierre de 26 tonnes ! On ne s'étonne pas qu'avec de telles dimensions, on ait pu y traiter jusqu'à 60 pièces de vendanges à la fois. Aujourd'hui, ils demeurent seulement en tant que curiosités historiques. Et chez nous cela ne va jamais sans petite histoire : une de ces deux pièces uniques porte le nom de « La Margot », en souvenir, dit-on, de Marguerite de Bourgogne qui aurait pris quelque plaisir ici avec des vignerons lors de joyeuses vendanges.

Mais au-delà de ces anecdotes voilà bien une occasion pour découvrir un peu mieux ces vins des Côtes Dijonnaises écrasés qu'ils sont par les célébrités voisines des Côtes de Nuits et de Beaune. Jusqu'à la fin du XVIIe, on les vendait plus cher que les grands Gevrey et Nuits.

La proximité d'une ville en train de les grignoter peu à peu, tout autant qu'une certaine facilité des vignerons se laissant aller à planter des cépages grossiers mais de fort rendement, expliquent leur décadence.

Pourtant, dans quelques parcelles, et plus particulièrement dans ce Clos du Roi, ancienne propriété des ducs de Bourgogne, on s'est attaché depuis peu à revenir vers des produits plus raffinés, afin d'obtenir autre chose que des grands ordinaires. Le Clos du Chapitre — longtemps domaine des chanoines d'Autun — participe du même esprit.

Le Clos du Roi vaut d'être distingué, pour tenir la place d'un bon vin de table. Certes il ne renie pas le tempérament corsé des vins de Bourgogne, mais il fait néanmoins preuve d'une légèreté indéniable qui le rend très facile à boire. Pour le plaisir du palais, on retiendra son fruité. Dans les grandes années, on le trouve bien en chair et digne de certaines premières cuvées bourguignonnes. A remarquer aussi sa bonne aptitude au vieillissement.

CÔTE DE NUITS VILLAGES
Bourgogne rouge. Côte de Nuits.

Un Village en Côte de Nuits

On attache souvent peu d'importance à la dénomination « Villages » : on croit à un vin mineur. Si elle peut, certes, cacher le pire, il lui arrive aussi de réserver de belles surprises.

J'en donnerai pour exemple un Bourgogne peu réputé, trouvé sur le territoire de Brochon. Brochon se trouve être, avec Fixin, Gorgoloin, Prissey et Comblanchien, une des cinq communes à pouvoir apposer sur ses bouteilles l'étiquette de « Côte de Nuits Villages ».

Le cru suffirait à lui seul à valoir au pays une bonne réputation si Brochon n'avait déjà souvent fait parler de lui dans la région. N'est-ce pas là que Charlemagne installa un de ses premiers hôpitaux d'Empire ? Plus tard, un dramaturge du nom de Prosper Jolyot ne s'avisa-t-il pas (son père lui ayant laissé une petite vigne du nom de Crais-Billon) de s'en anoblir pour se retrouver « de Crébillon » ?

Du château, que notre parvenu construisit sur les lieux, ne reste de nos jours qu'un pavillon. Par contre, le bâtiment principal a été remplacé à la fin du XIXᵉ par une copie assez surprenante, presque conforme, n'était la taille, du fameux château d'Azay-le-Rideau. C'est une fantaisie d'un maître de forges mosellan, Liégeard. Un autre Liégeard fit aussi parler de lui, car il fut sous-préfet et poète.

Ajoutons même que l'endroit fut habité par le comte de Saint-Quentin, ambassadeur de France à Washington, qui prépara la rédaction du traité de Versailles.

Tout cela n'a pas empêché les vignerons de soigner leurs vignes avec talent. A tel point qu'au début du siècle on disait leur cru proche des grands de la Côte. Sans doute y a-t-il là quelque exagération, mais il faut lui reconnaître de belles qualités. Dans une cave limitée, il peut être le Côte de Nuits type et donner de jolies satisfactions.

Je me suis arrêté pour vous sur un « 82 » dont la très belle robe légèrement soutenue, la finesse soyeuse, le tempérament corsé vous séduiront. Ce vin loyal est évidemment fait pour accompagner tout un repas. Son caractère multiple lui permet même de se marier à des plats riches et raffinés.

216

GIVRY
Avalonnais rouge.

Un préféré d'Henri IV

« Le bon roi Henri en faisait son ordinaire... » Combien de fois ai-je déjà entendu une telle déclaration en forme de référence concernant l'un ou l'autre de nos vins. Si Paris valait bien une messe pour ce gaillard arriviste et malin, l'appui de la noblesse, du clergé et des bourgeois propriétaires de vignobles méritait bien aussi qu'il boive leurs crus. Sa Majesté, baptisée au Jurançon, ne rechignait pas devant une bonne bouteille.

Les historiens soutiennent d'ailleurs à ce sujet qu'il serait plus aisé d'établir les listes des vins qu'elle ne goûtait pas plutôt que celle de ses préférés. Il n'empêche que certains, comme le Givry, n'ont pas attendu sa consécration pour émarger au grand livre des caves royales.

On soutient même que d'aucuns, plus tard, n'hésitaient pas à le faire passer pour un Mercurey. Ce qui devait aboutir à un procès, mais non pas celui que l'on peut croire. Vers 1920, ce sont au contraire les producteurs de Givry qui tentèrent d'obtenir, à partir de ce prétexte, justement, le droit à l'appellation Mercurey ! On le leur refusa.

L'affaire semble assez stupide car ce vin de Givry n'a nul besoin de se parer d'un autre nom si l'on veut considérer la personnalité dont il fait preuve. Franc, corsé, avec presque autant de bouquet et de finesse que le Mercurey, mais avec plus de légèreté, vif et distingué, porteur d'une jolie robe avec des réminiscences de cassis, ce rouge devrait être apprécié par d'autres que les connaisseurs. En tout cas sa place parmi les premiers crus de la Côte Chalonnaise n'est pas usurpée. C'est un vin dont on dit qu'il fait les dimanches bourgeois.

PALOTTE D'IRANCY
Bourgogne rouge. Auxerre.

Ralliez-vous à sa Palotte

Mis à part les Chablis, je crois que l'on oublie trop souvent les vins de la basse Bourgogne. La dégustation récente d'un très agréable rosé d'Irancy, frais, léger, franchement naturel, idéal pour l'été, m'a fait souvenir d'autres Irancy, les rouges de Palotte, encore plus recommandables.

Leur origine remonte fort loin. Les « plants de César », qui donnèrent naissance à ce vignoble, furent importés par les marchands qui suivaient les légions romaines. Un bloc de pierre sculpté de cette époque, récemment découvert dans la région, représente, d'ailleurs, sans contestation possible, cette vigne encore cultivée de nos jours.

La célébrité des Palotte ne date pas non plus d'hier. Les moines de l'abbaye Saint-Germain d'Auxerre, qui furent les premiers à les élever dès l'époque médiévale, lui firent une belle réputation. Henri IV — à qui rien de ce qui était bonne vie n'était étranger — en réservait les huit dixièmes de la production pour sa consommation personnelle.

Ce vin, qui n'a droit qu'à l'appellation régionale « Bourgogne », peut y adjoindre le nom de la commune productrice, soit Irancy. A ce sujet, il est une anecdote curieuse. Au siècle dernier, l'assiette de l'impôt variait en fonction de la situation des vignes par rapport au centre du village. Les vignerons s'éloignèrent donc du clocher d'Irancy pour en arriver à cultiver sur les terres de Cravant, afin de payer moins d'impôts. Les vignobles sont demeurés, le nom aussi.

On reconnaît aux crus d'Irancy une belle vinosité. Un fruité très caractéristique leur donne un bouquet avec un parfum de violette fort aimable mais que les vignerons n'aiment guère — on ne sait pourquoi — entendre évoquer. Naturel, un peu âpre, il convient aux viandes rouges et aux fromages.

Il vieillit vite maintenant que les plants de Pinot de Bourgogne soutiennent à 75 % les plants de César. Jadis, les Palotte, 100 % César, ne se buvaient pas avant dix ans d'âge. C'est pourquoi on trouve de très vieilles bouteilles ayant merveilleusement tenu.

PASSETOUTGRAIN
Bourgogne rouge. Côte de Nuits.

Passetoutgrain passe partout

On sait les interminables soirées de dégustation qu'entraînent les discussions acharnées — souvent de mauvaise foi — sur les mérites comparés des grands crus de nos provinces vinicoles rivales. On aime prouver, verre en main, c'est la coutume.

Quelquefois il en sort d'excellents mots qui n'en sont pas pour autant ce que l'on appelle l'esprit de vin ; mais ils ont le mérite de passer à la postérité.

Les gourmands connaissent presque tous cette réplique un peu normande faite il y a un bon siècle par un vieux magistrat parisien à une dame qui le pressait, lors d'un grand repas, de lui dire sa préférence, des vins de Bourgogne ou de Bordeaux.

« Madame, lui rétorqua le cher homme, c'est une affaire difficile. Mais c'est un procès dont j'ai tant de plaisir à étudier les pièces que j'ajourne toujours à huitaine le prononcé de l'arrêt. »

Le bon La Fontaine en aurait certes tiré une morale, sinon une fable.

Pour en revenir au vin, lors d'un de ces débats, à un « Bordelais » fervent de ce charmant petit Bordeaux Villages qu'est le Clos-Saint-Hilaire (un Graves rouge) un « Bourguignon » opposa un tout aussi simple Passetoutgrain, enfant de la haute Côte de Nuits comme de la Côte Chalonnaise.

Ce fut une surprise : nous attendions un quelconque Beaujolais sans façon et voici qu'on nous ressortait des oubliettes ce vin que j'appellerais quotidien, capable de rivaliser avec tous ces grands ordinaires, aligotés, clairets ou autres, prétendument supérieurs.

Il faut dire qu'en pays de vignes, comme ailleurs, on n'aime guère les bâtards. Et le Passetoutgrain en est un : il se compose d'un tiers de plants de Pinot noir et de deux tiers de Gamay. Seulement ce mariage n'est pas contre nature. Bien au contraire, il y a là une combinaison propre à rehausser le talent du Gamay dont on sait qu'il n'est pas très brillant sur les terres calcaires, mais dont on n'ignore pas la haute productivité. Ce bâtard n'est donc point mal né.

Qu'en tire-t-on en définitive ? Ma foi, un petit cru très reposant à boire, qui mérite bien les honneurs de la bouteille. Il ne faut pas lui demander de forcer son talent mais on se plaira à l'acheter en primeur, comme les Beaujolais, pour le déguster très vite. Il n'est pas fait pour vieillir, lui non plus, mais il est friand, frais avec de la joie dans le corps. Que demander de plus à un vin quotidien ? Et puis cela vous changera agréablement des petits, je dis bien « petits », Beaujolais souvent surfaits.

SAINT-AUBIN FRIONNES
Bourgogne blanc. Saint-Aubin. Côte de Beaune.

Le frais Frionnes

La commune de Saint-Aubin se trouve être voisine de Puligny-Montrachet et de Chassagne-Montrachet. De cette commune on se souvient parfois qu'elle compte le hameau de Gamay. Il donna son nom à un plant célèbre, répandu un peu dans tous les vignobles du monde, mais qui fait merveille en Beaujolais seulement.

Pour le reste, on sait qu'il existe quelques vins rouges d'appellation communale, mais moins encore de blancs. Ainsi, qui a jamais bu du Saint-Aubin Frionnes, ce Frionnes dont la superficie représente tout au plus un hectare, partagé en rouges et en blancs ?

Cru d'autant plus rare qu'il naît d'un terroir fort exposé au froid. Son nom de Frionnes, à partir d'un vieux patois local, évoquerait d'ailleurs ces dures conditions qui font « frionner » (avoir froid, frissonner) les vignes. Encore que cette interprétation soit discutée.

Toujours est-il qu'avec une année clémente cela donne un blanc charmant, délicat, fait de simplicité. Léger et bouqueté, il avoue comme un parfum de noisette. Sec, ferme sans être dur, il prend un certain moelleux, sans trop, avec l'âge.

CHALONNAIS

MONTAGNY
Chalonnais blanc. Montagny.

Il n'y a pas que les rosés

Tous les étés voient revenir sur nos tables les bouteilles de vin rosé dont une habile propagande a fait l'accompagnement commode des repas de canicule. Pourtant, il existe bien d'autres vins convenant à nos menus de grandes chaleurs. Certains Bourgogne par exemple...

Que l'on ne voie pas là un quelconque amour du paradoxe ou même un désir de provocation. Mais je pense qu'il est bon de rappeler quelquefois que, au-delà de ses rouges riches et puissants, la Bourgogne possède des blancs, non point inconnus mais presque oubliés et capables cependant de vous « tenir la bouche fraîche et la tête libre ». Ce n'est pas toujours le cas des rosés incriminés.

J'ai pu apprécier récemment le Montagny, un des plus brillants crus — coincé entre la Côte de Beaune et le Mâconnais et complètement écrasé par leur réputation respective.

La modestie même du village de Montagny l'a obligé à installer son caveau de dégustation dans une commune limitrophe, elle aussi productrice de vins bénéficiant de la même appellation, à Buxy. L'endroit mérite d'ailleurs un arrêt pour goûter les crus locaux dans les salles voûtées d'une vieille tour médiévale.

Je suis persuadé que vous serez séduits vous aussi par la personnalité de ce blanc de Montagny. Frais, avec beaucoup de nez, il est reconnaissable par son goût précis de pierre à fusil. Il a une jolie finesse de terroir et, par son arrondi, il « habille bien le palais », comme disent les vignerons. Nettement plus nerveux que le Pouilly-Fuissé, malgré une classe moindre, il peut être son rival heureux.

C'est un vin qui accompagne très bien tous les poissons, enrichis ou non de sauces, et les quenelles.

CHAMPAGNE

CHÂTEAU DE BLIGNY
Champagne.

Il revient le Champagne du baron

Il y a plusieurs manières de concevoir le Champagne. Cette divine boisson peut servir à : avoir l'air riche, se désaltérer agréablement avant les repas, éviter les embarras gastriques (en faisant tout un repas avec un seul vin), fêter un événement comme, par exemple, la défaite électorale d'un adversaire, enivrer une jolie femme, etc.

Il y a même quelques originaux pour dire que le Champagne est aussi un bon vin. Ces gens-là sont peu nombreux et encore sont-ils généralement incapables de dire pourquoi ils préfèrent un Bollinger, un Krug, un Moët, un Laurent-Perrier ou un Taittinger. Et rarissimes sont ceux qui oseront servir sans déchoir un vin de « négociant-manipulant » (vin de vigneron sans marque) ou de marque inconnue.

Ils ont tort car ce sont souvent ces derniers qui, à défaut d'être également équilibrés, puisqu'ils ne sont pas le produit de coupages, sont parfois les plus exquis. Evidemment, il faut se méfier, et il m'est arrivé, poussé par la curiosité, d'acheter des petits Champagne qui se révélèrent d'abominables lavasses gazeuses.

Raison de plus pour vous en conseiller un quand l'occasion est bonne. C'est bien le cas pour ce qui est du Château de Bligny. Cette vieille marque eut son heure de célébrité du temps où le baron Cachard, son propriétaire, partait pour ses vignes à cheval comme un croisé de ses ancêtres et la clientèle aristocratique se disputait ses 100 000 bouteilles annuelles. Mais les fils du baron furent tués en 14-18, et privées de maîtres les treilles retournèrent aux herbes folles.

La famille Lorin, qui a racheté le vignoble depuis la dernière guerre, n'a pas voulu s'en tenir à un produit courant mais s'est attachée à y ressusciter un Champagne de classe dans les saines traditions de la technique artisanale. Elle y a réussi puisque son Champagne est excellent, bouqueté et parfaitement charpenté.

CHARBAULT
Blanc de Blancs. Champagne.

Le meilleur choix des frères Goncourt

Je suis toujours un peu surpris d'entendre certains restaurateurs proposer à leurs clients un « petit Blanc de Blancs » sans plus de détails. Comme ils le font de leurs « petits Beaujolais ». Si le client s'imagine voir obligatoirement un Champagne arriver sur sa table, il risque des déconvenues.

Tous les ouvrages les plus savants — du *Larousse gastronomique* au *Dictionnaire de l'Académie des Gastronomes* — sont, en effet, formels dans leurs définitions. Un « Blanc de Blancs » est un vin blanc fait exclusivement avec des raisins blancs. On peut en fabriquer dans toutes les régions vinicoles.

A mon sens, ce sont les frères Goncourt qui sont un peu responsables de ce malentendu. Quand ils ont créé leur Prix littéraire ils pensaient surtout à couronner un écrivain et non point un vin. Bien malgré eux, pourtant, ils ont contribué à la célébrité du Champagne Blanc de Blancs. Les jurés Goncourt ont, vous le savez, leurs habitudes : ils déjeunent chez Drouant, et, traditionnellement, ils ouvrent leur repas sur des huîtres qu'ils arrosent de Blanc de Blancs. Ponctuellement, chaque année en décembre, les journaux en parlent. A tel point que dans les semaines qui suivent le restaurant Drouant voit affluer des clients réclamant « le vin et le menu des Goncourt ».

Au demeurant, ce Blanc de Blancs de Champagne est un choix moins discutable que celui de certains livres couronnés. Il met bien en valeur la saleur particulière des raisins blancs du Pinot-Chardonnay qui donnent un vin plus fin et plus délicat que les Champagne classiques faits, eux, à partir de raisins noirs et blancs. On aimerait l'avoir dans sa cave. Hélas ! la maison Gratien, d'Epernay, fournisseur de Drouant, est très sollicitée.

Mais il en est un autre que je peux vous recommander.

C'est le Blanc de Blancs de Charbault. Il possède tout autant de grâce et d'élégance et, peut-être même, plus de fraîcheur. Il existe en « crémant » c'est-à-dire légèrement mousseux, mais aussi en « nature », c'est-à-dire non mousseux. Destiné aux huîtres et aux crustacés, en « nature », ou en « crémant » il peut accompagner tout un repas.

LUCIEN VAZARD
Champagne.

Bus à crédit

Les gens heureux, dit-on, n'ont pas d'histoire. Je ne saurais en dire autant de tous ces vins que j'évoque ici et dont les aventures surprennent souvent. Toutefois, me voici à court devant un Champagne, le Vazard.

Pourtant, par une compensation imprévue, je l'ai connu il y a déjà quelques années dans une cave étrange, chapelle devenue cellier, au plus profond d'une vieille forteresse provençale, le château de Meyrargues. Notre hôte, disert tout en menant notre dégustation, ne manquait pas d'anecdotes, heureusement !

A propos de Champagne, il nous conta la mésaventure survenue à Alexandre Dumas père. On sait combien il était négligent et désordre dans ses affaires et sa maison. D'aucuns en profitaient largement. Ainsi son maître d'hôtel lui annonça-t-il au cours d'un repas que la réserve de Champagne se trouvait épuisée. Dumas l'envoya en acheter chez un marchand voisin, à crédit bien sûr. L'affaire se répéta régulièrement jusqu'au moment où le maître d'hôtel affirma à Dumas qu'il fallait payer le fournisseur.

Plus tard, le hasard voulut que l'auteur descendît dans sa cave, et y découvrît un lot de bouteilles de Champagne jadis achetées par lui et que son maître d'hôtel lui revendait ! Il ne le renvoya pas mais lui fit la leçon en ces termes : « Que tu me voles, soit, car je te paie rarement. Mais que tu n'aies pas fait crédit à ton maître, tout de même ! »

Pourquoi n'imaginerais-je pas que ce vin était celui que nous buvions là, un Blanc de Blancs brut, frais, et fruité, discret dans le pétillement, sans excès dans le corps, assez léger et près du fruit pour convenir à une journée chaude, assez mâle pour animer un repas d'été ? Elégant sans sophistication, il convient bien aux tables de gens de bonne compagnie.

CORSE

COTEAUX DU SARTENAIS
Corse rouge. Sartenais.

Le favori de Madame Mère

La Corse ne manque pas de vins surprenants, à preuve celui-là qui arrive des Coteaux du Sartenais.

Par fidélité à son île autant que par démagogie, l'Empereur Napoléon Ier — dont on sait qu'il préférait le Chambertin — en tenait toujours sur sa table aux Tuileries. Mais c'est Madame Mère qui l'appréciait le plus : elle en commandait vingt hectolitres à chaque récolte.

Manque d'imagination ou esprit de suite ? Louis-Philippe maintint la tradition avant que Napoléon III la perpétue. Ce dernier déclara même après un banquet à Ajaccio : « Ces vins ne le cèdent en rien aux meilleurs crus de Sicile, de l'Espagne et de Chypre. »

Aujourd'hui même, ces compliments ne me paraissent pas relever du discours électoral et n'ont rien d'excessif. Toutefois cette comparaison m'amène à penser que Napoléon III évoquait surtout le vin de Tallano, commune voisine de Sartène, devenu extrêmement rare. Par sa nature, il s'apparentait à ces crus espagnols ou cypriotes, assez doux, qui prennent avec l'âge un goût de « rancio ».

Sans doute lui servit-on aussi ces vins du Sartenais qui détiennent actuellement la seule appellation en VDQS de l'île. Les rouges ont un bouquet remarquable qui n'est pas sans les apparenter au Châteauneuf-du-Pape. Capiteux, puissants, chauds, ils font preuve d'une finesse inhabituelle chez un vin rustique. Les blancs se montrent proches des Hermitage par un tempérament à la fois sec et moelleux, par beaucoup de parfum.

Pour moi, ils n'ont pas la légèreté que l'on peut attendre d'un vin de vacances (ils titrent fort) mais je conçois bien le rouge avec les premiers gibiers.

CÔTES DU RHÔNE

Un doigt de Muscat

Le snobisme aidant — alors que le bon sens et le bon goût devraient suffire — on redécouvre le vin comme apéritif. Le petit blanc sec, cher aux zincs de quartier, et le kir des bistrots à la mode ne sont certes pas chose nouvelle ; mais il est assez surprenant de voir réapparaître des blancs doux — ou même liquoreux — avant le repas.

Il est vrai que c'était un pléonasme de les servir avec des desserts. Offerts très frais avant de passer à table, ils sont bien plus séduisants. Et il y a peut-être là une chance de les sauver de l'oubli.

Pourtant leur passé fut particulièrement brillant. Sans remonter à l'époque romaine où le grand goût que l'on avait d'eux — joint, il est vrai, à une certaine ignorance des vinifications — leur faisait même ajouter du miel, il n'est que d'évoquer le Moyen Age.

Un manuscrit du XVIᵉ, *La Desputoison du vin et de l'iaue*, cite ainsi les quatre « mestres » des vins : Grec, Muscat, Chypre et Grenache. Tous des vins doux. Philippe Auguste dans le fabliau de *la Bataille des Vins* mande en premier lieu le vin de Chypre. A la même époque, les archives vaticanes font état de « charges » de vin de Muscat à commander dans le diocèse d'Elne en Roussillon. Philippe le Hardi ordonne à son sommelier de lui garder plusieurs barriques de vin doux dans sa cave. Les crus de Frontignan, Madère, Alicante, du Portugal prennent une célébrité enviée. Mais, depuis une trentaine d'années, on les boit moins, on les trouve trop doux, trop sucrés.

Certains avaient depuis quasiment disparu, tel le Muscat de Beaumes-de-Venise, en Vaucluse. En 1951, la récolte était peu différente de zéro. En 1967, elle est passée à 3 556 hectolitres et en 1983 elle comptait 8 500 hectolitres : une remontée assez remarquable.

Ce revenant sauvé en une dizaine d'années est de belle couleur et se veut généreux : il titre de 16 à 18°. Avec beaucoup de vivacité, il se montre moins liquoreux que le fameux Frontignan. Fin, plein d'esprit, il est de bonne garde : en vieillissant il prend encore plus de moelleux. Je conseillerais cependant de le boire vers deux ans d'âge : après, il lui arrive parfois de prendre un goût de « rancio ». C'est-à-dire qu'il devient très puissant et trop arrondi.

Charlemagne en buvait

Mes promenades de l'été me font toujours redécouvrir ces vins mal connus que trop de gens s'obstinent à mépriser au bénéfice des Beaujolais et des rosés de Provence ou d'ailleurs. Ainsi, je crois que l'on a trop tendance à considérer les Côtes du Rhône, mis à part les grands noms, comme des vins de comptoir.

Les grands noms, vous les connaissez : ce sont les puissants Tavel, les prestigieux Hermitage, les Châteauneuf-du-Pape. Mais il y a bien d'autres méconnus à déguster. Et en premier lieu le Cornas.

Sur la rive droite du Rhône, face à Valence, adossé aux Cévennes et bien protégé des vents du nord, le vignoble bénéficie d'un micro-climat déjà provençal. C'est une garantie de vin ensoleillé et riche.

Les vignes y sont toutes issues du même plant, la Syrah. Son origine est controversée : pour les uns, il serait venu de Chiraz, en Perse, au début de notre ère, et pour d'autres ce sont les légions romaines de Probus qui l'auraient apporté de Syracuse vers le III⁰ siècle. Comme ce plant est de faible rendement, il ne s'est pas répandu au-delà de la vallée du Rhône. Mais la qualité de ses produits est assez remarquable : il donne des vins solides, avec beaucoup de corps.

D'ailleurs les premiers amateurs du Cornas étaient de francs buveurs : les chanoines de Viviers, vers le X⁰ siècle, les capitaines des Grandes Compagnies de l'époque et aussi Charlemagne qui profita d'une halte pour en emporter quelques barriques.

Aujourd'hui, sa rareté fait qu'on l'ignore. Pourtant il a sa place dans une cave un peu originale. Mais il demande quelque patience. Assez âpre et amer dans ses premières années, il s'assouplit en vieillissant et il est de bonne garde. Il trouve un certain moelleux et une belle tenue vers cinq ans. Sa richesse en tanin, son fruité, sa générosité (11° et plus) et son goût de terroir lui donnent la meilleure place auprès des volailles.

L'Hermitage rouge de la reine Blanche

Je ne suis pas un fanatique de la vitesse. Je laisse volontiers les autoroutes aux obsédés de la moyenne et aux routiers en mal de contestation. Pourtant je reste un farouche partisan de leur cons-truction : décongestionnant nos vieilles routes nationales, elles per-mettent aux curieux et aux flâneurs d'en redécouvrir tout le pittoresque.

Ainsi pensais-je, il y a peu, en remontant de la Côte d'Azur. Je venais de parcourir, de Valence à Tournon, la magnifique « corni-che du Rhône » et, tout au long de la Nationale 7, jadis si encom-brée, je prenais le temps de recompter les îlots qui animent là le grand fleuve.

A-t-il été détruit pour faciliter la navigation ou bien les hautes eaux me le cachaient-elles ? Toujours est-il que je n'ai pas retrouvé le fameux « rocher du roi ».

Il tient pourtant sa place dans la petite histoire du vin. Remon-tons donc au XVIIᵉ siècle : à la hauteur de Tain-l'Hermitage, le grand chemin le long du Rhône, coincé entre les roches et les eaux, pré-sente de sérieuses difficultés. A tel point que les seigneurs se voient obligés de descendre de carrosse pour franchir ce passage en chaise à porteurs. Les vignerons du pays ne manquaient alors jamais d'of-frir quelques pichets de leur meilleur vin. Louis XIII, grand voya-geur, en profita très souvent. Ainsi naquit la « table du roi », énorme pierre plate que l'on se plut à imaginer en table royale.

Toutefois, il ne faut pas limiter la réputation des vins de l'Hermi-tage à cette époque. Les vignes auraient été plantées par Gaspard de Sterimberg, au retour de la croisade des Albigeois. Séduit par les lieux, il obtint de la reine Blanche de Castille l'autorisation de cons-truire un ermitage sur ces coteaux. Cela fait donc sept siècles que l'on est vigneron par ici.

Je m'arrêterai, cette fois-ci, au vin rouge uniquement. Moins connu que le blanc, il ne peut que plaire aux amateurs de crus soli-des et bien bâtis.

D'une belle couleur pourpre, généreux — au point de titrer par-fois 12° à 13° —, plus moelleux que tous ses congénères rhodaniens, il sait se montrer d'un bouquet pénétrant, d'un arôme très ouvert. Dans sa jeunesse, on lui trouvera un léger goût d'amertume, dispa-raissant avec l'âge.

En réalité, ce cru très spiritueux n'atteint à son amplitude et à sa perfection qu'après un certain nombre d'années. En s'arrondissant, il se fait plus fin, plus délicat sans rien perdre de sa sève, devenue alors aussi riche en arôme que son bouquet. Il tient facilement ses vingt ans de cave.

Viandes rouges rôties et gibiers à plume se trouvent bien de sa vigueur et de son originalité.

SAINT-JOSEPH
Côtes du Rhône rouge. Mauves.

Ces Mauves au goût de violette

On a fait grand bruit autour de la création de l'appellation « Côtes du Rhône Villages ». En fait elle n'est pas aussi nouvelle qu'on veut nous le faire croire. J'aurai l'occasion d'en reparler, mais, pour l'instant elle me permet de rester dans cette vallée du Rhône, où justement il est déjà arrivé à un vin de changer de nom.

Je veux parler du « vin des Mauves », un rouge devenu aujourd'hui le Saint-Joseph. Sans doute son premier nom vous rappelle-t-il un épisode des *Misérables*. Quand Victor Hugo fait recevoir Jean Valjean par Mgr Myriel, il écrit que Mme Magloire, sa gouvernante, « avait ajouté à l'ordinaire une bouteille de ce bon vin des Mauves, dont on boit fort peu parce que c'est un vin cher ».

Dans son choix, le prélat ne faisait que suivre l'exemple gourmand des princes italiens du XVIe qui faisaient déjà venir ce vin jusqu'à Rome.

Louis XII lui avait aussi accordé une place sur sa table, à côté des crus de son finage de Beaune. François Ier et Henri II perpétuèrent cette tradition que le cher Ronsard a évoquée. Et la légende voudrait même que les plants dont il est tiré soient semblables à ceux du vin des Noces de Cana : auquel cas il faudrait en dire autant des Hermitage.

Car ce vignoble des Mauves, non content d'être composé des mêmes vignes que celui de l'Hermitage, lui fait face sur la rive droite du Rhône. Ses produits n'en sont pas moins différents. Sans doute y retrouve-t-on la plénitude et le caractère corsé des Côtes du Rhône. Toutefois, avec moins d'étoffe que les Châteauneuf et moins de moelleux que les Hermitage, ils se révèlent fruités, assez légers et franchement bouquetés.

C'est un parfum accentué de violette qui leur donne leur personnalité. Une personnalité qui peut accompagner un repas assez riche, tout au long, surtout à quatre ou cinq ans d'âge.

JURA

L'Arbois de ce coquin de Sully

« Je conviens que le vin d'Arbois est bien le seul avec lequel on puisse se sentir porté à l'éloquence », ainsi déclara un jour Edgar Faure dont on ignorait pourquoi il était effectivement si bavard. Nul doute que cette profession de foi un rien flagorneuse naquit au cours d'une réunion électorale dans ses fiefs jurassiens.

On n'a pas dû tellement s'en étonner, là-bas. Depuis des générations, les Francs-Comtois savent que les événements politiques ont des répercussions sur la promotion de leurs vignobles.

De Philippe le Bel à François Iᵉʳ, en passant par Charles Quint et Henri IV, nombreux furent les princes et les rois cherchant à s'assurer le loyalisme des villes de la province en favorisant leurs vins.

Ainsi Philippe le Bel ouvrit les tables royales aux crus de Franche-Comté ; François Iᵉʳ les choisit pour traiter le pape Clément VII à Nice et il alla même jusqu'à faire planter des ceps d'Arbois près de son château de Fontainebleau.

Il ne faudrait pas en conclure pour autant que ces grands n'appréciaient pas les produits en question. Ceux-ci avaient une réputation que Rabelais n'a pas manqué de signaler dans le livre de *Pantagruel* : la vigne d'Arbois — cette appellation couvrait alors tous les vins du Jura — compte parmi celles qui entourent le Temple de la Dive Bouteille.

On dit même que Sully — pourtant diablement sérieux — faisait « chinquer force Arbois » aux filles italiennes de la reine pour les mettre de bonne humeur. Qui l'eût cru ?

De nos jours, les *vins du Jura* ont une image marquée par des productions très particulières tels les « Vins Jaunes », « Vins de Paille » ou encore ce Château-Chalon incomparable mais en définitive peu représentatif de l'ensemble des vins des Côtes du Jura ; avec les Etoile, les Arbois, tous trois, ils sont les seigneurs : mais il y a tous les autres.

Blancs, rouges, gris, mousseux, rosés, et même jaunes, ils savent être des petits vins sympathiques, avec du caractère. Les blancs, sur lesquels je m'arrêterai aujourd'hui, sont secs, vifs, nerveux, corsés, frais, avec un fruité très personnel — un peu de noisette, un peu de pierre à fusil. Si leur jeunesse les trouve quelquefois un peu durs, la bouteille les rend plus aimables, car ils y perdent un soupçon de leur vivacité. Rien à voir donc avec d'autres vins du Jura, plus connus pour leur douceur.

Essayez-les avec des hors-d'œuvre, des fruits de mer ou des poissons : servis frais, à 12°. Ils valent bien des Muscadet plus connus mais non pas mieux réussis.

MASSIF CENTRAL

CHANTURGUE
Auvergne rouge.

Résurrection

La lecture de certaines cartes de restaurant risque d'amener les clients à de bien étranges constatations. Ainsi, en Auvergne, il n'est pas une maison qui ne propose à son menu, en forme de plat du jour, le coq au vin de Chanturgue. Mais, pour peu que l'on réclame, par curiosité, une bouteille de ce même cru, on se heurte alors à une fin de non-recevoir : « Du Chanturgue, mais il y a bien longtemps que cela n'existe plus ! » Contradiction qui nous ramène une fois de plus au problème des appellations en cuisine. Qu'est-ce qui accompagne, alors, ce fameux coq ?

Mais là n'est pas mon propos. Je tenais simplement à vous signaler que, en dépit de ces affirmations, le Chanturgue survit et, mieux, semble retrouver une certaine prospérité. J'ajouterai même qu'il mérite d'être bu. Je n'irais pas jusqu'à affirmer, comme les Auvergnats, que c'est là le meilleur vin du monde, mais je le conseillerais à tous ceux qui apprécient les vins sans façon.

Il naît du cépage Gamay, celui-là qui donne les vins de Beaujolais. S'il n'atteint pas la finesse et le bouquet de ces derniers, le Chanturgue se montre agréable et sans trafic, me semble-t-il. Il fait preuve de légèreté avec un fruité dont on prétend qu'il devient, les grandes années, tout proche d'un goût de violette doublé d'un certain velouté. Cas rare.

Pour l'instant c'est un petit vin facile à boire, flatteur, dont la robe rouge cerise semble vouloir confirmer le caractère primesautier et bienveillant. Il vaut mieux que bien des rosés.

MIDI

MAURY
Languedoc rouge. Vin doux naturel. Maury.

Un costaud en velours

« Vins doux naturels » : l'expression garde un je-ne-sais-quoi de désuet. On imagine une vieille dame de province recevant ses petits et arrière-petits-enfants dans son salon à tapisseries, avec ce que l'on appelait un « doigt » de Muscat ou de Banyuls versé d'une bouteille poisseuse tirée avec soin d'un impossible buffet Henri II.

Quelle naïveté perverse ! Sous des dehors amènes, ces vins, amis des desserts d'antan, cachent bien leur jeu.

En réalité, cette appellation de « vin doux naturel » ne possède qu'une valeur fiscale et non point d'appréciation. Liquoreux, doux, certes, mais combien corsés ! Ils titrent jusqu'à 22-23° !

Ils le doivent à leur vinification, assez particulière pour qu'on l'évoque. Ils naissent de raisins très sucrés qui subissent le plus souvent un véritable « passerillage ». Autrement dit, les grains demeurent sur la souche au-delà de leur état de maturation normale jusqu'à se déshydrater et concentrer tout leur sucre.

Les moûts de ces raisins, alors particulièrement riches en sucre, sont ensuite traités afin de leur en conserver une grande partie. Dans ce but, on stoppe leur fermentation par une opération de « mutage », consistant en l'adjonction de 6 à 10 % de leur volume d'alcool pur titrant au moins 90°. On ne s'étonnera donc pas de la puissance autant que de la douceur de ces vins : alcool et sucre les expliquent.

On suppose que cette méthode, inspirée de l'Antiquité, nous vient des Sarrasins, de l'Espagne ou du Portugal. Elle est en tout cas bien méditerranéenne.

Puisque des vacances outre-Pyrénées nous ont fait redécouvrir les Madère, Porto, Malaga, Alicante, la nouvelle vogue de la côte du Languedoc nous fera-t-elle retrouver nos vins doux à nous, les Banyuls, Muscat, Agly, Frontignan et le Maury tant oublié ?

On le connaît pourtant depuis le IIe siècle : il portait alors le nom d'« Amauriol ». Plus tard, dans les légendes médiévales, il siège avec trois autres vins à la cour du dieu d'amour et on le compte dans les celliers de Philippe le Bel. En même temps que Louis XIV les princes allemands en furent longtemps entichés.

Il n'est jusqu'à André Tardieu qui, dégustant un 1805 — année d'Austerlitz —, tint à le baptiser, en toute modestie, « empereur des vins ».

N'allons pas si loin, mais qu'aimaient-ils donc tous en lui ? Sa couleur de velours sombre, sa rondeur, son moelleux, sa vigueur, son liquoreux, sa douceur, son fruit, sa solidité ? Sans doute appréciaient-ils ces qualités qui le rapprochent des grands Banyuls mais lui conservent une personnalité certaine. Il faut vraiment refaire la connaissance de ce beau rouge de dessert.

PROVENCE

DOMAINE DU TEMPLIER
Bandol rouge. Provence.

Prenez plutôt un Bandol

Fort heureusement, pour les connaisseurs, il existe de véritables bons vins de Provence. Le Bandol est un de ceux-là. Quand on évoque le charmant petit port du même nom, on l'oublie trop souvent : on vante les palmiers, les eucalyptus, les mimosas, le vieux château et les célèbres « bourrides ». Mais on néglige le cru local.

Il n'est pas nouveau pourtant : jadis, quand Bandol expédiait par bateau des cargaisons de vins de Provence vers Londres, Rotterdam, et Brême, il avait sa place parmi eux. Il est vrai qu'à l'époque on englobait dans la dénomination « vins de Provence » tous ceux produits depuis Draguignan jusqu'à Narbonne et Carcassonne ! Depuis, les appellations d'origine ont mis ordre à ces aimables fantaisies.

Le vignoble de Bandol n'est pas très important. On pourrait approximativement le situer sur la côte de Sanary à La Ciotat et vers l'intérieur jusqu'au Beausset et au Castellet. Il donne le vin le plus réputé de la côte et du Var.

C'est au Plan du Castellet que nous avons rencontré un rouge et un rosé d'une extrême qualité, ceux du Domaine du Templier. Le rouge nous a particulièrement séduit : corsé, avec beaucoup de sève, solidement charpenté, bien coloré, il possède une âpreté sympathique qu'il perd d'ailleurs en vieillissant, car il vieillit bien.

Le rosé est fruité, bouqueté et d'une jolie richesse en alcool. Tous deux se boivent frais, les rouges de Provence supportant la glace sans aucun problème. Souvenez-vous donc de ces deux vins dès l'instant où vous retrouverez la Méditerranée.

CARITA
Bouches-du-Rhône rouge. Les Baux.

Le rouge des Baux

On se demande si Raymond Thuillier, le fastueux cuisinier des Baux-de-Provence, n'aura pas bientôt touché à tous les métiers. Non content d'être l'heureux propriétaire de l'Oustau de Baumanière, où il fait si bon vivre et où il assure une table brillante, sachant, quoi qu'on en ait dit, se renouveler avec bonheur, il aime à voir son nom mêlé à toutes les sauces.

Parce qu'il aime les meubles anciens dont il a rempli sa maison, il s'amuse d'une boutique d'antiquités. Parce qu'il reçoit beaucoup de peintres, il leur a ouvert une galerie et sur les conseils d'Yves Brayer, autre fanatique de la région, il s'est installé devant un chevalet et on lui accorde un bon coup de pinceau. Parce qu'il sait sa terre terre de senteurs, il n'a pas hésité à lancer une eau de toilette à base de lavande.

On ne s'étonnera donc pas de voir depuis plusieurs années son nom sur l'étiquette d'une bouteille de vin du pays. Car il ne manque pas de vignes alentour des Baux. Elles ne prétendent pas rivaliser avec les grands vignobles, mais elles savent donner des petits crus ensoleillés, parfumés et un peu rustiques. Et, pour être raffiné, Thuillier n'en demeure pas moins tout près des choses vraies.

Son vin de Carita — un nom qui ne doit rien aux célèbres coiffeuses du faubourg Saint-Honoré, mais qui rappelle simplement que les premiers ceps appartinrent à un hospice de la Charité — répond bien à cette idée. C'est un rouge léger, plein de fruit, coloré et gai, agréable comme un joli souvenir de vacances et accompagnant bien les repas de tous les jours. Avec une belle signature qui plus est.

CASTEL-ROUBINE
Provence rouge.

Un Provençal sans chimie

Je me méfie assez de ces barriques et autres tonneaux publicitaires installés au bord des chemins à seule fin d'attirer le passant vers quelque caveau de dégustation où il enterre vite ses illusions. Surtout en Provence.

Il aura donc fallu un bien heureux hasard pour que je me laisse tenter et que je n'en sois pas déçu. Sans doute la présence d'un ravissant château du XVIIIe n'aura-t-elle pas été étrangère non plus à ma curiosité. Toujours est-il qu'on m'a fort aimablement reçu en ce Castel-Roubine. La dégustation ne manqua pas de largesse.

Si je ne me suis pas longtemps arrêté sur les blancs et les rosés, j'avoue devoir retenir le rouge, dit, à tort ou à raison, « Cuvée réservée ». Vin de caractère ensoleillé, il n'a cependant pas la violence de certains de ses voisins provençaux. Au contraire, nous nous sommes tous accordés pour lui reconnaître une certaine légèreté qui se confirme en une sève élégante. Son bouquet fait preuve de caractère : on lui devine comme un arrière-goût de résiné et d'herbes odorantes, reflets de la campagne alentour.

Ce rouge ne vise pas à étonner ni à plastronner. Il ne prétend à rien de plus qu'à être un franc compagnon pour des repas entre amis. Cette franchise, il s'en réclame d'ailleurs : le propriétaire le garantit « vieilli naturellement en fûts de chêne, et sans aucun traitement thermique ou chimique ». Sans doute est-ce la raison pour laquelle il s'habille aussi en une très sage bouteille.

CHÂTEAU D'ESTOUBLON
Coteaux des Baux rouge. Provence.

L'inconnu des Alpilles

Avez-vous jamais, avant de partir en voyage, consulté les inventaires divers de nos monuments historiques ? Je vous conseille de le faire. Au-delà des sites célèbres, on y découvre mille raisons de s'arrêter, soit pour une façade, une grille, un pan de mur, soit même une simple fenêtre à moitié cachée par un crépi indécent. En général, les propriétaires, pour peu que l'on ait quelque discrétion, sont assez flattés de l'intérêt que l'on porte à leurs trésors et se font souvent un plaisir de vous aider plus avant dans leur découverte.

Parcourant ainsi les Alpilles que je croyais bien connaître, je viens d'être amené à faire un détour pour reconnaître le château d'Estoublon.

Construit au xiv⁰ siècle, dépendance de la fameuse abbaye de Montmajour, détruit pendant les guerres de Religion, il m'était signalé pour l'harmonie et la pureté de sa façade classique du xviii⁰. Il est vrai qu'il a la distinction des demeures nobles de l'époque.

Mais il devait m'intéresser doublement puisque ma visite m'a amené dans le vieux moulin à huile des communs où le propriétaire m'a convié à déguster quelques-unes de ses bouteilles : il est aussi vigneron.

Son cru ne manque pas d'intérêt pour qui recherche un honorable vin de tous les jours. Il n'est pas célèbre ni même connu : les vignes n'ont guère qu'une douzaine d'années. Mais la terre et le climat ensoleillé leur permettent de donner un raisin plein de fruit et de couleur.

Le cru ne prétend pas aux premières places : il mérite cependant sa classification en VDQS et son appellation de « Coteaux des Baux-de-Provence » lui convient bien. On a là un vin qui ne renie pas ses origines dont on sait qu'elles s'attachent à produire des vins solides, près du terroir, avec un rien de brillant. (Ces rouges sont fort en tanin, ce dont on ne s'étonnera pas ici.) Son bouquet est authentique et son arôme développé plaira à ceux qui aiment les crus fermes et riches. On ose à peine l'écrire mais c'est un vrai vin, un vin très viril qui ne s'embarrasse pas de vaines élégances. Ne le croyez pas paysan pour autant. Quelques années lui vont bien et c'est pour cela qu'il n'est jamais vendu à moins de trois ans. Au-delà il arrive à trouver une certaine finesse de bon aloi.

Je ne voudrais pas cependant quitter le château d'Estoublon sans vous signaler une autre de ses productions, l'huile d'olive : les « première pression à froid » sont vraiment remarquables de qualité. Voilà une autre bonne raison pour s'arrêter sur ce nom.

Cézanne aimait cette palette-là

Je doute qu'il y ait avant longtemps une amélioration aux embouteillages classiques et estivaux d'Aix-en-Provence. Prenez donc votre mal en patience et profitez-en plutôt, car il n'est pas de ville plus séduisante que la cité de Mirabeau. L'amateur de bien-vivre y trouve de menus plaisirs, où entre par exemple la dégustation d'un vin imprévu, comme ce *vin de Palette*, et son grand cru de Château-Simone.

On a là affaire à un vin relativement rare, pratiquement inconnu au-delà des limites du département. Il fait partie de ces crus de la région d'Aix considérés en général comme assez ordinaires. Pourtant ce Palette mérite mieux : complet, plus léger et plus fruité que les Côtes de Provence voisins, avec une sève embaumée du plus bel effet, c'est à mon avis un agréable vin d'été.

Avantage qui n'est pas négligeable : il est facile à boire. Plutarque en a témoigné en évoquant la bataille qui se déroula en ces lieux entre Marius et les Teutons : « Ceux-ci, dit-il, avaient le corps appesanti par l'excès de la bonne chère ; mais le vin qu'ils avaient bu, en leur donnant plus de gaieté, ne leur avait inspiré que plus d'audace... »

Le vignoble, situé au Tholonet et à Meyreuil, tout près d'Aix et de la montagne Sainte-Victoire chère à Cézanne, a certainement reçu la visite du peintre. Peut-être même a-t-il vu, quelque jour, Zola quand celui-ci vint admirer la « Petite Mer », cette retenue d'eau d'un barrage voisin construit en 1850 par son père. Quant à Picasso, son château de Vauvenargues tout proche peut laisser supposer qu'il y vint aussi.

Marius, Plutarque, Cézanne, Zola... que de parrains ! Quel vin préféraient-ils : le blanc, réputé pour son élégance et sa légèreté ou le rosé connu pour son bouquet et sa souplesse, ou encore le rouge, plus apte à vieillir, avec plus de corps ? Ou bien cette Palette de Noël, vin cuit de dessert, liquoreux et corsé, qu'on préparait jadis exceptionnellement pour les jours de fête ?

Pour ma part, j'avoue une préférence pour le blanc, le plus racé des trois, qui peut accompagner la truite farcie au thym, spécialité locale, et que je n'hésiterais pas non plus à recommander avec une bouillabaisse.

PYRÉNÉES

JURANÇON CHIGÉ
Jurançon blanc. Pyrénées.

Le préféré du roi gaillard

On ne fait pas assez souvent confiance aux « caveaux » et autres bistrots qui cernent les hauts lieux du tourisme, en France et ailleurs. Parce qu'ils proposent à la dégustation des petits vins de pays, on se méfie d'eux comme s'ils n'avaient derrière leur comptoir que des Beaujolais revus et corrigés par Paris.

Une visite au château de Pau m'a ainsi conduit au café qui lui fait face, où j'ai retrouvé le Jurançon, ce blanc aimable que l'on a tort d'oublier en quittant le Béarn.

Pourtant l'Histoire même lui a fait une jolie réputation. On dit qu'à la naissance d'Henri IV le grand-père d'Albret frotta les lèvres du futur roi avec une gousse d'ail et les humecta de quelques gouttes de Jurançon : cela en fit un solide gaillard et un gourmand qui ne devait jamais renier le vin de son baptême.

Le vignoble qui produit le Jurançon n'est pas très important. Il englobe une dizaine de communes, sur des coteaux calcaires bien exposés sur la rive gauche du gave de Pau, entre Pau et Lagor.

Le Jurançon blanc est bien supérieur au rouge. C'est un vin demi-sec ou moelleux. Capiteux, il peut titrer jusqu'à 15°. Couleur d'ambre ou de maïs, il prend parfois une légère teinte orangée au bout de plusieurs années, lorsqu'il lui arrive de se madériser. On se plaît à lui reconnaître un goût très personnel, avec beaucoup de bouquet où certains n'hésitent pas à déceler un léger parfum de truffe : c'est souvent le cas. Pour être corsé il n'en est pas moins frais. Il atteint son meilleur après deux ans de fût et trois à quatre ans de bouteille.

Il est incontestable qu'il convient plus spécialement aux desserts. Mais son caractère nerveux lui permet d'accompagner avec bonheur confits d'oie, langoustes à la bordelaise, crevettes, langoustines et même hors-d'œuvre. L'avoir dans sa cave n'est donc pas uniquement un exercice de style.

Je vous recommanderais un vin de propriétaire, issu d'un petit vignoble de 4 hectares, à Jurançon même. Il s'agit du Cru Lamouroux dont je peux dire qu'il s'agit là d'un vin honnête, soigné et franc.

VALLÉE DE LA LOIRE

BONNEZEAUX
Anjou blanc. Coteaux du Layon.

Ces Bonnezeaux font de bons vins

Très régulièrement, à l'époque de Noël, je me pose avec une belle constance la traditionnelle question : « Avec le foie gras, quel vin ? » Et tout aussi régulièrement, après le coup de chapeau machinal au Château d'Yquem, selon mon humeur et mon goût du moment, je choisis un cru dont je sais à l'avance qu'il sera accepté par les uns et contesté par les autres.

Car, en vérité, le foie gras s'associe avec quantité de vins, témoin le *Larousse gastronomique* où on le trouve marié avec des « grands blancs secs » (Graves, Meursault, Montrachet, Champagne, Coulée de Serrant, Riesling, Hermitage, Château-Grillet), des « grands blancs liquoreux » (Sauternes, Barsac, Quarts-de-Chaume, Bonnezeaux, Gewurtztraminer, Frontignan, Samos) et aussi des « grands rouges » (Médoc, Graves, Saint-Emilion, Pomerol, Musigny, Romanée-Conti, Beaune, Volnay, Hermitage, Banyuls grand cru, Porto...) Vraiment il y a là de quoi alimenter toutes les polémiques possibles !

Et pourquoi pas un Bonnezeaux dont la nature même me paraît, entre autres, bien convenir avec le foie gras. Je suis sûr d'avoir là un cru venu des Coteaux du Layon dont on sait que les produits aboutissent à des blancs bouquetés, parfumés, solides et liquoreux.

Ce Bonnezeaux mène même ces qualités plus loin, jusqu'à leur meilleur : son arôme, sa sève s'exaltent en un caractère prononcé, tendre et vigoureux, avec beaucoup de goût, un goût s'améliorant avec les années et qui lui vaut d'ailleurs une appellation exceptionnelle.

Il est assez curieux de constater que ce joli vin, franc s'il en est, nous le devons, comme bien d'autres en Anjou, aux Hollandais. Ce sont eux qui poussèrent à la constitution de ce vignoble et se chargèrent de sa promotion. En effet ces crus correspondaient à leur goût pour les vins doux et dès le XVIII⁰ siècle ils le firent considérer comme le premier vin des Coteaux du Layon, et un des favoris chez eux. Il faut bien avouer que cela les changeait beaucoup des vins frelatés auxquels ils s'étaient habitués depuis qu'ils détenaient le monopole du commerce des vins d'Anjou vers le Nord : ne dit-on pas qu'une des spécialités de ce temps consistait en un mélange de Vouvray, de Malaga et de Petit Nantais (autrement dit de Gros Plant).

D'ailleurs puisque nous en sommes à l'influence des Hollandais, nous leur sommes aussi redevables de la vogue du Muscadet chez nous. Pendant longtemps, ce vin fut exporté par ces gens du Nord qui n'hésitaient pas à le mélanger avec de l'eau-de-vie (on appréciait à l'époque). Puis, à l'occasion d'une baisse de nos échanges pour cause de guerre, les producteurs du Muscadet s'essayèrent au marché français, en s'abstenant de tout mélange. Et ce vin, truqué pour l'étranger, sut plaire par son naturel et sa franchise.

BOURGUEIL
Anjou rouge. Bourgueil.

La pipe de Ronsard

. Du temps que les rois de France en faisaient un de leurs vignobles favoris, Rabelais, Balzac, Vigny, Dumas et quelques autres écrivains gourmands étaient tout louanges pour les vins du pays de
Loire.

Ronsard, revenant souvent à Bourgueil où il s'était épris de Marie,
la belle Angevine, ne manquait jamais de faire mettre en perce une
« pipe » du cru local qu'il buvait en bonne compagnie.

Jusqu'à tant que la lie
De ce bon vin d'Anjou
La liqueur soit faillie.

Comme on le comprend ! Le Bourgueil est un des plus honnêtes
vins que je connaisse. Qu'il fût « Anjou » jadis et qu'il soit devenu
« Touraine » aujourd'hui, il n'en a pas moins de belles origines.

Certes la légende y a sa part. On sait que l'introduction de la vigne
dans la région est attribuée à saint Martin : surtout pour le Vouvray.
Mais on prétend que c'est dans les vignes de l'abbaye de Bourgueil
(d'aucuns disent à Marmourtier, près de Tours) que l'âne du bon
saint, en broutant l'extrémité des rameaux, apprit aux moines à tailler la vigne.

A notre époque encore, d'ailleurs, le jour de la Saint-Martin, lorsque les vignerons goûtent et vérifient leur nouvelle récolte, on dit
qu'ils « martinent » leur vin.

Il est toutefois établi que les pieds de Cabernet furent apportés
ici du Bordelais par l'abbé Breton, secrétaire de Richelieu : ces ceps,
surnommés « Bretons », ce qui ne simplifie pas les choses, donnent
incontestablement les meilleurs crus rouges de Bourgueil.

Ce sont des vins généreux, plus corsés que les Chinon, et franchement rudes pendant leur première année. Nerveux et fruités — on
les reconnaît à leur odeur de framboise — ils s'adoucissent en vieillissant. Ils prennent alors beaucoup de finesse et leur bouquet gagne
en ampleur, en même temps que leur corps s'affirme. Ils vont avec
les gibiers et les viandes en sauce.

Quelques-uns comme le Clos de l'Abbaye, le Grand Clos, sont réputés mais devenus rares. N'empêche que, bien souvent, des vins de
négociants éleveurs — mais oui — demeurent particulièrement intéressants, contrairement à une tradition qui veut qu'il n'est de bon
« petit » vin que de propriétaires modestes.

CHINON
Touraine rouge. Sazilly.

Le « breton » de Gargantua

Si vous passez un de ces jours en Touraine, et plus particulièrement à Chinon, ne vous étonnez pas si l'on vous propose du « vin Breton » : c'est le nom local donné au *Chinon*.

Cette appellation vient du fait que les vignerons chinonais et saumurois allèrent chercher jadis leurs plants de vigne à Nantes et dans les ports des environs où l'on en faisait alors grand commerce.

En réalité c'est « vin de Bordeaux » qu'on devrait dire, car le « Breton » n'est autre que le plant noble des Graves bordelais (encore que le terroir change tout). On ne sait pas exactement quand ces cépages firent leur apparition sur les bords de la Loire. Dans *Gargantua*, Rabelais l'évoquait déjà en ces mots : « Ce bon vin breton (qui) poinct ne croist en Bretaigne mais en ce bon pays Verron. » Mais on en trouve bien avant lui trace dans des documents du Xᵉ siècle.

Il dut s'améliorer avec le temps puisqu'au xvᵉ siècle Louis XI choisissait ici l'« optimum vinum » dont les rois de France offraient annuellement cent muids à l'église de Cantorbéry. La tradition venait d'un engagement pris par le roi Louis VII en 1179 en l'honneur de Thomas Becket. A l'origine, le don se composait de vins du clos de Triel, dans la région parisienne.

Si les guerres de Louis XIV, de la Révolution et de l'Empire — en ruinant son commerce avec la Hollande — puis les déséquilibres économiques, les gelées et le phylloxéra le firent oublier un temps, on peut dire que le Chinon revient aujourd'hui en faveur.

Jules Romains disait qu'il était « un vin pour intellectuels ». C'est sans doute lui faire beaucoup de tort en le faisant passer pour prétentieux. Ce rouge, fin, moelleux, léger et agréable est bien fait pour les viandes en sauce, les rôtis et les fromages. Peu corsé, il est tout de même très bouqueté avec un parfum de violette très caractéristique qui s'exprime totalement à trois-quatre ans d'âge. Il a de la charpente et de la longévité. Sa simplicité ne prétend pas à l'élégance mais il peut faire un bon fonds pour une cave sans prétentions, mais à la hauteur.

DORICES
Nantais blanc. Muscadet.

Un Muscadet bienfaisant

Nul doute que dans les années à venir, lorsque le sujet des nuisances de l'environnement aura été épuisé, on ne s'attache à l'éventualité d'un certain retour aux méthodes de fertilisation naturelle, sans engrais chimiques, dans des domaines aussi précis que limités.

Cette culture « biologique » a attiré de nombreux viticulteurs plus soucieux de qualité que de surproduction. Leurs vins en valent bien d'autres et en plus on les dit bons pour la santé.

Un des premiers vins « biologiques » fut, il y a quelques années, un Beaujolais. Un cru de bon goût dont j'ignore s'il me fut bénéfique mais dont je suis certain qu'il ne me fit pas de mal. Tous les Beaujolais ne peuvent s'en vanter.

La formule n'a pas eu un grand succès en Val de Loire, mais pourtant j'apprécie un Muscadet élevé selon des conceptions voisines. Il pousse sur le domaine des Dorices à Vallet, le plus important et le plus réputé des cantons producteurs du Muscadet de Sèvre-et-Maine.

Le marquis de Rochechouart fonda ce vignoble au début du siècle. A son propos on cite une curieuse coïncidence. Un de ses parents, aide de camp du tsar, découvrit en Crimée un vin très proche du Muscadet familial. Si l'on sait que le cépage fut importé au XVIIIe en pays nantais, on ignore comment il a pu faire souche en Russie.

D'autant que les vins de Crimée sont essentiellement des mousseux, fort différents de ce Muscadet sec, assez corsé, sans verdeur ni acidité, jeune et limpide avec du bouquet et un charme simple.

De surcroît, on nous l'assure bienfaisant : alors pourquoi s'en priver ?

GUCHE PIGEON
Sancerre rouge.

Du vin sous les acacias

Qui dit Sancerre pense immédiatement « vin blanc ». Et quel vin blanc ! Fruité, souple, avec un bouquet extrêmement ouvert, vite « fait » et destiné à être bu dans ses premières années. On comprend le serment d'honneur des vignerons du cru : « Je jure que je boirai pur le premier verre de vin, le second sans eau, et le troisème tel qu'il sort du tonneau. » Une profession de foi que vous n'oublierez pas lorsque vous en dégusterez un avec un « crottin » du pays, venu tout droit de Chavignol.

Je regrette cependant que l'on ait tendance à négliger sinon oublier les Sancerre rouges. Sans doute restent-ils relativement rares, mais au moins peut-on déjà être sûr de leur qualité : ils ne sont produits que les bonnes années. Issus obligatoirement des raisins de Pinot noir, leur réputation remonte jusqu'au Moyen Age.

Personnellement je les considère comme de parfaits vins de l'été. Bien bâtis, fruités comme les blancs ils possèdent une petite pointe de picotement qui amuse le palais sans l'irriter. On les sent rafraîchissants et ils se montrent légers à la tête ; tout rustiques qu'ils soient, leur élégance simple ne se conteste pas.

J'en ai trouvé un fort avenant dont le nom déjà porte à rêver, car on l'imagine baptisé par quelque seigneur campagnard : « Guche pigeon de l'Orme au Loup. » Ce serait là une formule patoisante : « se gucher » signifierait se percher. Or, cette vigne conserve encore des acacias, vestiges d'une forêt où, de tradition, vivaient des compagnies de pigeons. La forêt a disparu, mais les pigeons viennent encore loger dans les derniers acacias.

Quant à l'« Orme au Loup », autre lieudit voisin, il n'est pas interdit de penser que la proximité de tant de pigeons ait attiré quelques loups voraces. Toutefois rien ne vous empêche, à la manière du bon La Fontaine, d'en imaginer une fable.

CHÂTEAU DE MONCONTOUR
Vouvray blanc.

Balzac guignait ce château

Vous connaissez sans doute la légende du bon saint Martin rapportant un pied de vigne d'un long voyage. La croissance du cep l'obligea à le passer de l'os d'oiseau où il l'avait placé dans un os de lion, puis dans celui d'un âne. Le cep une fois planté près de Vouvray, la première récolte eut des effets étranges. A la première pinte les buveurs chantèrent, à la seconde ils rugirent et à la troisième ils se mirent à braire comme des ânes.

Heureusement on n'en est plus là à Vouvray. Bien au contraire, ce blanc me laisse toujours un plaisant souvenir. Il est si divers ! Sec et nature, il se boit avec des poissons ou des crustacés : demi-sec ou doux, il viendra au dessert ; pétillant ou mousseux il débute à l'apéritif pour continuer le repas. Pour ma part, c'est en sec (assez rare) qu'il me paraît le plus brillant. Surtout quand il vient du Château de Moncontour.

Balzac a décrit ce château, construit pour Agnès Sorel, dans *La femme de trente ans*. Il envisagea même de l'acheter pour y filer le parfait amour avec Mme Hanska, à qui il écrivait en 1846 : « Tu vas sauter de joie, Moncontour est à vendre. Te souviens-tu de ce joli petit château à deux tourelles qui se mirent dans la Loire... ? »

Le cru de ce domaine, bien que sec, garde tout de même un certain moelleux. C'est typique des Vouvray. Celui-ci est corsé, avec du corps, et il révèle une certaine richesse en alcool. Très agréable par le bouquet et la sève, il porte en lui un goût caractéristique de coing avec une pointe de fleur d'acacia.

Embouteillé l'année même de sa récolte, comme c'est la règle, il met longtemps à se faire. A dix ans, il est à son meilleur, mais dès sept à huit ans d'âge, devenu « aimable », il donne de grands plaisirs avec les entrées, les poissons et les viandes blanches en sauce.

L'oublié d'Alexandre

Il est surprenant qu'Alexandre Dumas — fine gueule s'il en fut — n'ait jamais parlé du petit blanc de Montsoreau. L'auteur des *Trois Mousquetaires* devait pourtant le connaître : méticuleux comme il l'était, je suis sûr qu'il a dû le goûter en allant faire un tour de reconnaissance dans ce village dont les *Dames* lui inspirèrent un roman.

Car il y eut deux Dames de Montsoreau, aussi peu discrètes l'une que l'autre. La première, maîtresse d'un duc de Berri, devint si embarrassante pour le roi Louis XI avec sa « Ligue du bien public » qu'il la fit supprimer, avec le duc, son frère. Quant à la seconde, un mari pointilleux l'obligea à attirer son amant Bussy d'Amboise, au château voisin de la Coutancière, où le galant fut proprement trucidé.

Mais revenons au vin du cru : ce n'est pas parce que Dumas l'a ignoré dans son *Grand dictionnaire de cuisine* que nous devons le négliger à notre tour. Surtout lorsque tous les mois en « r » vont nous ramener les huîtres, qu'il accompagne tout aussi bien qu'un Muscadet ou un Alsace.

Léger, nerveux, le blanc de Montsoreau est bien plus sec que tous les autres Coteaux de Saumur, dont il porte l'appellation. Frais, il se révèle fruité avec un petit goût de terroir dû au sol crayeux. Parce qu'il « moustille » très légèrement il ne faut pas le confondre avec le Saumur mousseux. Il vieillit bien, en s'arrondissant.

Je vous conseille plus particulièrement un Clos du Château qui n'a pas été — selon une habitude locale — vinifié pour devenir plus moelleux.

Le vignoble est petit, mais il domine le château de Montsoreau, où il faut avoir la curiosité de s'arrêter. On y visite un musée consacré aux... « Goums », ces troupes marocaines formées par Lyautey. Cela peut sembler imprévu en plein cœur du Val de Loire. Mais il faut se souvenir que ces braves soldats combattirent ici, en juin 1940, pour tenter d'enrayer l'invasion allemande.

Le cadet des Saumur

Pourquoi oublie-t-on injustement les vins rouges de l'Anjou ? On ne parle que des blancs ; secs, demi-secs, liquoreux, pétillants, mousseux... il n'y en a que pour eux. On vante même, dans l'esprit de flatter l'engouement actuel d'un certain public, ces rosés que leur qualité moyenne condamne pour la plupart à finir en carafe. Mais jamais rien sur les autres !

C'est vraiment faire trop peu de cas de ces Saumur-Champigny, meilleurs vins rouges du Saumurois et de tout l'Anjou. Ils égalent largement les Bourgueil tourangeaux qui relèvent pourtant en réalité de l'Anjou. Et l'on se demande ce qu'il en serait advenu si les Anglais, depuis des siècles, ne s'étaient chargés de leur bâtir une réputation...

On retrouve en effet et presque sans discontinuité ces rouges à la cour d'Angleterre. Le fait que les Plantagenêts portaient le titre de seigneur d'Anjou compta certainement pour quelque chose. Mais, enfin, Edouard VII lui-même en réclamait, en même temps que des blancs, au fameux Père Cristal.

Une figure du vignoble français, ce bonhomme ! On sait qu'il tenta, entre les deux guerres, de bien étranges expériences de vinification sur ses vins des coteaux de Parnay, près de Saumur. Tout se passait au fond de ses caves taillées dans le roc, en plein mystère. Essais sans doute réussis, à en croire ce bon vivant d'Edouard VII, justement, qui lui écrivait : « Si les alchimistes du grand œuvre avaient connu vos vins, ils n'eussent pas été plus loin chercher l'or potable. »

L'homme n'en changea pas pour autant son fichu caractère. Sollicité pour quelques barriques par l'envoyé extraordinaire d'un autre souverain, il le congédiait superbement : « Lui vendre mon vin ? S'est-il enquis si cela me convenait ? » Sa renommée s'en accrut et celle de ses produits. Les rouges de la région y gagnèrent même quelque considération en dépit de la gloire des blancs.

Ne devraient-ils pas la retrouver aujourd'hui ? J'avoue me laisser subjuguer par les charmes de ces Saumur-Champigny. Cette séduction débute par une belle couleur rubis sombre s'accompagnant d'un arôme très fruité, où se mêlent en un bouquet épanoui les réminiscences de fraises des bois et de framboises. Fermes, généreux, avec du nerf, parfois charnus, ils font montre de plus de corps que les vins de Touraine.

Pour ma part, ces vins bouquetés, souvent très fins, se suffisent bien d'être eux-mêmes, sans plus de comparaisons. Dans les meilleures années, ils donnent même des bouteilles magnifiques. Très grandes, non, mais dignes d'une belle estime.

MUSCADET
Nantais blanc. Château des Gillières.

Le petit Muscadet de Nantz

Ces Anglais nous étonneront toujours par leurs fantaisies gastronomiques. Grands amateurs de vins, ils sont plus particulièrement portés sur les crus riches, somptueux et habillés. Mais ils font la grimace quand on leur parle de ces charmants petits vins blancs frais et pointus que nous apprécions tant l'été.

Pourtant il fut une époque où le Muscadet eut leur faveur. C'était au XVIII siècle. Il trônait alors sur les meilleures tables britanniques. Non point sous la forme du vin tel que nous le connaissons, mais distillé. Les viticulteurs l'expédiaient par bateau au départ de Nantes sous le nom de Nantz ou de cognac de Nancy. La demande était telle que le Muscadet devint, un temps, une des marchandises favorites des contrebandiers et des forceurs de blocus. Depuis il s'est rangé pour faire une belle réussite en France.

Une réussite sur laquelle il y aurait beaucoup à dire. Elle n'est pas sans évoquer celle du Beaujolais, avec les mêmes excès et les mêmes abus. Sans doute, comme moi, ne comptez-vous plus ces bouteilles de vins acides et tord-boyaux que des négociants sans scrupules osent présenter sous le nom de Muscadet. Mélanges, coupages, mauvaise vinification ? Peu importe ! mais il y a vraiment trop de Muscadet médiocres, trop peu d'honorables.

En voici un très intéressant que je peux, en revanche, vous conseiller : le Château des Gillières. Frais et bien fruité, sec et léger, il vient des vignobles qui donnent les meilleurs des Muscadet. Né entre Sèvre et Maine, il possède une souplesse assez rare avec un léger goût aigu qui rappelle le zeste de citron.

Evidemment fait pour les huîtres il a aussi sa place comme vin d'été. Il accompagnera, servi frais, les coquillages, les charcuteries et même — mais oui ! — les hors-d'œuvre vinaigrés.

NEVOIT NICIER
Anjou rouge. Bourgueil.

A la santé de Rabelais

« Il faut que vous veniez ici, chaque année, pour boire avec nous le vin que nous avons en abondance et qui réjouit le cœur triste », prêchait un saint homme nommé Baudry, abbé de Bourgueil, en une épître adressée à Guillaume de Lisieux à la fin du XIᵉ siècle. Comme quoi les pèlerinages ne prenaient pas toujours, en ces époques, forme de pénitences ou de mortifications.

L'abbé plaidait là pour les crus des bénédictins dont l'abbaye était installée à Bourgueil depuis déjà un siècle : juste le temps de faire une belle vigne. Et les moines, alors, s'y entendaient en cet art.

Depuis les terres ont changé souvent de main ; mais les vins de Bourgueil, jadis angevins, aujourd'hui tourangeaux, participent toujours au bonheur des tables simples. On ne s'étonnera donc pas que Rabelais ait situé sa joyeuse abbaye de Thélème en ces lieux : n'y cherche-t-on pas les joies les plus vraies ?

L'été est propice pour apprécier la fraîcheur et la délicatesse de ce vin ; délicatesse de campagnard peut-être, mais sensible pourtant. Son bouquet plaira aux amateurs de sensations fortes : le goût de framboise y domine magnifiquement. Sa fermeté l'assure d'un corps solide, qui n'exclut pas la légèreté. Et quand bien même se montre-t-il apte à vieillir, j'aime le boire jeune.

On dit ce rouge meilleur quand il vient de la commune de Saint-Nicolas-de-Bourgueil : il y gagne plus de tanin et y vieillit mieux ! Mais on ne doit pas pour autant négliger ceux de la commune de Bourgueil : ils ont beaucoup de talent, surtout celui de Nevoit Nicier.

Charming, le petit Quincy

J'aimerais vous recommander, pour un début de cave courante, un blanc qui convient parfaitement aux huîtres et même à certains poissons. Il s'agit du Quincy.

Il vient du Cher mais c'est un mal aimé, trop souvent oublié et écrasé par la réputation de son voisin, le Sancerre. Pourtant, il mérite attention.

Comme lui il est fait à partir de plants de Sauvignon qui furent apportés au xv⁰ siècle par les moines cisterciens, lors de la construction de l'abbaye de Beauvoir. Plus léger que le Pouilly fumé, très proche du Sancerre, le Quincy est un blanc qui possède vraiment un bouquet particulier. Presque sans sucre, il est franchement sec. Riche en arôme, il reste dans la bouche après qu'on l'a bu. Comme ses confrères de Loire, il doit être bu jeune, c'est-à-dire avant sa troisième ou quatrième année. Non qu'il ne se conserve pas, mais il ne gagne rien à vieillir. Assez riche en alcool — puisqu'il ne descend jamais au-dessous de 10°5 — il se boit pourtant facilement. Comme pour tous les vins de Loire, l'année a bien moins d'importance que dans les autres régions de vignoble : cela tient à une extrême richesse du sol.

Les producteurs de Quincy sont peu nombreux — une quarantaine — et la production reste assez limitée. J'ai retenu celui de M. Pipet. A toutes les caractéristiques que j'ai citées, il ajoute un très léger goût de pierre à fusil qui lui donne une petite étincelle. Le 1983 que nous avons goûté était corsé, avec beaucoup de mordant : bien plus qu'aux huîtres, il convient aux poissons beurre blanc car il ne manque pas non plus de finesse. Les amateurs anglais plus nombreux et plus connaisseurs qu'on ne le pense disent du Quincy qu'il est « charming ».

Le Sancerre de Balzac

Balzac a laissé, entre autres réputations, celle d'un grand buveur de café. N'allez pas croire pour autant qu'il se désintéressait des autres boissons et plus particulièrement des vins.

Il avait même sur ce chapitre des jugements pour le moins pertinents, témoin celui qu'il portait sur les vins du Sancerrois :

« ... Le pays possède plusieurs crus de vins généreux et pleins de bouquet, assez semblables aux produits de la Bourgogne pour qu'à Paris les palais vulgaires s'y trompent. Sancerre trouve donc dans les cabarets parisiens une rapide consommation, assez nécessaire d'ailleurs à des vins qui ne peuvent pas se garder plus de sept à huit ans... »

C'était à la fois flatteur, assez sévère et presque méchant. Il est exact que la dégustation et l'habitude du Sancerre débouchent sur des appréciations diverses. Le Sancerre a de farouches partisans et d'impitoyables détracteurs.

Mais n'est-il pas justement victime de son succès, la demande dépassant largement la production ?

On est tout de même obligé de reconnaître aux crus de Sancerre leur originalité et leur caractère. Ceux qui sont récoltés en terrains calcaires sont légers et fruités. Ils ont beaucoup de personnalité et plus de finesse que ceux qui viennent des terres d'argile, alors moins bouquetés.

Sec, parfois corsé, le Sancerre, en revanche, vieillit mal. Huîtres et poissons peuvent s'en accompagner. Mais il peut surtout être prétexte à une merveilleuse promenade.

Sancerre est un village absolument ravissant qui raconte depuis Philippe Auguste l'histoire de son vin à travers les guerres de Religion. De là, vous passerez à Bue où le Domaine de la Poussie donne un des plus estimables Sancerre que je connaisse et vous rentrerez par Thauvenay où la petite exploitation du Château de Thauvenay, pour être artisanale et familiale, n'en est pas moins intéressante (son 83 est de très belle tenue).

TOURAINE-AMBOISE
Touraine blanc et rosé.

Le vin des postillons

Non, ce n'est pas du tout celui auquel vous pensez. Il s'agit de ce petit vin dont devaient se régaler postillons et voyageurs des Postes Royales quand ils faisaient étape au relais des Hauts-Chantiers, près du village de Limeray, en bord de Loire, entre Tours et Blois.

Aujourd'hui, le relais est devenu le musée de la Vieille Poste et il y a beau temps que les diligences ont disparu. Mais le vin, lui, est demeuré. Il a même trouvé une dénomination qui lui manquait alors. En 1955 on lui attribuait le titre de « Touraine-Amboise » qu'il partage avec sept autres vignobles de la région d'Amboise.

Pour la petite histoire, il n'est pas inutile de noter que c'est à Michel Debré qu'il dut d'échapper ainsi à un incognito fâcheux et regrettable. Le vin méritant quelque attention, honni soit qui pourrait y voir une vile et quelconque opération de séduction électorale.

Tout comme le Vouvray, le Touraine-Amboise naît sur de la craie tuffeau. Il n'en possède pas pour autant la richesse. Ses prétentions sont plus modestes. Gentiment fruité, agréable, léger, il peut sembler assez sucré en blanc demi-sec. Le sec, par contre, a plus de corps et on y trouve un petit arrière-goût d'argile qui lui donne sa personnalité.

L'existence d'un rosé dans la même famille permet d'accompagner tout un repas. Non pas un festin avec des plats rares, mais un de ces petits dîners que l'on offre à des amis, à la bonne franquette.

Petits vins originaux et insolites

BOURGOGNE

SAUVIGNON DE SAINT-BRIS
Bourgogne blanc. Saint-Bris.

Le "petit fumé" des Halles

Combien de fois nous en réclame-t-on de ces petits vins de pays ayant quelque caractère, de la personnalité et surtout beaucoup de franchise. Les amateurs savent bien qu'ils peuvent remplacer avantageusement les vins sans joie, conçus et débités à des millions d'hectolitres par des négociants sans goût.

Sans être introuvables, ils n'en sont pas moins devenus rares, et bien souvent ils supportent mal de quitter leur province. Ce n'est pas le cas des vins de l'Auxerrois. Une production relativement importante, une qualité certaine, une aptitude au voyage et des prix raisonnables valent qu'on leur rende leur réputation d'antan.

La vocation viticole de la région n'est pas nouvelle : la présence de plants dits « plants de César » la situe bien. Les noms de villages, Coulanges-la-Vineuse, Saint-Bris-le-Vineux, en disent long sur la place de la vigne dans l'économie locale.

La petite histoire même n'y échappe pas. A Coulanges, on se souvient de cette châtelaine qui, pour pallier le manque d'eau, sacrifia une partie de sa cave pour éteindre un incendie dans l'église. On dit aussi que plusieurs maisons anciennes des environs ont vu leur plâtre « gâché » avec du vin !

C'est de cette région que provient un blanc aimable, le Sauvignon de Saint-Bris, un peu oublié, mais qui mérite d'être réhabilité. Comme le vignoble est proche de Paris, il fut très prisé pendant longtemps dans la capitale où on le transportait par coches d'eau.

Au début du siècle, le Saint-Bris tenait le haut du pavé dans les troquets des Halles sous le nom de « petit fumé », appellation qui le définit assez bien. A maturité, son grain possède un goût fumé ; le vin le conserve, et son côté sec s'en accommode parfaitement. Particulièrement gouleyant et parfumé, franc, sans trucage, il a l'honnêteté des crus paysans. N'est-ce pas suffisant pour lui donner sa place dans les repas de tous les jours, avec les hors-d'œuvre et les poissons ? François Ier, Louis XIII et Henri IV le faisaient déjà.

VÉZELAY
Avalonnais rouge.

On restaure à Vézelay

Décidément je ne comprendrai jamais rien, et je n'essaie pas d'ailleurs, à l'économie viticole. De tous les coins de France on entend des vignerons se plaindre de la mévente et voici que, d'autre part, on m'annonce la résurrection de vins presque totalement disparus et oubliés.

Connaissiez-vous le vin de Vézelay ? Né d'un vignoble datant du début de notre ère, il aurait eu une immense réputation durant le Moyen Age. Après tout peut-être est-ce lui que les pèlerins emportaient vers Saint-Jacques-de-Compostelle pour accompagner ce fromage de chèvre de Vézelay dont on soutient qu'il « tenait » jadis tout le voyage. Toujours est-il que les ducs de Bourgogne y possédaient une terre, dite justement le « Clos aux Ducs ». Une référence comme une autre.

Ce renouveau soudain s'inscrit cependant assez bien dans l'histoire de Vézelay, habituée aux sauvetages inattendus. La basilique tombait en ruine lorsque Mérimée, alors directeur des Monuments historiques, chargea Viollet-le-Duc de lui redonner toute sa splendeur. Il en fit autant pour la très belle église de Saint-Père-sous-Vézelay où se trouvent les caves et les terres de ce cru retrouvé.

Elles sont modestes, bien sûr, mais comme leur vin elles tiennent à demeurer rustiques et vraies. Pas de mise en scène, pas d'étiquettes ni de bouteilles tarabiscotées mais un produit franc. Cela aboutit à un vin rouge corsé et généreux, avec un bouquet très proche du terroir et ne s'embarrassant pas de préciosités.

Il est un paysan sympathique, authentique et coloré.

CORSE

TORRACIA
Corse rouge.

Solide comme un roc

Connaissez-vous la corsite ? Pas plus, sans doute, que la diorite orbiculaire. Il s'agit là d'une seule et même pierre, assez recherchée par les géologues amateurs.

Sa rareté lui confère un attrait certain : l'unique gisement connu dans le monde se trouve en Corse et, pour l'instant, interdit à toute exploitation. Dame, les pierres c'est lourd à ramasser.

C'est le bon Chaudet, l'excellent marchand de vins de la rue Geoffroy-Saint-Hilaire à Paris, dont la boutique a aujourd'hui disparu, qui faisait ainsi mon éducation, alors que j'admirais justement une corsite polie dans sa vitrine. M'étonnant assez de sa passion nouvelle, il me la justifia en me précisant que tout à côté du gisement en question se trouvait la vigne de Torracia, digne d'intérêt.

« On m'en a rapporté, continua-t-il, un vin qui m'a réconcilié avec bien d'autres vins corses, parfois décevants. Voici un cru nerveux, plein de soleil, proche par son bouquet capiteux et puissant de certains Bandol rouges ou de quelques Cahors. Il change de trop de vins corses, un peu mous et plats ; tout du moins pour ceux que nous connaissons sur le continent. »

Ce vin de coteau sait aussi fort bien vieillir et on doit lui accorder une grande honnêteté, tout comme en apprécier l'absence de toute chaptalisation. En des débuts d'hiver, il s'assortira très bien avec des plats chargés comme les cassoulets et les confits.

DORDOGNE

PECH CHARMANT
Bergerac rouge. Dordogne.

Le Pech Charmant est à la hauteur

A l'époque du Beaujolais triomphant, du rosé envahissant et du Bordeaux qui « est bon avec tout », j'apprécie assez qu'un restaurateur s'attache à défendre les vins de sa région.

Ainsi, à l'occasion d'un lièvre à la royale franchement somptueux, dégusté dans les environs de Bergerac, et alors que j'étais en train de me diriger vers un grand Pomerol ou un riche Pommard, mon hôte m'a proposé de l'accompagner plutôt d'un Pech Charmant. Le nom ne m'était pas inconnu mais j'imaginais mal trouver en lui un cru capable de « tenir » une préparation aussi puissante qu'un lièvre à la royale.

Et puis les vins de Bergerac ont une image bien établie : des blancs moelleux, parfumés, bouquetés, bien faits pour les desserts et, partant, un peu oubliés. Mais pour ce qui est des rouges...

Pourtant, ils eurent jadis presque autant de succès que les blancs. On sait que dès le XIIIᵉ siècle les bourgeois de Bergerac exportaient leurs vins jusqu'en Angleterre et en Hollande, faisant une sérieuse concurrence aux crus du Bordelais.

D'ailleurs, dans cet affrontement commercial, tous les coups étaient permis et les Bordelais ne s'en privaient pas. A preuve, ce tour pendable qu'ils préparèrent un jour aux gens de Bergerac.

Ceux-ci avaient obtenu une garantie royale leur permettant de faire descendre leurs vins vers la mer par la Dordogne et la Gironde, à toutes les époques de l'année. Les négociants bordelais, ne pouvant s'y opposer, ne l'acceptèrent pas de bon cœur et tentèrent, indirectement, d'y faire obstacle.

Ils exigèrent des vins de la région de Bergerac qu'ils fussent mis en des futailles légèrement plus petites que celles utilisées pour les vins de Bordeaux. Sinon, prétendaient-ils, ils seraient obligés de leur refuser le passage dans la sénéchaussée, une confusion devenant possible entre leurs propres crus et ceux du « haut pays » au cas où les tonneaux seraient similaires.

En fait, ces marchands retors savaient que les acheteurs étrangers, à l'entrée de leur pays, payaient les droits à proportion du nombre et non de la capacité des fûts.

Mais il faut bien en revenir au Pech Charmant, dont le nom, hors toute gaudriole rabelaisienne, devrait s'orthographier « puech charmant », c'est-à-dire « sommet charmant ». C'est un rouge simple, d'une belle couleur sombre, bien charpenté, corsé, généreux, robuste. Sans être très original, il a une personnalité et il se veut de longue garde. Trois à quatre ans de bouteille ne lui font pas peur et il y trouve une assurance qui confirme ses qualités. On ne s'étonne pas alors de le voir en compagnie de palombes, bécasses et autres gibiers de caractère et de haut goût.

EST

GRIS DE MEUSE
Vin gris. Meuse.

Le « gris » de la Meuse

On se plaît à reconnaître aux princes et aux évêques qui ont fait la France une grande qualité commune : le bien boire et le bien manger. Aussi ne faut-il pas s'étonner de rencontrer leurs noms à travers l'Histoire et les histoires de notre vignoble, même lorsqu'il n'était pas leur privilège.

Ainsi le « vin gris » des Côtes de Meuse, devenu à présent l'apanage des petits restaurants et des bistrots du département, eut-il sa place de choix sur la table des évêques de Verdun. Bien qu'il n'ait pas été aussi parfumé et délicat que le Pinot de Bar — aujourd'hui disparu —, on lui reconnaissait une légèreté et une finesse appréciables.

Le bouleversement de la guerre de 1914 obligea les vignerons à remplacer leurs ceps français par des hybrides qui firent perdre à leur produit un peu de sa qualité. Alors que le « vin gris » était réputé pour son excellent vieillissement, il ne se conserve plus que cinq à six ans au maximum. D'autre part, les années sont très irrégulières et le mauvais temps amène un excès d'acidité fort désagréable.

C'est sans doute pourquoi ce Côtes de Meuse a perdu, peu à peu, sa jolie réputation. Il n'est pas question de le réhabiliter ici et de vouloir en faire un grand méconnu. Mais on cherche trop souvent un vin que l'on voudrait de tous les jours, pour remplacer les produits publicitaires qui ont pris sa place.

Il est léger, ne titre jamais plus de 10°5, assez fin, avec un goût de pierre à fusil à peine perceptible. Il se boit facilement et sans façon et peut prendre avantageusement le pas sur tous les vins à « prix choc », car il ne coûte pas cher. Un seul problème, en trouver : il est pratiquement inconnu à Paris. Le vignoble, d'une surface de 450 hectares environ, sur des pentes calcaires entre Saint-Michel et Verdun, produit peu, et il est terriblement morcelé. Bon nombre de vignerons ont leur récolte vendue d'avance à leurs habitués.

TOUL
Toul « gris ».

Gris ou Rouge

Vers le milieu du xive siècle, les échevins de Metz crurent bon de rappeler aux ouvriers vignerons travaillant sur les vignes d'autrui « qu'ils étaient tenus de rester à leur poste depuis le premier coup de la sonnerie de matines jusqu'au dernier de la sonnerie de complies, sans pouvoir, en cours de journée, retourner chez eux pour y prendre nourriture ou boissons ».

Inutile d'ajouter que cette décision ne devait pas faciliter l'existence des vins de Lorraine dont chaque siècle semble avoir augmenté la décadence. Ne serait-ce que jusqu'à notre époque, où vers 1910 on arracha la vigne pour la remplacer par des arbres fruitiers.

Cependant jusque vers l'an 1000 les crus lorrains, surtout ceux des vignobles de Verdun et de Toul, furent florissants. Un climat dur — les raisins ne mûrissaient que deux ans sur trois —, les guerres, certaines maladresses commerciales et politiques les condamnèrent. Quand on songe qu'un temps Metz eut trop de vignes !

Qu'en reste-t-il aujourd'hui ? Peu de chose mais assez tout de même pour retenir l'intérêt du franc buveur. Si l'occasion d'une chasse dans l'Est se présente, profitez-en pour goûter un Gris de Lorraine ou un Côtes de Toul.

L'opportunité s'en présente rarement parce que ces petits vins rares et fragiles n'aiment pas voyager et n'en ont guère besoin. Les « Gris » sont fruités, frais et un peu agaçants sous la dent. Faits pour être bus jeunes, ils vieillissent sans aucun talent.

Les Côtes de Toul rouges possèdent le même caractère guilleret, la même fraîcheur. Les vins de Moselle, rouges aussi, sont parfois verts, d'une certaine finesse et avec un bouquet accueillant.

En trouver n'est pas facile : les vignerons ont leurs clients attitrés qui leur retiennent leur récolte d'une année sur l'autre. Mais en matière de discussion avec les vignerons la patience paie.

Pour les joindre, il n'est jamais mauvais de passer par l'intermédiaire d'un restaurateur qui a commerce avec eux : par exemple à Nancy, à « La Gentilhommière » où l'on sert des Gris de Toul dont je m'étonnerais bien qu'on ne vous confie pas l'origine.

Et vous serez surpris du tarif de ces vins à la propriété.

LANDES

VIN DE SABLE
Landes rouge.

A Sabler

Mais qu'est-ce donc que ce « vin de sable » dont on parle toujours mais que personne ne semble jamais avoir bu ? Un mythe, une illusion ?

Consultez par exemple le *Dictionnaire de l'Académie des Gastronomes*. Avec lyrisme on vous le décrira. «Il a l'esprit et le charme des enfants de l'amour... Un goût de soleil s'associe au fumet expressif et parfumé de ce cru paysan et marin... »

Tout cela pour avouer un peu plus loin : « On ne le trouve pas facilement. C'est vainement que nous en avons demandé, naguère encore. »

La constatation de cette rareté autant que de cette personnalité ne date pas d'aujourd'hui. Roger Dion, grand historien de la vigne et du vin en France, n'a-t-il pas déniché aux Archives nationales un rapport datant du début du siècle dernier et signé du préfet des Landes : « Les vins cultivés par une singulière bizarrerie sur les dunes d'un sable mobile — y lit-on — demeurent les plus estimés de la région. Ils deviennent pourtant rares. »

Sur les lieux mêmes, au Vieux-Boucau, à Soustons, à Capbreton, les meilleurs restaurants semblent l'ignorer. Quant aux marchands de vins, ils vous prennent pour un fâcheux plaisantin quand vous en réclamez.

Cela dit, j'ai réussi à trouver les derniers producteurs à Messanges. Ecrivez-leur pour réserver quelques bouteilles sur la récolte à venir, qu'ils vous les gardent à vieillir et passez les chercher plus tard. Vous aurez là un vin insolite, velouté, d'un beau rouge, généreux, qui, avec l'âge, prend un parfum de gibier. Le blanc, sec, bouqueté, n'est pas loin des Petits Chablis.

LUBERON

CHÂTEAU DE MILLE
Côtes du Luberon rouge. Apt.

Le premier château des papes

A côté des Châteauneuf célèbres, il est un vin mal connu et qui fut pourtant le premier à appartenir à un pape « français ». C'est le Château de Mille, né jadis du bon plaisir de Clément V.

On sait que ce prélat, sous la pression de Philippe le Bel, avait quitté Rome pour venir se fixer — non point en Avignon — mais dans le Comtat Venaissin. Ce petit Etat lui appartenait en tant que butin reçu à la suite de la croisade entre les Albigeois. C'est son successeur, Jean XXII, qui devait choisir Avignon comme résidence rurale.

Mais Sa Sainteté ayant jugé bon d'avoir aussi une maison d'été, on lui installa le château de Mille, à quelques minutes d'Apt. La demeure tiendrait son nom de son emplacement : elle serait en effet construite sur une ancienne borne « militaire » romaine. Toute une partie du château a été creusée à même le roc : escalier, porche d'entrée, tour, et même une énorme citerne souterraine à vin de 25 000 litres.

De nos jours, quelques salles voûtées admirablement restaurées et habitées de vieux meubles patinés font l'accueil aimable. Pas autant, bien sûr, que ce curieux personnage qu'est Conrad Pinatel, le propriétaire, haut en verve et en couleur, franc buveur.

Il faut l'entendre raconter les aventures de son vin avec les appellations contrôlées : successivement il a été Côtes du Rhône, Côtes de Provence, Ventoux et Luberon à cause d'une situation géographique impossible. Je ne dirais pas qu'il a toutes les qualités de tous ces vins, non plus que leurs défauts mais on a là affaire à un cru digne d'un bon Châteauneuf-du-Pape.

Titrant un peu moins, ce rouge ne manque ni de personnalité ni de chaleur. Expressif et fruité, restant un peu sur la dent, c'est un vin de soleil. Corsé avec beaucoup de bouquet, c'est beaucoup plus qu'un simple vin de table. Il a sa place dans un bon repas avec les viandes et les fromages.

Il peut aussi être une belle devinette pour vos invités : j'avoue qu'il trompe son monde avec bonheur. Le 1979 est une réussite et tient bien la bouteille.

LYONNAIS

Le vrai vin de Lyon

Depuis que Léon Daudet a lancé cette boutade, devenue célèbre, selon laquelle « Lyon est arrosé non par deux mais par trois rivières : le Rhône, la Saône et le Beaujolais », on reste persuadé que les « bouchons » de la ville y sont uniquement voués aux Chirouble, Saint-Amour, Fleurie et autres.

C'est oublier un peu facilement ces vins de la région du Lyonnais, peu connus sans doute, mais qui ne manquent pas d'intérêt. Ils ne datent pas d'hier et si l'on veut bien reprendre les chroniques d'antan on y apprend que « tous ceux qui possédaient quelque chose à Lyon possédaient d'abord une vigne, petite ou grande, et souvent située dans l'enceinte de la ville ».

Certes, depuis, la ville a grandi et les vignobles ont disparu, dévorés par les immeubles. Il n'en reste pas moins de quoi faire quelque 2 000 à 3 000 hectolitres par an, de rouges, de blancs et de rosés sympathiques.

On les trouve surtout dans les cantons avoisinants de l'Arbresle, de Givors, de Limonest, de Mornant, de Neuville-sur-Saône, de Saint-Genis-Laval, de Tarare, de Vaugneray. Ils donnent des VDQS légers et fins, frais et fruités, avec du bouquet, qui ne sont pas sans rappeler les Beaujolais. En théorie, ils ne valent pas les grands Beaujolais, mais pratiquement ils se hissent à la hauteur des Beaujolais Villages et avec eux on est sûr de ne pas tomber dans certains trucages. Ils sont francs, sympathiques et de bonne compagnie pour les repas de tous les jours.

MÂCONNAIS

CLOS DE LA CURE
Mâconnais blanc.

Un « pot » de blanc en Beaujolais

Je me suis toujours demandé pourquoi les vignerons du Beaujolais accordaient si peu de place aux vins blancs : à peine 5 % de leur récolte. Les rares Beaujolais blancs que j'ai pu goûter m'ont pourtant laissé un savoureux souvenir. Non contents de posséder le fruité et le « gouleyant » des rouges, ils font preuve d'une élégance et d'une fraîcheur qui conviendraient parfaitement aux temps d'été.

Le plus surprenant d'entre eux, j'ai cru l'avoir rencontré à Saint-Amour, au pied même de l'église, dans le Clos de la Cure. Ce vignoble — un des plus petits de la région — aurait trouvé, disent les gens du coin, sa vocation de « blanc » dans un édit du Moyen Age. Il y était commandé que le « très mauvais et très desloyaux plant nommé Gamay » fût arraché. Encore une chance que cette prescription excessive n'ait pas été suivie à la lettre sinon aujourd'hui nous n'aurions plus du tout de Beaujolais.

Il semble bien que, toutefois, pour satisfaire symboliquement une administration déjà tatillonne, les vignerons firent le geste d'arracher quelques pieds de ce cépage alors maudit.

Ils replantèrent alors en cépages de Pinot-Chardonnay qui donne ce vin si agréable que nous connaissons actuellement. Son bouquet n'est pas sans évoquer cette senteur fraîche et vineuse qui habite les caves de la région. Il possède ce fruité assez pointu et cette allégresse qui font les vins vifs.

Je croyais donc tenir là non seulement un joli petit vin, mais enfin un Beaujolais blanc. Car Saint-Amour, c'est encore le Beaujolais.

Las ! les fantaisies des appellations contrôlées l'ont fait classer « Mâcon Villages ». N'importe, il vous plaira.

MASSIF CENTRAL

CHATEAUGAY
Auvergne rouge.

Le Gaulois de Rome

Sans aucunement verser dans le sacrilège historique, il y a tout de même des revanches qui ne manquent pas d'un certain humour. Ainsi les vignobles auvergnats des Côtes de Clermont recouvriraient peu ou prou l'antique emplacement de la ville de Gergovie. Quand on sait que la vigne nous serait venue en Gaule des Romains précisément, il y aurait eu là, de leur part, une bien curieuse manière d'effacer la défaite que leur infligea Vercingétorix en cet endroit. C'est du moins un archéologue qui soutint un temps cette thèse, niant le site voisin encore reconnu actuellement comme celui de l'authentique Gergovie.

Cet iconoclaste n'a pas été suivi : sans doute un champ de bataille historique perd-il de sa gloire si on le transforme en vigne, encore que la Champagne en ait vu d'autres. Toujours est-il que, Gergovie ou pas, le vignoble est bien là. D'ailleurs, par une coïncidence cocasse, un mont voisin porte le nom évocateur de « puy Chopine ».

Beaux prétextes, donc, pour goûter un de ces rouges auvergnats qu'un nouvel engouement fait redécouvrir aux Parisiens. Parisiens aussi nombreux, quoi que l'on en croie, à venir ici pour leurs vacances que sur la Côte d'Azur.

Je vous ai déjà parlé du Chanturgue et je m'arrêterai sur le Chateaugay. Fruité, au vrai goût de raisin, aimable et bienveillant, facile à boire avec certaines grâces rustaudes, on l'imagine bien au menu d'une noce campagnarde.

GAILLAC
Tarn blanc « perlé ».

Un « perlé » rare

Nul n'ignore les vins blancs « mousseux » de Gaillac : ils sont célèbres mais pas plus que les autres « mousseux » ils ne bénéficient d'un engouement extraordinaire. Sans en être un fanatique, je n'aurais rien à leur reprocher, sinon de nous cacher d'autres vins de Gaillac, fort sympathiques, les blancs « perlés ».

Il ne faut pas les confondre avec les vins « pétillants » qui représentent en quelque sorte des « demi-mousseux ». Le vin « perlé » contient bien une légère effervescence gazeuse, mais très inférieure à celle du vin « pétillant », dont la pression en gaz carbonique s'établit à 2 kilos environ, contre 4 à 5 kilos dans le Mousseux ou le Champagne.

Par la manière donc, on peut apparenter le Perlé de Gaillac aux Fendant du Valais ou aux Crépy de Savoie. Là s'arrête la comparaison. D'autant que le Perlé est un vin relativement récent, bien que le vignoble de Gaillac se considère comme un des plus anciens de France. Certains voient même en lui le père probable du vignoble bordelais. Prétention discutée mais on n'en a pas moins constaté que dans les débuts de notre histoire les chemins des environs de Gaillac étaient empierrés avec des débris d'amphores à vin ! Ce qui donne une idée de l'importance du commerce du vin à l'époque.

Le fruité, la légèreté, la fraîcheur des Perlé tiennent sans doute à sa préparation très particulière, mais on doit aussi tenir compte de son parfum très caractéristique qui apparaît lors de sa fermentation. Cela aboutit à un petit vin vif, sec, plaisant compagnon, sans prétention, mais qui me paraît assez bien convenir à un plateau de fruits de mer.

NAJAC
Tarn rouge.

Petit rouge et grande fouace

Connaissez-vous la « fête des fouaces » de Najac ? Najac est un village pittoresque, perché sur un piton dans une boucle de l'Aveyron, avec un site et des ruines auxquels le *Guide Michelin* n'hésite pas à accorder respectivement deux étoiles « tourisme ».

Si la curiosité doit vous y mener, seul le hasard peut vous faire assister à la fête en question car même les offices de tourisme concernés de Paris et du département semblent l'ignorer. Ce hasard m'a bien servi, puisqu'il m'a conduit là pour suivre cette « fête des fouaces », bien faite pour me plaire puisqu'elle est gourmande.

Il y a du Gargantua et du Rabelais dans l'air ce jour-là. La fête votive voit défiler des fouaces géantes (1 m 50 de haut et souvent plus de 50 kilos) tout enrubannées dans un cortège auquel tout le monde participe, fanfare en tête. Le soir venu, ces gâteaux immenses sont exposés sur la place publique, découpés et offerts à tout le monde sans qu'il en coûte un sou. On y distribue même toutes sortes de boissons et voilà ce qui justement m'amène à vous en parler.

J'ai goûté un petit vin local, de Najac, âpre et paysan, plein de couleur et de mâche, près du raisin, solide, dont on a envie de dire qu'il est du vrai vin. Vous savez combien la chose devient rare dans les petits vins ordinaires.

On en produit peu mais, grâce à la courtoisie du propriétaire de l'hôtel Belle-Rive de Najac (une table bien sympathique, soit dit en passant), j'ai obtenu l'adresse de son fournisseur. Si celui-ci est débordé, sans doute saura-t-il vous glisser le nom de quelques autres vignerons de ses amis.

PARNAC
Rosé du Lot. Parnac.

Coup de Parnac

Les vignerons cadurciens ne sont pas rancuniers à l'encontre des copies des vins de Cahors que l'on fabrique hors de nos frontières. Au contraire, ils s'en montreraient assez curieux. C'est ainsi qu'un viticulteur du Lot m'a fait goûter un bien étrange « Cahors » venu de Russie. Alors que le vrai Cahors se montre rude, corsé, généreux, celui-là aurait pu s'assimiler à nos « vins de liqueur » par son caractère doux.

Ce cru, qui se trouve agréé comme vin de messe de l'Eglise orthodoxe, serait tiré de plants descendant de cépages importés jadis du Quercy. Quant à son caractère, il s'acquiert dans un procédé de vinification utilisé il y a quèlques siècles par des vignerons du Lot qui avaient trouvé là un moyen de conserver le Cahors expédié en Russie.

Mais au-delà de cette surprise les caveaux de Cahors m'en ont réservé une autre, bien sympathique. Dans le canton de Luzech, on persiste à produire parallèlement à des Cahors d'appellation un petit rosé, le Parnac.

Modeste, il est vrai, puisqu'il ne détient aucun privilège : ni celui de l'appellation contrôlée ni celui de VDQS. C'est dire s'il ne se prend pas au sérieux. Notez-le cependant parmi vos vins de table quotidiens. Tout d'abord parce qu'un vrai rosé non trafiqué devient une chose rare. D'autre part, sa gentillesse, sa fraîcheur non exempte de tempérament, son fruité pourront amuser vos déjeuners.

RENAISON
Côte Roannaise rouge.

Un précieux tonneau

Tous les vignobles, même les plus modestes, aiment à se réclamer de solides références historiques : à croire, ce qui d'ailleurs n'est pas tout à fait inexact, que tout passe par le vin, à commencer par la grande et la petite Histoire.

Dans les Côtes Roannaises, à Renaison précisément, on fait de plus appel à la légende. Jacques Cœur, grand argentier de Charles VII, y aurait commencé sa fortune, grâce aux tonneliers de la ville, alors fort réputés.

Passant dans la localité, on lui fit plainte et révélation d'un affreux dragon gîtant dans un étang voisin. Ce monstre portait, lui soutint-on, une énorme pierre précieuse au front. Aussi courageux qu'avide, le jeune Jacques Cœur décida de l'affronter. Pour ce combat il se fit fabriquer un tonneau hérissé extérieurement de pointes d'acier. Il s'y glissa et se fit porter à l'étang. Sentant sa présence, le dragon voulut broyer notre impudent : il s'enroula autour du tonneau. Il en mourut et le héros de s'emparer du joyau. C'est ce qu'on appelle sans doute « faire le Jacques » à bon escient.

En tout cas cela plaide pour la qualité des tonneaux locaux. Belle occasion pour rappeler que les vins de Renaison qu'ils contenaient, et contiennent encore, ne sont pas non plus sans intérêt. Rouges frais et légers, pensés pour être bus jeunes, ils accompagnent bien les viandes voisines du Charolais. D'ailleurs là-bas, on ne s'en prive pas et ce cousin du Beaujolais n'est pas oublié. En parlant de lui on peut parler de vrai vin de pays.

VINS D'AUVERGNE
Marcillac rouge. Fel blanc. Aveyron.

Alors bougnat... et le pays ?

Comme chacun sait, la plupart des bistrots de Paris, du bougnat du coin à la célèbre brasserie Lipp, sont entre les mains des Auvergnats. Et très souvent des gens du Rouergue qui, d'ailleurs, n'aiment pas toujours à être confondus avec les précédents.

On ne peut pas dire qu'ils abusent de la situation. Car, en dépit de leur attachement à la mère-province, ils s'obstinent à ignorer les vins de chez eux au bénéfice des Beaujolais, Muscadet et autres Côtes du Rhône. C'est dommage.

Non point que le Rouerge — dans le cas présent — soit une de nos grandes provinces viticoles, mais, en ces temps où les petits vins de pays tiennent le haut du pavé, je m'étonne de ce mépris pour le moins surprenant.

Comme en beaucoup d'autres lieux, ce furent des moines, gens de vins autant que gens de bien, qui se révélèrent les promoteurs de la vigne dans la région. Installés en l'abbaye bénédictine de Conques, ils avaient de bonnes raisons à cela. Située sur la route de Compostelle, leur établissement servait de relais aux pèlerins et leur hostellerie ne chômait point. Au xve siècle, leur vin de Marcillac possédait déjà une honnête réputation.

Il est en train de la regagner et bon nombre de Parisiens en vacances dans le Massif Central en ont fait leur ordinaire. Car c'est le type même de cru simple, franc, amusant à boire, sans génie, mais aussi sans défaut. La vinification n'y cherche pas de miracles et à le goûter on retrouve un vrai sens à l'expression « jus de la treille ».

C'est fruité, assez léger en alcool, avec une richesse en tanin aimablement agaçante. En vérité, voilà un bon rouge pour les repas de tous les jours.

Dans le même esprit, mais en blanc, le vin de Fel, plus sec et parfumé, offre le même caractère sympathique. Il vient d'ailleurs d'obtenir sa classification en VDQS.

Mais attention, ils ont besoin d'un long repos après le voyage !

MIDI

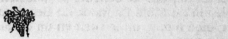

Le petit vin de la Nationale 113

« Et avec ça un petit Corbières, bien sûr ?... » Il est loin le temps où les patrons de bistrots proposaient couramment ainsi cet aimable vin du Midi. La mode du Beaujolais triomphant l'a fait oublier et, bien à tort, on le tient en un certain dédain, quand ce n'est pas en mépris.

Evidemment la réputation des vignobles du Languedoc n'est pas celle d'une région de beaux crus : leur énorme production — un tiers des récoltes françaises — passe, on le sait, dans l'élaboration des vins courants de grandes marques. Reste qu'il existe encore là-bas des choses intéressantes à boire, par leur loyauté autant que par leurs qualités.

Les Corbières, évoqués plus haut, représentent même du vin de table, supérieur aux ordinaires, avec assez de caractère pour que l'on puisse parler de personnalité.

Il n'est pas inutile non plus de signaler combien ils ont su évoluer vers le goût actuel. Avant-guerre, on les connaissait comme lourds, puissants, avec une certaine âcreté, trop corsés. Grâce à une vinification intelligente et un appoint de raisins de grenache destinés à en corriger la rudesse et à leur ajouter de la finesse, sans pour cela en faire des vins doux, on est arrivé à un équilibre plaisant.

D'une belle couleur rubis, le Corbières se montre bouqueté, agréable à déguster, avec assez de « mâche et d'accent » pour demeurer encore un peu corsé. On ne s'étonnera donc pas si je suis amené à le mettre en parallèle avec certains Côtes du Rhône, comme les Gigondas. J'ajouterais même qu'il se boit facilement.

J'en ai goûté plusieurs, mais je me suis arrêté au *Corbières 113* — baptisé ainsi d'après la nationale traversant les vignobles — parce qu'il possède ces caractéristiques dont j'ai parlé.

Je ne quitterai pas la région sans citer non plus le Fitou, véritable premier cru des Corbières. Plus puissant en alcool, il se doit de vieillir. En quelques années de tonneaux il prend une finesse et un bouquet complétant bien une solidité et une richesse qui ne sont pas sans charmes. Sa qualité étonne et il est dommage qu'elle ne soit pas plus connue.

L'ESPINET
Languedoc rouge. Aude.

Rouge et pur

On abuse trop souvent de l'emploi de produits chimiques dans la culture de la vigne et dans la conduite des différentes étapes de la vinification. Par une saine réaction — encore que cela tourne parfois à l'opération publicitaire — on constate de sérieux efforts pour essayer d'obtenir des vins que l'on dit biologiquement purs.

En excluant l'utilisation de désherbants et d'engrais chimiques pour la fumure, en essayant de respecter l'équilibre écologique, en n'employant jamais pour les traitements d'insecticides ou de fongicides systématiques ou autres produits de synthèse organophosphorés, en vinifiant sans addition de produits chimiques, quelques viticulteurs s'essaient à obtenir des vins naturels, de qualité biologique. Autrement dit des vins qui retrouveraient par là même toutes leurs valeurs, alimentaire, calorique, vitaminique, antiseptique.

On ne peut certes que s'en féliciter, mais il faut bien constater que ces vins biologiques ne sont pas toujours de haut goût, ou ne savent pas se maintenir.

Je tiens donc à vous signaler aujourd'hui un vin biologique que sa modestie ne saurait destiner qu'à une consommation courante mais cependant agréable à boire. Il s'agit d'un rouge du Languedoc, l'Espinet, équilibré, assez léger, titrant moins de 10°, fruité et assez personnel. Puisqu'il maintient aussi la santé...

Un vin à sabler

« Le vin de sable possède la verve outrancière du Gascon... Il vient de cépages bourguignons, enfouis dans la grève, aux alentours de Massanges, du Vieux-Boucau, de Soustons... » Telle est la définition fournie par le *Dictionnaire de l'Académie des Gastronomes*. Sans doute vaut-elle pour les vins de la région des Landes que j'évoquais auparavant. Mais il me paraît y avoir là un parti pris limitatif exagéré.

C'est vouloir tenir comme négligeables les vins du Midi de la France. C'est oublier qu'ils réapparurent en force après le phylloxéra.

Un vigneron d'Avignon avait en effet constaté pendant cette période maudite que la vigne plantée dans le sable résistait fort bien au puceron venu de l'Amérique. Cela donna quelques réussites dans le Roussillon, aux abords des étangs, entre Sète et Agde, et sur les dunes des environs d'Aigues-Mortes.

Le phylloxéra vaincu, ces vignobles de fortune furent plus ou moins délaissés. Sauf en Camargue. Mieux, en même temps que se développait ici la culture du riz, les vignes s'implantaient plus largement dans les sables. Et avec des moyens énormes puisqu'ils étaient ceux de la Compagnie des Salins du Midi.

On rencontre peu de vinifications aussi soignées dans le domaine des petits vins : rouges, blancs ou « gris », ils sont fort agréables à boire. On les découvre fruités, pleins de soleil et de gaieté, avec un certain tonus, tout en demeurant légers.

PICPOUL DE PINET
Languedoc blanc.

Le picpoul du pique-sou

Belons, portugaises, ré, marennes... les mois en r les ramènent régulièrement sur presque toutes les tables. Pourtant, je crains bien qu'aucun spécialiste parisien de fruits de mer n'ait jamais pris la peine d'incorporer à son plateau de coquillages des huîtres de Bouzigues ou de Thau. Elles possèdent pourtant une personnalité originale et un ton différent. D'ailleurs, elles s'accompagnent souvent là-bas de vins dont nous avons même oublié le nom. En m'arrêtant sur les bords d'un de leurs parcs d'élevage, j'ai ainsi profité d'une dégustation pour redécouvrir le blanc de Picpoul de Pinet.

Le Picpoul de Pinet peut sans doute être compté parmi les vins les plus anciens de France. Ces vignobles du Languedoc marquent — si l'on veut bien tenir pour négligeables les vignes plantées par les Grecs autour de leur comptoir de Marseille — le début des vignobles gaulois, puis français. Ils prirent vite de l'importance, puisque les Romains s'en étaient réservé l'exploitation. Ils en abusèrent même.

Témoins, des textes de Cicéron où le grand avocat, assumant la défense du propréteur Fontéius, gouverneur de la Gaule narbonnaise, accusé de concussion par les Gaulois, se voit obligé de reconnaître que son client fit d'énormes bénéfices avec des droits abusifs sur ces vins destinés à Rome.

Aujourd'hui, ils vont moins loin, et coûtent moins cher. Faites-les au moins venir jusqu'à vous. Vous aurez là un petit vin blanc frais, bouqueté, faisant preuve de générosité, franchement sec, plein, mais, tout le monde s'accorde là, sans aucune acidité. Un vin d'huîtres, certainement modeste mais original.

RIVIÈRE-LE-HAUT
Languedoc blanc de blancs. La Clape.

Le blanc des huîtres de Pline

Rien ne m'irrite plus qu'une dégustation qui a l'air d'en être une. Goûter un vin est certes une chose agréable, mais elle devient vite insupportable quand la conversation se met à ressembler à celle d'une réunion d'anciens élèves : « Vous vous souvenez du 64 ? Oui, mais le 67, alors ! Mais non, etc. »

Il ne manque heureusement pas de vignerons qui prennent aussi le temps de s'intéresser à autre chose qu'à leur vin. J'en donnerais pour preuve la visite faite en Languedoc à un propriétaire des environs de Narbonne, qui nourrissait une passion pour l'histoire de sa région.

Tout en me faisant visiter son domaine, il évoquait pour moi Pline et Strabon qui racontèrent si bien la vie d'antan, là-bas. Il m'a rappelé les premiers dauphins dressés par les pêcheurs locaux pour les aider ; il m'a fait faire le tour des limites de cette ancienne île de la Clape aujourd'hui rattachée à la côte et où poussent ses vignes ; il m'a même rappelé le succès des premiers ostréiculteurs qui, après avoir engraissé leurs huîtres, les détachaient de leur coquille avant de les plonger dans des amphores de saumure dans lesquelles elles étaient convoyées jusqu'à Rome : elles faisaient prime sur le marché.

Il n'a pas pu me dire toutefois si des vignes donnaient déjà un vin semblable à son Rivière. Un petit blanc de blancs, classé parmi les Coteaux de Languedoc, VDQS donc, fruité, sans acidité, très ensoleillé, juste sec, et qui me paraît convenir parfaitement, comme le Picpoul de Pinet, avec les huîtres de la Méditerranée.

ROUSSILLON DEL ASPRES
Roussillon rouge.

L'astre d'Aspres

Le côté « bricoleur génial », leur naïveté déconcertante, leur roue-rie paysanne m'étonneront toujours chez nos ancêtres contempo-rains de Napoléon III et du début du siècle.

D'autant plus que ce sont eux qui, de surcroît, firent de la France une puissance industrielle.

Savez-vous ainsi comment M. Violet, inventeur du Byrrh, gardait le secret des proportions de son mélange d'écorces de quinquinas divers destinées à macérer avec ses vins ? Avec des pierres. Au lieu de noter les mesures exactes nécessaires, il préférait garder dans son bureau une collection de gros galets, chacun correspondant au poids d'un des ingrédients entrant dans la composition de son produit.

Depuis, sa maison fabriquant de quoi remplir chaque année les plus grands « foudres » du monde (qui sont les siens), on se doute que les mélanges s'effectuent d'une manière plus moderne, mais les pierres demeurent, comme ultime recours.

L'anecdote m'était contée, il y a quelques jours, par le patron de l'Hostal de Castelnou, un bistrot bon et charmant dans un des plus jolis villages des Pyrénées-Orientales.

Mais, surtout, il m'a fait le plaisir d'arroser un repas simple et très folklorique d'un de ces vins du Roussillon que nous avons bien tort de négliger à Paris. J'espère que la renommée toute neuve des plages du Languedoc-Roussillon aidera à les faire redécouvrir.

Il s'agissait d'un Roussillon del Aspres rouge, d'une robe d'un beau vif, corsé, chaleureux, mais que son fruité faisait boire sans peine et surtout sans résultats fâcheux. Proche parent d'un Corbiè-res, mais en moins capiteux et plus aisé à consommer jeune. Evi-demment, on nous l'avait servi frais. Comme il coûte peu, voilà un vin simple pour des vacances économiques.

PYRÉNÉES

MADIRAN
Pyrénées rouge.

Un cadet de Gascogne

Trente-trois mois au minimum de conservation en tonneau, un certificat de qualité délivré après dégustation : peu de vins peuvent se réclamer d'autant de garanties que le Madiran.

Cela aidera sans doute à retrouver une notoriété perdue pendant le XIXe siècle. A l'époque, en effet, les viticulteurs abandonnèrent le cépage de Bouchy qui s'associait jusqu'alors au Tannat pour donner le Madiran, ne gardant que le second, exclusivement. On prétend que ce cépage chargeait le vin d'un tel tanin (d'où il tire d'ailleurs son nom) que les coupages plus ou moins honnêtes passaient inaperçus. Il n'en faut pas plus pour créer une mauvaise réputation.

D'autant plus regrettable qu'à travers les siècles on l'apprécia grandement, et il se fit vite un nom.

Pourquoi ne le retrouverait-il pas ? La saison du gibier nous en propose l'occasion. Là-bas, ce rouge accompagne les salmis de palombes comme les faisans. On l'aimera si l'on préfère les crus corsés et généreux (de 11 à 14°), vigoureux même. Sa couleur et sa puissance lui permettent de vieillir : il y gagne.

PACHERENC DU VIC BILH
Pyrénées blanc.

Un solide cadet de Gascogne

Les vins doux n'ont décidément pas la part belle chez nous. Même quand ils prennent place parmi les plus brillants de notre terroir — comme le Château d'Yquem par exemple —, ils souffrent d'une désaffection parfois injuste, puisqu'elle peut souvent aller jusqu'à un oubli presque total.

Qui se souvient ainsi du Pacherenc du Vic Bilh, hors les départements pyrénéens ? Pourtant c'est un cru de caractère, sérieux, avec une belle tradition. Sa bonne réputation ne date pas d'hier et l'origine de son nom est bien là pour le prouver. En Béarn, Vic Bilh peut se traduire par Vic Vieux, titre qui serait celui du plus ancien groupement politique de la province.

Puisque nous en sommes aux étymologies, le mot de Pacherenc se veut, lui aussi, explicite. C'est tout bonnement le « Pachet en renc », c'est-à-dire l'échalas en rang : pour protéger les vignes des gelées, on les entrelace très haut, comme pour le Jurançon, arrivant même à composer de véritables tonnelles, ce qui donne au vignoble une allure très particulière.

J'en arrive à ses qualités que nombre de documents attestent depuis une dizaine de siècles. Au XVIIᵉ, on l'exportait déjà. Sans être royal, il eut une certaine gloire ; de nos jours, il ne fait plus grand bruit. On en donne d'ailleurs une explication assez insolite dans l'excellent *Guide du Vin,* de Raymond Dumay.

Selon lui, les riches bourgeois et les gentilshommes un peu démunis qui habitèrent longtemps le pays étaient plus soucieux de se couler du bon temps plutôt que de s'attacher à faire connaître leur vin aux quatre coins du monde.

Mais pour en revenir à notre Pacherenc lui-même, mérite-t-il autant d'attention ? Pour ma part, je lui trouve assez de séduction. Ce blanc me paraît être un rival possible pour le Jurançon, son voisin, plus connu. Moelleux dans sa nature, il lui arrive pourtant de se révéler demi-sec dans certaines années. On lui trouvera sans doute toujours une pointe de madérisation, un peu comme une Clairette de Languedoc ou un Jura, mais sans excès. Riche en alcool — il peut titrer 14° —, moins acide que le Jurançon, il est aussi plus souple.

Mis en vente après un délai minimum de neuf mois de cuvaison, il arrive à son meilleur au bout de deux à trois ans. Plus vieux, il devient franchement liquoreux. Assez curieusement, on peut acheter ce vin en toute confiance : il est parmi les plus sévèrement contrôlés.

Dans une cave, il est bien plus une originalité qu'un classique : mais on l'aimera avec des poissons, des viandes blanches et même du foie gras. Sa solidité et sa franchise soutiendront bien son tempérament insolite.

VIC BILH DU PORTET
Pyrénées blanc. Portet.

Bien Portet

C'est au cours d'un déjeuner montagnard dans une vieille auberge pyrénéenne — un peu ferme, un peu restaurant, un peu épicerie, en forme d'ancêtre de nos drugstores — que j'ai découvert le blanc de Portet. Les bouteilles devaient être anciennes puisque ce vin n'existe plus sous cette dénomination. Elles n'en manquaient pas pour autant d'intérêt.

Les premières madérisaient ; mais pour deux autres, ouvertes dans l'élan, elles confirmèrent une personnalité double, assez peu courante. L'une contenait un vin moelleux mais franchement liquoreux, encore qu'il fît la preuve d'une certaine vivacité. La seconde, sans renier le moelleux de la première, tirait cependant sur le sec.

On m'expliqua alors que ce vin, mûri sur des vignes montées en échalas, se faisait surtout à l'époque pour les vignerons eux-mêmes, lesquels attachaient peu d'importance à l'œnologie moderne, pas plus qu'à une régularité dans le goût. Ils le prenaient comme il venait, comme il se donnait. Ce qui fit écrire un jour à Paul de Cassagnac, qui appréciait fort cette sincérité : « Il livre ses saveurs sans détour, comme les vierges béarnaises. »

De nos jours, il s'est assagi en changeant de nom : il se vend en effet sous l'appellation de Pacherenc du Vic Bilh mais les amateurs de Pacherenc savent justement que le meilleur vient de la commune de Portet. Le plus fin est de là : il titre au minimum 12°, et son velouté flatteur le met en bonne place entre les crus blancs liquoreux et les secs. On peut lui faire d'autant plus confiance qu'il compte, comme tous les Pacherenc, parmi les vins les plus contrôlés de France.

En forme d'apéritif, il est original et rivalise sans mal avec tous les vins cuits ou autres, à vocation, justement, d'apéritif.

ILE DE RÉ

ILE DE RÉ
Ré blanc.

Les vins médecins de l'île de Ré

Si l'on en croit les chroniqueurs du temps, l'île d'Aix abondait en vignes dès le XIIᵉ siècle.

Un peu plus tard, on relève dans les registres du roi Jean sans Terre une rentrée de trente tonneaux de vin de l'île d'Oléron pour ses réserves personnelles, et ce en la seule année 1212.

N'étant pas en reste sur les îles sœurs, l'île de Ré se trouve réputée au XIIIᵉ siècle pour des vins dont elle fait surtout échange avec la Bretagne contre des fournitures de grains. Ce trafic devint assez important puisqu'il allait nécessiter une décision spéciale du roi d'Angleterre, Henri III, l'autorisant.

Deux siècles plus tard, les vignobles de Ré étaient toujours suffisamment estimés pour que chaque vente d'une terre soit accompagnée d'une rente annuelle d'« un tonneau de vin blanc, bon, pur, nouveau et bien marchant en bons fustz neufz ».

Ces temps sont lointains et je crois que bien rares sont les touristes à avoir découvert les vestiges de ces vignes, et encore plus rares les gourmands à en avoir goûté les produits.

Il est vrai que la récolte en est très limitée et la réputation bien diminuée. Dès le XVIIᵉ siècle les Anglais, grands acheteurs de nos vins, les classent dans « small and thin wines », tandis que les Hollandais les considèrent comme « les plus petits » qu'ils importent.

Sans doute le goût s'était-il affiné et peut-être les méthodes d'une culture devenue intensive, orientée essentiellement vers la production d'eau-de-vie, n'avaient-elles pas amélioré ces vins. On reprochait aussi la pratique de fumer les terres avec la vase et le limon laissés par la mer en se retirant.

De nos jours, l'habitude de la fumure marine est toujours maintenue avec le varech. On n'obtient certes pas un grand cru mais un petit vin, authentiquement original par son goût iodé assez étrange et plaisant.

Le vin de Ré, surtout en blanc, est typique de ce caractère. Léger, un peu acide, très sec, il est plus qu'une curiosité. Un peu agaçant sur la langue, il est amusant et ne manque pas d'esprit. D'ailleurs, l'iode contenant d'excellents éléments pour le corps, on pourrait dire qu'il est un vin médecin : son peu de richesse en alcool le fait boire sans crainte (le rouge, lui, est franchement rustre).

On s'en doute, il est bien né pour aller avec les fruits de mer. Comme il est rare, on le fait peu voyager et peut-être n'est-il pas fait pour de longs trajets. Mais cela vaut la peine d'essayer : parce qu'il est inattendu, agréable à boire et très bon marché.

SAVOIE

VINS DE SAVOIE
Chignin-Bergeron blanc. Mondeuse rouge. Savoie.

Ces vins mettaient les moines en joie

Lorsque l'été approche, c'est le moment où l'on se prend à rêver de vins souples, légers, propres à amuser le palais et à désaltérer sans assener le fâcheux coup d'assommoir des crus trop lourds et trop riches.

Quand on manque d'imagination, on se décide généralement pour un quelconque rosé de Provence qu'une production pléthorique rend trop souvent discutable. C'est oublier qu'il est d'autres vins qui mériteraient plus d'attention. Ceux de Savoie par exemple.

D'après les auteurs latins, les patriciens de Rome ne les négligeaient pas. Pas plus d'ailleurs que les bons moines de Cluny qui, à partir du xi⁰ siècle, en recevaient plusieurs pièces chaque année pour « se réconforter et se mettre en liesse ». Aujourd'hui la consommation des crus de Savoie va rarement au-delà des limites de la province. C'est dommage, car certains de ces vins — Seissel, Roussette, Mondeuse, Bergeron, Culoz — issus de cépages nobles — supportent parfaitement le voyage.

Tout dernièrement, j'ai pu goûter à Paris un Chignin-Bergeron blanc qui m'a laissé un plaisant souvenir. Il a du nez, une rondeur agréable. On y distingue parfaitement ce petit goût de pierre, si caractéristique de la région. Servi frais, il est parfait avec les poissons de lac et de rivière où son bouquet et sa fraîcheur naturelle font merveille. Petit vin sans doute, mais digne d'estime.

En rouge, j'ai essayé un Mondeuse. Plus riche, plus puissant, il tient la comparaison avec les bons Beaujolais. Incontestablement bourru — on évoque le goût du premier jus au pressoir — il surprend par son caractère désaltérant. Il doit être bu frais, bien sûr. Tout comme le Chignin-Bergeron, il est naturel avant tout. Je suis persuadé que vous l'apprécierez aussi pour les déjeuners du plein été.

VALLÉE DE LA LOIRE

AUVERNAT
Orléans rouge.

Toi l'Auvernat qui sans façon...

Croirait-on qu'il existe sur les bords de la Loire, au-delà des Vou-vray, Bourgueil, Chinon et autres crus déjà réputés, certains vins ordinaires, originaux et inédits, appréciables dans les bonnes années, comme ce petit Auvernat rouge dit du « Clos de l'Enfer », survivant d'une lignée de haut vol.

L'Auvernat est en effet un plant — aujourd'hui devenu rare — de pinot noir, identique à celui de la Bourgogne. Il fut connu sous ce nom dans l'Orléanais dès le XIIIᵉ et la qualité de ses vins le posa longtemps en rival de ceux de Beaune. Il se trouvait même favori sur les tables de la Cour qui séjournait alors souvent dans les châteaux proches de la Loire.

Une fantaisie royale, justement, causa ensuite le début de sa déca-dence. Henri IV, qui avait estimé que Paris valait bien une messe, lui sacrifia aussi les vins de l'Orléanais. Il trouva habile de satisfaire les gros bourgeois de la capitale, viticulteurs considérables, en buvant leurs vins de l'Ile de France.

La Faculté s'en mêla à son tour et, pour plaire aux puissants du jour, Nicolas de La Framboisière, médecin attaché au roi, déclara que « les vins françois de Paris et par tout l'Ile de France sont bien-faisants de diverses manières et notamment en ceci qu'ils ne rem-plissent pas la tête de vapeurs âcres comme le font les vins d'Orléans ».

Interdit dans les caves du Louvre, remplacé par des plants moins fins, mais produisant plus, l'Auvernat déclina, jusqu'à une quasi-disparition.

Pas tout à fait pourtant, puisqu'on en compte encore quelques vignes autour d'Orléans. Sans doute ne retrouverait-on pas en lui ces qualités qui le firent célèbre. Mais on a là un vin de table rouge, insolite, bien fruité, facile à boire, de bon goût avec une personna-lité aimable. Comme il y a des honnêtes hommes, c'est un honnête vin. En blanc, il est léger, frais, coquin et, comme son cousin rouge, très franc. Que peut-on demander de plus à des vins sans cérémonie ?

MONT-PRÈS-CHAMBORD COUR-CHEVERNY
Loire blanc.

Ces châteaux n'en sont pas

Huîtres et coquillages m'ont toujours donné prétexte à rechercher des vins peu connus pour les accompagner. Cela me permet ainsi de quitter la grande famille des vins d'appellation contrôlée, pour me lancer dans la multitude des VDQS dont les réputations vont rarement au-delà des frontières de leurs départements. Non qu'ils voyagent mal mais leur production, souvent réduite, s'écoule aisément auprès de quelques connaisseurs qui ont su les découvrir.

Un chasseur de mes amis, propriétaire en Sologne, m'a fait ainsi rencontrer le Mont-Près-Chambord Cour Cheverny. Avec de telles références, songez un peu aux étiquettes et aux noms grandiloquents qu'auraient trouvés les Bordelais, par exemple, qui ont vite fait d'appeler Château le moindre pressoir, ou la moindre bicoque. Mais ici, quand bien même se trouve-t-on à la limite de la Sologne, on est encore en pays de Loire, donc de raison. On n'aime pas s'y parer de titres prétentieux.

Il se présente en blanc. Jadis il avait deux visages. Le Mont-Près-Chambord se montrait sec, vif et gentil, et fruité. On accordait en général un peu plus de finesse et de fruit au Cour Cheverny, mais la nuance était faible. L'un et l'autre en tout cas se révélaient particulièrement légers, donc faciles à boire. Légers aussi pour votre bourse. Et parfaits pour les huîtres. Aujourd'hui sous un double nom il allie les qualités de l'un et de l'autre.

NEUVILLE
Poitou blanc.

Il ne pose pas de lapin

En vacances, l'insolite et l'inattendu passent souvent par les marchés de campagne. On y retrouve de vieilles habitudes terriennes et surtout ce plaisir d'acheter qu'a si bien tué l'apparition des épiceries « self service » et autres inventions de la distribution commerciale moderne.

Alors que je recherchais un petit village du Poitou dont on m'avait signalé la très sérieuse coopérative vinicole, le hasard m'a fait traverser Mirebeau-en-Poitou. C'était un mercredi, et s'y tenait un marché aux lapins dont la multitude apparaissait impressionnante. Tout cela bruyant, coloré, mais avec quelque chose d'assez mystérieux pour les citadins que nous étions.

En effet, l'usage veut encore que de nombreux achats se discutent par écrit. Après avoir jugé d'un lot, l'acheteur écrit un chiffre sur un papier qu'il tend à l'éleveur. Si l'offre ne convient pas, celui-ci chiffonne la feuille, la jette à terre et attend une autre proposition. Cette tradition se perd, m'a-t-on dit.

En tout cas, il en est une qui se maintient : orale ou écrite, l'affaire traitée, les intéressés la concluent en dégustant des anguillettes et un verre de blanc du pays de Neuville dans une des baraques qui se montent à cet effet chaque jour de marché.

Blanc près du terroir, amusant, mais auquel pourtant j'ai préféré son cousin rouge, bien fruité, léger, piquant sur la langue, désaltérant et séduisant dans sa simplicité pour un jour d'été.

NONNAINS GRIS
Sancerrois gris. Thauvenay.

Un bâtard qui a de la branche

Etranges cheminements que ceux de la découverte d'un vin ! Il aura fallu le hasard d'un bon bœuf à la ficelle dégusté dans un bistrot inconnu pour que je fasse la connaissance d'un vin surprenant, curieusement baptisé du nom de Nonnains Gris. C'était vraiment le vin du patron.

Sans doute voit-on, petit à petit, réapparaître ces vins gris, sur un marché submergé par une multitude de rosés. La plupart du temps, ils sont dépourvus d'appellation, mais non de charme. Parce qu'ils ont été longtemps gardés par les vignerons pour leur consommation personnelle, ils ont l'avantage de ne pas être truqués. Mais leur production limitée les fait rares.

Celui-ci vient de Thauvenay, dans le Sancerrois. Il n'a pas pour autant le caractère véhément de son célèbre cousin le Sancerre. C'est un modeste et l'on chercherait vainement son nom parmi les crus de cette région expédiés au xIvᵉ vers les Flandres. Il n'est pas cité non plus dans les vers de Guillaume le Breton, poète de cour de Philippe Auguste, attaché à célébrer les vertus du Sancerre.

Son titre de « Nonnains » laisserait plutôt croire qu'il fut pendant longtemps le péché mignon des sacristains, voire des enfants de chœur ou de l'ordre de la Charité auquel appartenait le vignoble. Un vignoble d'ailleurs bien étrange. Au début du siècle, il servait de champ d'expériences à divers plants hybrides, mal vus en ces régions où l'on aime les plants nobles.

Cette variété en a fait un bâtard, mais un bâtard qui a quand même de la branche. Bien fruité, gai, il a du piquant grâce à une acidité qui agace le palais. Malgré sa force (12°), il se boit bien et ne laisse pas la tête lourde. C'est un accompagnement parfait des bouillabaisses et des poissons grillés.

Vinifié avec le sérieux qui caractérise les caves de la région, le Nonnains se garde et se trouve bien de deux ans de bouteille.

SAINT-POURÇAIN
Allier blanc et rouge. Saint-Pourçain-sur-Sioule.

Le saint de Saint Louis

Le plateau central — soyons pédant et précis — pays rude s'il en est, ne s'embarrasse pas de gastronomie compliquée et savante : à partir de produits riches de toutes les saveurs du terroir, il se contente d'une table rustique, solide et bien bâtie.

Avec cette cuisine d'une inspiration avant tout familiale, on pourrait s'attendre à des vins rustres eux aussi. Pour être sans prétentions, ils se révèlent au contraire souvent légers, fruités et faciles à boire : on connaît ainsi les Chanturgue, Chateaugay et Corrent.

Il en est un, pourtant, à se hisser bien au-dessus d'eux, dont le vignoble est en pleine renaissance, le Saint-Pourçain.

Le vignoble se trouve être un des plus anciens de France : en 532 on parle déjà des vignes du monastère de la montagne du Montmiret. Plus tard, rois et ducs se les disputent lors de partages de seigneuries, mais c'est aux XIIᵉ et XIIIᵉ siècles qu'il atteint à la célébrité.

Saint Louis l'exige pour les fêtes données en l'honneur de son frère, armé chevalier à Saumur. Philippe le Bel le compte dans ses chais royaux tandis que son frère, le comte de La Marche, n'a aucune gêne à en accepter quelques pièces de la part d'un pelletier parisien, soucieux de se concilier ses faveurs.

On va même plus loin : comme les épices alors, il a valeur de monnaie. Isabeau de Valois ne règle jamais autrement ses dépenses de toilettes « draps et pannes ». La cour des papes d'Avignon charge même un commis de s'occuper uniquement de ces crus.

Aujourd'hui, les Saint-Pourçain, rouges ou blancs, ne peuvent plus se flatter de tels clients. Ce n'est pas une raison pour les mépriser. Pour ma part, je préfère les blancs, plus brillants, assez proches des Meursault. En général secs, très clairs, fins, avec du bouquet et de la souplesse, ils valent aussi pour leur franchise. Les rosés sont frais et fruités comme les rouges, mais ils vieillissent vite. Dans l'ensemble, ils sont déjà mieux qu'un vin quotidien, mais attention, les rouges, avec un goût de terroir prononcé, ne sont peut-être pas faits pour voyager.

Ils font et ils vendent du vin

 Très grands vins

BORDELAIS

Ausone (Château)
Au Château Ausone. M. J. Dubois-Challon à Saint-Emilion (Gironde), (57) 24.70.94.

Cheval-Blanc (Château)
Au Château Cheval-Blanc. M. Foucaud-Lussac à Saint-Emilion (Gironde), (57) 24.70.70.

Haut-Brion (Château)
Au Château Haut-Brion. Société Dillon à Pessac (Gironde), (56) 98.33.73.

Lafite-Rothschild (Château)
M. Némes, Banque Rothschild, service des domaines, 21, rue Laffitte, Paris.

Latour (Château)
Société Civile du Château Latour à Pauillac (Gironde), (56) 59.00.51.

Margaux (Château)
A Château-Margaux (Gironde), (56) 88.70.28.

Mouton-Rothschild (Château)
Baron Philippe de Rothschild à Pauillac (Gironde), (56) 59.22.22.

Yquem (Château d')
Au Château d'Yquem, M. de Lur-Saluces à Yquem (Gironde).

BOURGOGNE

Bonnes Mares
Société Chanson Père et Fils à Beaune (Côte-d'Or), (80) 22.33.00.

Chambertin-Clos de Bèze
MM. Drouhin Laroze à Gevrey-Chambertin (Côte-d'Or), (80) 34.31.49.

Clos de Vougeot
MM. Moillard Grivot à Nuits-Saint-Georges (Côte-d'Or), (80) 61.03.34.

Corton-Charlemagne
M. Dubreuil à Pernant (Côte-d'Or), (80) 21.51.67.

Montrachet
MM. Bouchard Père et Fils à Beaune (Côte-d'Or), (80) 22.14.41.

Romanée-Conti
Société Civile de La Romanée-Conti à Vosne-Romanée (Côte-d'Or), (80) 61.04.57.

Clos de Tart
M. Mommessin, Lagrange Saint-Pierre à Charnay-lès-Macon (Saône-et-Loire), (85) 34.28.72.

CÔTES DU RHÔNE

Château-Grillet
M. Neyret-Gachet à Verin-Saint-Michel (Loire).

JURA

Château-Chalon
M. Cartier à Poligny (Jura), (84) 37.14.94.

Très bons vins

BORDELAIS

Belair (Château)
Au Château Belair à Saint-Emilion (Gironde), (57) 74.41.97.

Beychevelle (Château)
Au Château Beychevelle à Saint-Julien (Gironde), (56) 59.23.00.

Calon-Ségur (Château)
Philippe Gasqueton à Saint-Estèphe (Gironde), (56) 59.30.27.

Cantemerle (Château)
Au Château Cantemerle, M. Dubans à Macau (Gironde).

Cantenac-Brown (Château)
Au Château Cantenac à Margaux (Gironde), (56) 88.70.76.

Carbonnieux (Château)
Au Château Carbonnieux à Leognan (Gironde), (56) 87.08.67.

Cos d'Estournel (Château)
Au Château Cos d'Estournel à Saint-Estèphe (Gironde), (56) 59.35.69.

Ducru-Beaucaillou (Château)
Au Château Ducru-Beaucaillou, M. Borie à Macau (Gironde).

Giscours (Château)
M. Tari à Labarde-Margaux (Gironde), (56) 88.34.02.

Grand Barrail-Lamarzelle-Figeac
M. Carrere, à Saint-Emilion (Gironde), (57) 24.71.43.

Guiraud (Château)
Au Château Guiraud, M. Rival à Sauternes (Gironde).

Haut-Brion Blanc
Voir Haut-Brion (Très grands vins).

Issan (Château d')
Au Château d'Issan, à Margaux (Gironde).

La Lagune (Château)
Au Château la Lagune à Ludon (Gironde), (56) 30.44.08.

Langoa (Château)
Au Château Langoa à Saint-Julien-Beychevelle (Gironde), (56) 88.70.66.

Lascombes (Château)
Société Vinicole du Château Lascombes à Margaux (Gironde).

Malle (Château de)
Au Château de Malle à Pérignac-Sauternes (Gironde).

Margaux non millésimés
Au Château, MM. Ginestet à Margaux (Gironde), (56) 88.70.28.

Mission-Haut-Brion (Château la)
Société Woltner, 17, cours du Médoc, Bordeaux (Gironde), (56) 39.28.08.

Montrose (Château)
Au Château Montrose à Saint-Estèphe (Gironde).

Palmer (Château)
Société Civile du Château Palmer à Margaux (Gironde), (56) 88.72.72.

Pape Clément (Château)
Montagne et Cie à Pessac (Gironde), (56) 07.04.11.

Pichon-Longueville-Baron (Château)
Société Civile du Château Pichon-Longueville-Baron à Pauillac (Gironde), (56) 59.00.82.

316

Pichon-Longueville-Lalande (Château)
Société Civile du Château Pichon-Longueville-Lalande à Pauillac (Gironde) (56) 59.19.40.

Rausan-Ségla (Château)
Au Château Rosan-Ségla à Margaux (Gironde), (56) 88.70.30.

Rausan-Gassies (Château)
Au Château Rozan-Gassies à Margaux (Gironde), (56) 88.71.88.

Rayne-Vigneau (Château)
Au Château Rayne-Vigneau à Bommes (Gironde), (56) 63.61.63.

Suduiraut (Château)
Au Château Suduiraut à Fouquermies (Gironde).

Tour Blanche (Château la)
Au Château la Tour Blanche, Services Agricoles à Bommes (Gironde).

Tour-Martillac (Château la)
M. Kressmann à Martillac (Gironde), (56) 23.71.21.

BOURGOGNE

Chablis-Moutonne
M. Testut à Chablis (Yonne), (86) 42.45.00.

Clos des Combettes
M. Etienne Sauzet à Puligny-Montrachet (Côte-d'Or), (80) 21.32.10.

Grèves de l'Enfant-Jésus
MM. Bouchard Père et Fils à Beaune (Côte-d'Or), (80) 22.14.41.

Marconnets (les)
MM. Ropiteau à Meursault (Côte-d'Or), (80) 21.23.94.

Mazis-Chambertin
M. Armand Rousseau à Gevrey-Chambertin (Côte-d'Or), (80) 34.30.55.

Meursault-Charmes-Dessus
M. Michelot à Meursault (Côte-d'Or), (80) 21.23.38.

Montée de Tonnerre
MM. Simonet Febvre à Chablis (Yonne), (86) 42.11.63.

Montrachet (Criots, Bâtard, Chevalier)
MM. Delagrange-Bachelet à Chassagne-Montrachet (Côte-d'Or).

Nuits-Cailles
M. Morin à Nuits-Saint-Georges (Côte-d'Or), (80) 61.05.11.

Pommard-Argillières
M. Jacquelin Ernest à Pommard (Côte-d'Or), (80) 22.21.55.

Volnay-Caillerets
M. Potel à Volnay (Côte-d'Or).

Château la Tour-Clos de Vougeot
MM. Morin Père et Fils à Nuits-Saint-Georges (Côte-d'Or), (80) 61.05.11.

CHAMPAGNE

Bollinger
Bollinger, Etude de Gyril Ray, éditée par Davies à Londres (G.-B), Ay : (26) 50.12.34.

Clicquot Rosé
Veuve Clicquot à Reims (Marne), (26) 40.25.42.

Deutz
Maison William Deutz, B.P. n° 9, Ay (Marne), (26) 55.15.11.

Krug
Champagne Krug à Epernay (Marne).

Bons vins

ALSACE

Mandelberg-Gewurtztraminer
  MM. Preiss à Mittelwihr (Haut-Rhin).

BEAUJOLAÎS

Brouilly Paul Bocuse
  Chez Paul Bocuse à Collonges-au-Mont-d'Or (Rhône).
Moulin à Vent
  Société Semir à Belleville-sur-Saône (Rhône), (74) 66.47.81.

BORDELAIS

Balestard-la-Tonnelle (Château)
  Au Château Balestard la Tonnelle à Saint-Emilion (Gironde).

Beauregard (Château)
  M. Raymond Clauzel à Pomerol (Gironde), (57) 51.13.36.

Chasse-Spleen (Château)
  Au Château Chasse-Spleen à Moulis-en-Médoc (Gironde), (56) 58.17.54.

Dame Blanche (Château de la)
  Au Château de la Dame Blanche à Blanquefort (Gironde).

Gruaud-Larose (Château)
  Au Château Gruaud-Larose, M. Cordier à Saint-Julien (Gironde), (56) 59.27.00.

Lafon-Rochet (Château)
  Au Château Lafon-Rochet à Saint-Estèphe (Gironde).

Loubens (Château)
  Au Château Loubens à Sainte-Croix-du-Mont (Gironde).

Mazeyres (Château)
  M. Christian Querre à Libourne (Gironde), (57) 51.00.40.

Monbousquet (Château)
  M. Daniel Querre à Libourne (Gironde), (57) 51.56.18.

Pavillon Blanc de Château-Margaux
  MM. Ginestet, 81, cours Saint-Louis à Bordeaux (Gironde).

Poujeaux (Château)
  M. Theil à Moulis-en-Médoc (Gironde), (56) 58.22.58.

Rose-Pourret (Château la)
  M. Max Noël à Saint-Emilion (Gironde).

Talbot (Château)
  M. Cordier, 10, quai de la Paludate, Bordeaux (Gironde), (56) 92.70.00.

Tour-Carnet (Château la)
  Au Château la Tour Carnet à Saint-Laurent-et-Benon (Gironde), (56) 59.40.13.

Tour-de-Mons (Château la)
  Au Château la Tour de Mons à Soussans-Margaux (Gironde), (56) 88.33.03.

Trotanoy (Château)
  Au Château Trotanoy à Pomerol (Gironde).

"Y" d'Yquem
  Au Château d'Yquem à Sauternes (Gironde).

BOURGOGNE

Auxey-Duresses (Clos des Duresses)
M. Chandet, 20, rue Geoffroy-Saint-Hilaire, Paris.

Beaune-Bressandes
M. Moreau à Beaune (Côte-d'Or).

Chablis-Monts-de-Milieu
MM. Simonet Faivre à Chablis (Yonne), (86) 42.11.63.

Château-Corton-Grancey
Au Château à Aloxe (Côte-d'Or).

Fixin-Clos-Napoléon
M. Gelin à Fixin (Côte-d'Or).

Gevrey-Chambertin Marchand
M. Ch. Marchand à Gevrey-Chambertin (Côte-d'Or).

Marsannay
M. Clair Dau à Marsannay-la-Côte (Côte-d'Or), (80) 52.11.38.

Monthélie
MM. Ropiteau à Meursault (Côte-d'Or), (80) 21.13.94.
MM. Jaboulet Verchère à Pommard (Côte-d'Or), (80) 22.25.22.

Prémeaux, Clos de la Maréchale
MM. Faiveley à Nuits-Saint-Georges (Côte-d'Or), (80) 61.04.55.

Santenay la Comme
M. Chapelle à Santenay (Côte-d'Or), (80) 20.60.09.

Vougeot (Clos Blanc de Vougeot)
Société l'Héritier Guyot, 22, rue de Longvic à Dijon (Côte-d'Or), (80) 72.16.14.

CHALONNAIS

Rully
M. Monassier à Rully (Saône-et-Loire), (85) 87.13.57.

CHAMPAGNE

Bouzy Rouge
MM. Brice, Martin, Tritan à Bouzy (Marne), (26) 57.01.72.

Heidsieck
Heidsieck Monopole à Reims, Piper Heidsieck à Reims, Charles Heidsieck à Reims (Marne), (26) 85.03.27 - 07.39.34 - 85.01.94.

Riceys
MM. Grados à Riceys (Aube), (25) 38.34.33.
M. Octave Bourrelier à Riceys (Aube), (25) 38.32.67.

Salon-Crémont
Ch. Salon à Le Mesnil. Besserat de Bellefon à Reims (Marne), (26) 57.53.69 - (26) 36.09.18.

CÔTES DU RHÔNE

Côte-Rôtie
Etablissements Vidal-Fleury à Ampuis (Rhône), (74) 56.10.18.

Lirac
Cave Coopérative à Saint-Laurent-des-Arbres (Gard), (66) 50.01.02.

Châteauneuf-du-Pape
Domaine de Mont-Redon à Châteauneuf-du-Pape (Vaucluse).

Raspail (Château)
Gigondas : M. Ay à Gigondas (Vaucluse), (90) 65.85.05.

Saint-Péray
M. Verilhac à Saint-Péray (Ardèche), (75) 40.30.11.

Tavel
M. Paul Etienne à Saint-Péray (Ardèche).

DORDOGNE

Monbazillac (Château de)
Coopérative de Monbazillac (Dordogne), (53) 57.06.38 - 58.38.93.

JURA

Etoile
Coopérative vinicole de l'Etoile (Jura), (84) 47.32.98.

MÂCONNAIS

Pouilly-Fuissé
M. Ferret à Pouilly-Fuissé (Saône-et-Loire).
M. Vincent à Fuissé (Saône-et-Loire), (85) 35.61.44.

Pouilly-Loché
M. Quinson à Fleurie (Rhône), (74) 66.08.00.

PROVENCE

Bellet de Nice
Au Château Crémat, M. Baguis à Nice (Alpes-Maritimes).

Minuty
Au Château Minuty à Gassin (Var), (94) 56.12.09.

Vignelaure
Au Château Vignelaure à Rions (Var), (94) 57.83.15.

PYRÉNÉES

Jurançon
Cave Coopérative de Gan-Jurançon (Pyrénées-Atlantiques), (59) 57.21.03.

VALLÉE DE LA LOIRE

Coulée de Serrant
M. et Mme Joly à la Roche-aux-Moines, Savennières (Maine-et-Loire), (41) 72.24.80.

Jasnières
M. Langlois à Lomme (Sarthe).

Menetou-Salon
M. Gibert à Menetou-Salon (Cher).

Muscadet sur lie
M. Métaireau à Maisdon-sur-Sèvre (Loire-Atlantique), (40) 54.81.92.

Quarts-de-Chaume
Au Château de Suronde à Rochefort-sur-Loire (Maine-et-Loire).

Roche aux Moines
M. Bricart à Savennières (Maine-et-Loire).

Vins agréables et intéressants

ALSACE

Clos de la Hune, Riesling
M. Trimbach à Hunawihr (Haut-Rhin).

Pinot Rouge
M. Léon Beyer à Eguisheim (Haut-Rhin), (89) 41.41.05.

Traminer
M. Trimbach à Ribeauvillé (Haut-Rhin), (89) 73.60.30.

BEAUJOLAIS

Beaujolais biologiques
Fleurie, Brouilly, Morgon d'Agir à Beaujeu (Saône-et-Loire).
Juliénas de R. Sarreau à Juliénas (Saône-et-Loire).

BORDELAIS

Bellevue (Château)
Au Château Bellevue à Pessac (Gironde).

Breuil (Château du)
Au Château du Breuil à Cissac (Gironde).

Canon-Bouché (Château Vray)
Au Château Lague, M. Roux à Fronsac (Gironde).

Castéra (Château du)
Au Château du Castéra à Saint-Germain-d'Esteuil (Gironde), (56) 41.12.04.

Cérons et Calvimont (Château)
Au Château de Cérons à Cérons (Gironde), (56) 27.01.13.

Ferran (Château)
M. Dourthe à Moulis (Gironde).

Grand-Puch (Château du)
Au Château du Grand Puch à Saint-Germain-du-Puch (Gironde), (57) 24.51.03.

Lanessan (Château)
Au Château Lanessan à Cussac (Gironde), (56) 58.91.69.

Malagar (Château)
M. Dubourg à Verdelais (Gironde), (56) 62.02.43 - 63.25.21.

Malleret (Château)
Au Château Malleret, le Pian Médoc (Gironde).

Matras (Château)
M. Bernard Lefebvre à Saint-Emilion (Gironde), (57) 24.72.46.

Musseau (Château)
MM. Raous à Saint-Michel-de-Fronsac (Gironde).

Peyrabon (Château)
Au Château Peyrabon à Saint-Sauveur-de-Médoc (Gironde).
M. Penard, 18, rue Sadi-Carnot à Nanterre (Hauts-de-Seine), 725.34.86 - 725.10.21.

Picque-Caillou (Château)
Au Château Picque Caillou à Mérignac (Gironde), (56) 47.37.98.

Raymond (Château)
MM. Dourthe Frères à Moulis-en-Médoc (Gironde).

Recougne (Château)
M. Milhade à Galgon (Gironde), (57) 74.30.04.

Tour-Ségur (Château la)
MM. Dourthe Frères à Moulis-en-Médoc (Gironde).

Viaud-Grand Chambellan (Château de)
Etablissements Edouard Kressmann, 72, quai Bacalan, Bordeaux (Gironde), (56) 35.84.64.

BOURGOGNE

Clos de la Chaînette
4, avenue de Paris, Auxerre (Yonne).

Clos du Roi
MM. P. Guyot et B. Drouin à Chenove (Côte-d'Or).

Côte de Nuits Villages
M. J.C. Boisset à Brohon (Côte-d'Or), (80) 61.00.06 - 52.45.34.

Givry
Au Clos Saint-Paul à Givry (Saône-et-Loire).

Palotte d'Irancy
M. Monot à Saint-Bris-le-Vineux (Yonne).

Passetoutgrain
M. Moillard à Nuits-Saint-Georges (Côte-d'Or), (80) 61.03.34 .

Saint-Aubin Frionnes
M. J. Lamy à Saint-Aubin par Meursault (Côte-d'Or).

CHALONNAIS

Montagny
M. Martial de Laboulaye à Buxy (Saône-et-Loire).

CHAMPAGNE

Château de Bligny
Au Château de Bligny à Bligny (Aube), (25) 26.40.11.

Charbault, Blanc de Blancs
M. Charbault, B.P. 150, Epernay (Marne), (26) 54.72.13.
Lucien Vazard à Chouilly (Marne), (26) 54.51.03.

CORSE

Coteaux du Sartenais O.C.D.
Avenue de la Grande-Armée, Ajaccio (Corse).

CÔTES DU RHÔNE

Beaumes-de-Venise
Coopérative de Beaumes-de-Venise (Vaucluse), (90) 62.94.45.

Cornas Chante Perdrix
M. Delas à Tournon (Ardèche), (75) 08.60.30.

Hermitage Rouge
M. Chave à Mauves (Ardèche), (75) 08.24.63.

Mauves Saint-Joseph
M. Fabry à Tournon (Ardèche), (75) 08.05.26.

JURA

Côtes du Jura
Le Clos au Château Gréa à Rotalier (Jura).

MASSIF CENTRAL

Chanturgue
M. Verdier, avenue d'Italie à Clermond-Ferrand (Puy-de-Dôme).

Clos de Gamot
Cahors : M. Jouffrot à Cahors (Lot).

MIDI

Maury
Groupe Intercoopératif du Vin de Maury à Maury (Pyrénées-Orientales), (68) 59.00.95.

PROVENCE

Bandol
Domaine du Templier au Plan du Castellet (Var), (94) 98.70.21.

Carita
Société Vinicole de Beaumanière, Les Baux (Bouches-du-Rhône).

Castel-Roubine
Au Castel Roubine à Lorgues (Var), (94) 73.71.55.

Château d'Estoublon
Au Château d'Estoublon à Fontvieille (Bouches-du-Rhône).

Palette
Au Château Simone à Meyreuil (Bouches-du-Rhône).

VALLÉE DE LA LOIRE

Bonnezeaux
Compagnie Vinicole à Thouarcé (Maine-et-Loire).

Bourgueil
M. Brou à Quincy (Cher).

Chinon de Sazilly
Mme Veuve Joguet à Sazilly (Indre-et-Loire), (47) 58.55.53.

Dorices
Au Domaine des Dorices à Vallet (Loire-Atlantique), (40) 78.23.40.

Guche Pigeon
Société D. Cordier à Bué (Cher), (48) 54.20.14.

Moncontour (Château de)
Au Château de Moncontour (Indre-et-Loire).

Montsoreau
MM. Diaban et Cie à Trèves-Cunault (Maine-et-Loire).

Murs (Clos des)
M. Jacques Collé à Parnay (Maine-et-Loire), (41) 38.10.85.

Muscadet
Château des Gillières à la Haie Fouassières (Loire-Atlantique).

Nevoit Nicier
M. Nevoit-Nicier à Bourgueil (Indre-et-Loire), (47) 97.72.02.

Quincy
M. Pipet à Quincy (Cher), (48) 51.31.17.

Sancerre
Domaine de la Poussie à Bué-en-Sancerrois, (48) 54.20.14.
Château de Thauvenay, M. de Choulot à Thauvenay (Cher), (48) 54.07.22.

Touraine-Amboise
M. Guillot, quai Charles-Guinot, Amboise (Indre-et-Loire), (47) 57.09.35.

Petits vins originaux et insolites

BOURGOGNE

Sauvignon de Saint-Bris
Syndicat d'Exploitants des vins à Saint-Bris-le-Vineux (Yonne).

Vézelay
M. Bernard Basporte à Fontete-près-Vézelay (Yonne).

CORSE

Alziprato
Domaine d'Alziprato à Zilia (Corse), (95) 62.75.47.

Torracia
M. Chaudet, 10, rue Geoffroy-Saint-Hilaire à Paris.

DORDOGNE

Pech Charmant
M. Bardon, rue Dyron à Bergerac (Dordogne), (53) 57.07.94.

EST

Gris de Meuse
M. Louis, M. Vanier à Saint-Maurice-sous-les-Côtes (Meuse), (29) 89.38.93 - 89.30.27.
M. Drapier, M. Pierson à Heudicourt-sous-les-Côtes (Meuse), (29) 89.34.87.

Toul
M. Mazet, Rôtisserie des Cordeliers à Nancy (Meurthe-et-Moselle).

LANDES

Vin de Sable
MM. Caliot, Bécerède, Lapérine (Landes), (58) 48.15.25.
Mme Veuve Thévenin à Messanges (Landes), (58) 48.12.03.

LUBERON

Château de Mille
M. Pinatel, Château de Mille à Apt (Vaucluse), (90) 74.11.94.

LYONNAIS

Coteaux du Lyonnais
M. Caillet à Millery (Rhône), (7) 846.23.00.

MÂCONNAIS

Clos de la Cure
A Saint-Amour-Bellevue (Saône-et-Loire).

MASSIF CENTRAL

Châteaugay
M. Boyer à Clermont-Ferrand (Puy-de-Dôme), (73) 93.44.36.

Gaillac (Perlé de)
Caves Coopératives de Vinification des Coteaux Gaillaçois à Labastide de Lévis (Tarn).

324

Najac
M. Gayral à San Vensa (Aveyron), (65) 45.24.84.

Parnac
Cave Coopérative à Parnac par Luzech (Lot), (65) 30.71.86.

Renaison
Cave Coopérative à Renaison (Lot).

Vins d'Auvergne
Marcillac de M. Neyrolles à Balsac (Aveyron).
Fel de M. Viguier à Les Buis-Entraygues (Aveyron), (65) 44.50.45.

MIDI

Corbières 113
Syndicat des Vins de Corbières à Lézignan (Aude), (68) 27.04.34.

L'Espinet
Au Domaine de l'Espinet à Quillan (Aude).

Jarras-Listel
Cᵢₑ des Salins du Midi à Aigues-Mortes (Gard), (66) 51.00.80 — et 55, rue des Mathurins à Paris.

Picpoul de Pinet
Cave Coopérative à Pinet (Hérault), (67) 77.03.10.

Rivière-le-Haut
Au Domaine de Rivière le Haut, M. Segura Pujol à Fleury d'Aude (Aude), (68) 31.61.33.

Roussillon del Aspres
Cave Coopérative de Trouillas (Pyrénées-Orientales), (68) 53.47.08.

PYRÉNÉES

Madiran
Cave Coopérative à Crouseilles (Pyrénées-Atlantiques), (59) 68.10.93.

Pacherenc du Vic Bilh
M. Sere, 8, avenue Maréchal-Foch, Lourdes (Hautes-Pyrénées), (62) 94.05.60.

Vic Bilh du Portet
(Même adresse que ci-dessus), (59) 68.10.98.

ÎLE DE RÉ

Vins de l'Île de Ré
Coopérative des vins de l'Ile de Ré à Bois-Plage-en-Ré (Charente-Maritime).

SAVOIE

Vins de Savoie
Chignin Bergeron de M. J.P. Quénard à Chignin (Savoie), (79) 28.13.39.
Mondeuse de M. Million à Saint-Jean-de-Chevelu (Savoie).

VALLÉE DE LA LOIRE

Auvernat du Clos de l'Enfer
M. Gauthier à Baule (Loiret), (38) 44.49.91.

Mont-Près-Chambord Cour-Cheverny
Coopérative de Mont-près-Chambord (Loir-et-Cher), (54) 70.71.15.

Neuville
Coopérative Vinicole à Neuville-du-Poitou (Vienne), (49) 51.21.65.

Nonnains Gris
M. de Choulot à Thauvenay (Cher), (48) 54.07.22.

Saint-Pourçain
Coopérative Vinicole à Saint-Pourçain-sur-Sioule (Allier), (70) 45.30.46.

N.B. — Certains grands « Châteaux » dont nous donnons l'adresse n'expédient pas aux particuliers directement, mais ils transmettent les commandes aux différents négociants qui ont charge de distribuer leurs crus. D'autre part, quelques petits propriétaires ne disposant pas d'un véritable service de vente en raison de leur modestie, il arrive donc que les réponses soient longues à obtenir ou qu'il faille même parfois (très rarement) aller chercher le vin soi-même.

Tous les vins

Chez quelques marchands parisiens tels :

J.B. Besse, 48, rue de la Montagne-Sainte-Geneviève.

Nicolas, 2, rue de Valmy à Charenton, et ses succursales parisiennes (liste en appelant 368.38.20).

Table alphabétique des vins

TABLE DES MATIÈRES

Cet ouvrage a été composé par Facompo
et imprimé par la S.E.P.C. à Saint-Amand-Montrond (Cher)
pour le compte des éditions Le pré aux clercs

Achevé d'imprimer en Novembre 1984

Dépôt légal : Novembre 1984
N° d'Édition : 733. N° d'Impression : 2006.

Imprimé en France